O INFAMILIAR

OBRAS INCOMPLETAS DE **SIGMUND FREUD**

Freud

O **INFAMILIAR**
[DAS UNHEIMLICHE]

EDIÇÃO COMEMORATIVA
BILÍNGUE (1919-2019)

SEGUIDO DE
O HOMEM DA AREIA
DE E. T. A. HOFFMANN

1ª edição
2ª reimpressão

TRADUÇÃO (FREUD)
Ernani Chaves
Pedro Heliodoro Tavares

TRADUÇÃO (HOFFMANN)
Romero Freitas

autêntica

FREUD E O INFAMILIAR

Gilson Iannini
Pedro Heliodoro Tavares

Das Unheimliche é uma palavra e um conceito; o título de um texto e o nome de um sentimento aterrorizante; um domínio desprezado pela pesquisa estética e o efeito da leitura de certos contos fantásticos. Mas talvez seja inapropriado separar palavra e conceito, já que Freud anuncia desde o início o intuito de delimitar com precisão, no interior do vasto âmbito daquilo que suscita angústia e horror, um núcleo específico que justifique a particularidade dessa palavra-conceito (*Begriffswort*), o núcleo específico do *unheimlich*. Mas dizer isso ainda é dizer pouco: partindo de uma intrincada análise lexicológica da palavra-conceito que intitula o ensaio, Freud pretende justamente cingir o real que ela recorta. Para fazê-lo, ele mobiliza uma trama de referências que parte da ciência, passa pela filologia e pela estética, indo até a literatura fantástica, sem nunca perder de vista o que interessa ao psicanalista, convocado desde a primeira linha do ensaio. Num movimento às vezes vertiginoso, Freud se apropria de uma palavra de uso relativamente comum em alemão (pelo menos em seu uso adjetivo-adverbial), empresta-lhe um estatuto conceitual, transporta-a por variadas searas linguísticas e filosóficas, examina a experiência literária que melhor a engendra, escrutina a vivência real que ela recorta, para, ao final, devolver a palavra à língua, mas desta vez com o selo perene da psicanálise. Desde então, sob o impacto dessas investigações, seus leitores nas mais diversas áreas passam a contar com uma apreensão muito distinta da que tinham anteriormente. O *Unheimliche* – tanto a palavra quanto aquilo que ela "designa" – se é que podemos fazer essa distinção – não é o mesmo antes e depois da publicação desse ensaio, em 1919, há exatos 100 anos. Definitivamente, a análise empreendida por Freud modifica não apenas a língua alemã, acrescentando um sentido e um emprego inauditos, mas ainda exporta para todas as línguas através das quais a psicanálise se difundiu um significante novo e incômodo, um vocábulo, a rigor, intraduzível.

Não por acaso, e por motivos que a própria leitura do texto esclarece, sua tradução implica dificuldades maiores. Uma consulta rápida às melhores traduções disponíveis nas línguas mais próximas da nossa atesta-o facilmente. Só em francês, foram propostas pelo menos três traduções diferentes: "L'inquiétante étrangeté" (Gallimard), "L'inquiétant familier" (Payot) ou simplesmente "L'inquiétant" (PUF); em espanhol, "Lo siniestro" (Biblioteca Nueva) ou "Lo ominoso" (Amorrortu); em italiano, "Il perturbante" (Boringhieri); em inglês, "The uncanny" (Standard Edition); em português, "O estranho" (Edição Standard) ou "O inquietante" (Companhia das Letras). Nenhum vocábulo freudiano apresenta tantas variações e tantas soluções diferentes. Nesse sentido, estamos diante de um "intraduzível": "o intraduzível não é o que não pode ser traduzido, mas o que não cessa de (não) traduzir" (Cassin, 2018, p. 17). Não se trata aqui de repetir o dogma da intraduzibilidade, ou de sugerir uma suposta superioridade ontológica desta ou daquela língua. Ao contrário, as muitas traduções diferentes de *das Unheimliche* são um índice inequívoco de que estamos diante de uma palavra intraduzível. O intraduzível, por sua vez, é o sintoma por excelência da diversidade das línguas (Santoro, 2018, p. 158).

> Falar de intraduzíveis não implica absolutamente que os termos em questão, ou as expressões, os expedientes sintáticos e gramaticais, não sejam traduzidos e não possam sê-lo – o intraduzível é antes o que não cessa de (não) traduzir. Mas isso assinala que a sua tradução, em uma língua ou em outra, causa problema, a ponto de suscitar às vezes um neologismo ou a imposição de um novo sentido para uma velha palavra: é um indício da maneira como, de uma língua à outra, tanto as palavras quanto as redes conceituais não podem ser sobrepostas (Cassin, 2018, p. 17).

Na presente tradução, depois de experimentar várias soluções possíveis, optamos por "infamiliar", por razões que serão explicitadas mais à frente. Apesar de ser um aparente neologismo, "infamiliar" é a palavra em português que melhor expressa, tanto do ponto de vista semântico quanto do morfológico, o que está em jogo na palavra-conceito *Unheimliche* em seus usos por Freud. Não porque "infamiliar" expresse o "mesmo" conteúdo semântico do original alemão ou porque se situe numa rede conceitual "equivalente", mas justamente pela razão inversa. O "infamiliar" mostra que o muro entre as línguas não é intransponível, mas também que a passagem de uma língua a outra exige um certo forçamento. O "infamiliar" não é, nesse sentido, resultado da fidelidade à língua de partida, mas o vir à tona da infidelidade que tornou possível a transposição do hiato entre as línguas. É uma marca visível da impossibilidade da tradução perfeita. Assim, não deixa de ser também uma "intradução",[i] que, em vez de esconder o problema da inevitável equivocidade da tradução, o faz vir à tona.

---

[i] A "intradução" é uma palavra e um procedimento propostos por Augusto de Campos em 1974. Para mais detalhes, ver o verbete homônimo de Fernando Santoro, no *Dicionário dos intraduzíveis* (CASSIN, 2018, p. 154-160).

Um aspecto suplementar em favor dessa intradução é a ambiguidade inerente ao vocábulo "familiar". Não é incomum experimentarmos situações que nos fazem dizer coisas do tipo: "seu rosto me é familiar", "isso me soa familiar", "este lugar me é tão familiar!"; mas nesses casos, não raro, ao pronunciarmos "familiar", insinuamos, numa corrente silenciosa e inaparente, também seu exato oposto. Como se, na verdade, disséssemos algo do tipo: "seu rosto me é familiar [mas não me lembro de onde, (e/ou) nem sequer me lembro do seu nome]", ou "isso me soa familiar [embora pareça meio estranho]", ou ainda "esse lugar me é tão familiar [mas não sei bem por quê, acho que nunca estive aqui]". Nesses casos, estamos diante de ressonâncias e reverberações bastante ambíguas – ou mais precisamente antitéticas – da expressão "familiar": trata-se de algo que, por um lado, reconhecemos como íntimo e já conhecido, mas, por outro lado, percebemos como desconhecido, como estranho e inquietante, como esquecido e oculto, de e em nós mesmos. Nesse aspecto particular, "familiar" assemelha-se bastante ao alemão *heimlich*, que designa algo bastante familiar, mas que pode também abrigar seu sentido antitético. O *unheimlich* é uma negação que se sobrepõe ao *heimlich* apreendido tanto positiva quanto negativamente: é, portanto, uma reduplicação dessa negação, que acentua seu caráter angustiante e assustador. A palavra em português que melhor desempenha esse aspecto parece ser "infamiliar": do mesmo modo, ela acrescenta uma negação a uma palavra que abriga tanto o sentido positivo de algo que conhecemos e reconhecemos quanto o sentido negativo de algo que desconhecemos. É claro que o original alemão guarda um núcleo angustiante e aterrorizante que "familiar" não abriga, pelo menos em seu uso cotidiano.

Entre as traduções mais conhecidas em português para *unheimlich*, a comunidade psicanalítica costuma oscilar entre palavras como "estranho" ou "inquietante", ou por locuções como "estranho-familiar". *Grosso modo*, "estranho" teria a vantagem de designar o sentimento de "estranheza" presente em certos episódios de angústia. Mas tem pelo menos duas desvantagens patentes e difíceis de superar: em primeiro lugar, o alemão dispõe do termo *fremd*, que traduz o que é estranho, alheio ou estrangeiro, como, por exemplo, na palavra composta *Fremdsprache* – "língua estrangeira", ou quando se recomenda a uma criança que não fale com estranhos/desconhecidos (*fremde Menschen*); além disso, "estranho" não contém em sua composição o oposto requerido pela palavra *Unheimliche*. Toda a análise de Freud apoia-se no caráter ambivalente da palavra negada pelo prefixo *Un-*, que reduplica a ambivalência, mas que a conserva e evoca ao mesmo tempo. Por seu turno, "inquietante" tem a vantagem de conter o aspecto linguístico da oposição "quieto-inquieto", que remete ao "apaziguador" em oposição ao que é "perturbador da paz". Contudo, a questão da "aquiescência *versus* excitação" não parece ser a tônica da oposição *unheimlich/heimlich*. Nessa palavra escapa-nos também a remissão à ambiguidade entre o que é *próprio* ou *alheio*, *doméstico* ou *exterior*. Além disso, o texto de Freud tende a destacar como o que produz a maior inquietação ser justamente o *heimlich* (íntimo-secreto), linguisticamente, o aparente oposto de *unheimlich*. Afinal, como escreve Marguerite Duras, "é numa casa que a gente se sente só. Não do lado de fora, mas dentro".[i]

---

[i] Ao comentar o das Unheimliche freudiano, Barbara Cassin evoca esse sentimento com precisão: "Se rendre compte qu'on n'est même pas chez soi en soi, telle est l'angoisse du sujet moderne devant l'Unheimliche" (CASSIN, 2004, p. 548). Numa tradução livre, embora a frase contenha uma expressão também intraduzível: "Dar-se conta de que não

***

Uma tradução direta do alemão deve fazer jus não somente ao grande escritor, mas também à precisão conceitual quanto ao tratamento dos vocábulos-chave utilizados por ele na elaboração da teoria psicanalítica. Nesse sentido, o presente volume aborda o conceito que gera uma das maiores polêmicas quanto à sua possível (ou impossível) tradução, principalmente se optarmos pela escolha de uma só palavra potencialmente "equivalente", e não por alguma locução ou combinação explicativa, como "estranho-familiar" ou "inquietante-estranheza".

Tal dificuldade não diz respeito ao suposto fato de se tratar de algum neologismo na língua de partida. Se depois de Freud abundam exemplos de uso de neologismos para dar conta de conceitos e proposições psicanalíticas, um dos pontos marcantes da escrita freudiana consiste no uso magistral dos recursos da língua alemã, sem nem fundar um novo jargão técnico a partir de línguas clássicas nem propor a criação de novas palavras que se afastassem do léxico já difundido. No caso do conceito-título em questão, tem-se mais um grande exemplo de como Freud sabia se valer da sabedoria disponível em sua língua de expressão, o alemão.

Trata-se aqui do uso de um dos peculiares recursos constantemente empregados por Freud, alguns deles já comentados em outros paratextos desta coleção. Um deles seria a possibilidade de compor palavras pela justaposição de termos, como em *Fehlleistung* (ato falho), *Deckerinnerung* (lembrança encobridora) ou *Seelenbehandlung* (tratamento anímico); outro, o da matização de sentidos para um verbo

---

estamos em casa em casa, é esta a angústia do sujeito moderno diante do Unheimliche".

a partir da mudança de seu prefixo, como no caso de *arbeiten* (trabalhar), que se desdobra em *bearbeiten* (elaborar – "operar sobre um material") (Hanns, 1996, p. 190), *verarbeiten* ("assimilar" ou "integrar" um material psíquico) (Hanns, 1996, p. 190) e, até mesmo, *durcharbeiten* (perlaborar). Note-se que neste último caso somente conseguimos aportar sua especificidade à língua portuguesa graças à proposição de uma composição previamente indisponível no léxico que, contudo, respeita as regras de formação de palavras (como em percorrer, perfazer etc.).

Se tal procedimento tende a ser evitado nesta coleção antes de exaustiva busca por uma forma adequada de tradução a partir do léxico preexistente – inclusive buscando fazer justiça ao estilo freudiano de escrita –, vale aqui lembrar ao leitor que muito daquilo que passa a ser oficialmente incorporado ao léxico oficial das diferentes línguas nacionais tem sua origem em algo proposto em algum momento por algum tradutor que inseriu "por contrabando" na língua de chegada algo condizente à sabedoria de uma língua estranha/estrangeira. Caberia aqui menção ao eloquente exemplo fornecido pelos tradutores franceses de Freud pela editora PUF referente à tradução da palavra *évolution* (evolução) com a mesma grafia do texto-fonte inglês quando do lançamento do livro *A origem das espécies*, de Charles Darwin, em tradução francesa. Na ocasião, houve quem recebesse com grande estranhamento a proposição desse "neologismo", ao menos na acepção proposta. Hoje, inegavelmente, *évolution* é uma palavra de uso tanto científico quanto cotidiano (Cotet; Bourguignon; Laplanche, 1989). Eis algo fundamental na reflexão proposta por Freud em 1919: como respondemos àquilo que um estrangeiro nos aporta, especialmente quando esse algo é absurdamente familiar e doméstico para ele, mas claramente exótico e ameaçador, pelo menos da perspectiva de nossa suposta integridade identitária, que resiste a assimilar o estrangeiro. Os nexos profundos entre tradução e política não tardam a aparecer.

Do ponto de vista linguístico, especificamente, o recurso empregado no conceito-título *das Unheimliche* é mais um dos muitos disponíveis na língua alemã, aliás, amplamente utilizado por autores teóricos e, sobretudo, pelos grandes filósofos que dela fizeram uso e nela se expressaram. Trata-se da possibilidade de transformarmos em substantivos outras classes de palavra, tais como pronomes, verbos, advérbios ou adjetivos. Com Freud isso não foi diferente. Tais casos são numerosos e muito significativos em seu vocabulário fundamental. Sem propriamente engendrar novas palavras, Freud transforma em substantivos o adjetivo ou mesmo o advérbio *unbewusst* (inconsciente) em *das Unbewusste* (o inconsciente), os pronomes retos *ich* (eu) e *es* (isso) em *das Ich* (o Eu) e *das Es* (o Isso) ou, até mesmo, os verbos marcados pelo prefixo *ver-* – que dão nome aos capítulos de *Sobre a psicopatologia da vida cotidiana* (1901) – *vergessen* (esquecer), *vergreifen* (equivocar-se ao agir), *verlesen* (equivocar-se lendo) ou *versprechen* (equivocar-se falando), transformando-os nos substantivos *das Vergessen* (o esquecer/esquecimento), *das Vergreifen* (o equivocar-se ao agir), *das Verlesen* (o equivocar-se lendo) e *das Versprechen* (o equivocar-se falando).

Assim, o adjetivo/advérbio de uso corrente *unheimlich* passa a ser grafado *das Unheimliche*. Algo não muito distinto do que fez, entre tantos outros exemplos possíveis, Arthur Schopenhauer num escrito igualmente dedicado a reflexões sobre a estética. Em sua *Zur Methaphysik des Schönen* (Sobre a metafísica do belo), o adjetivo *schön* (belo) torna-se o substantivo *das Schöne* (o belo). Notem-se aqui certas marcas distintivas desse procedimento: a atribuição do gênero neutro (*das*, à diferença do masculino *der* e do feminino *die*), além da grafia da palavra com inicial maiúscula e com a desinência final em *-e*, no caso de adjetivos. Por esse motivo, nesta coleção preferimos igualmente grafar com inicial maiúscula as palavras "Eu" e "Isso", quando usadas como substantivos referentes às instâncias psíquicas da assim chamada segunda tópica freudiana. Fundamentalmente, com isso, apresentamos um dos aspectos principais quanto ao que há de inovador e peculiar no escrito em questão: ele eleva à categoria de conceito uma palavra que antes aparecia na língua como simples, e quase acessório, qualificador.

Mas essa não é ainda a principal dificuldade na tradução de *das Unheimliche*. O problema fundamental é anterior à elevação da palavra ao estatuto de conceito. A dificuldade já se apresenta desde sua forma de adjetivo-advérbio. Algo que remete aqui ao mencionado exemplo de, em nome de uma primazia do epistêmico, traduzirmos *durcharbeiten* por "perlaborar", ou seja, o da prévia inexistência de um vocábulo na língua de chegada que abarque os essenciais aspectos semântico-morfológicos que mais interessam à discussão teórica. Nesses casos, não é raro observarmos que, para driblar as insuficiências de uma tradução por uma única palavra em português, os leitores brasileiros e estrangeiros dos escritos do fundador da psicanálise simplesmente referem-se ao conceito no original alemão, sem traduzi-lo: *das Unheimliche*. Assim, aliás, fez-se na tradução italiana de Freud com *das Es* (o Isso/o "Id"), preservando-se a grafia e a pronúncia da língua de partida. Em áreas afins, não faltam exemplos análogos de termos não traduzidos, frequentemente conservados em sua língua original. Alguns exemplos icônicos: do grego, *logos* ou *mímesis*; do latim, *cogito*, *locus*; do francês, *démarche*, *nonsense*; do alemão: *Zeitgeist*, *Dasein*, *Leitmotiv*, *Gestalt etc.* No caso dos textos de Freud, algo semelhante tende a ocorrer com o geralmente intraduzido *Witz* (chiste, dito espirituoso, jogo de palavras, piada etc.).

Diante de um "intraduzível", a escolha pela não tradução poderia motivar-se pela busca de concisão conceitual em uma só palavra; outra opção seria, ao contrário, decompor o vocábulo numa combinação explicativa de palavras ou numa forma de locução. Um exemplo dessa estratégia é a tradução francesa de Bertrand Féron que, conforme mencionado anteriormente, ousou lançar mão de tal recurso, traduzindo o título "Das Unheimliche" por "L'inquiétante étrangeté", algo como "A inquietante estranheza". Outra forma bastante difundida de locução substitutiva em língua portuguesa aponta para o aspecto paradoxal que o termo alemão veicula. Falamos de "estranheza familiar", composição muito frequente em trabalhos psicanalíticos ou acadêmicos redigidos em língua portuguesa.

A decisão de verter "Das Unheimliche" por "O infamiliar" foi fruto de longo e amadurecido debate entre todos os envolvidos na presente edição. Antes disso, editor, tradutores, coordenador de tradução e até mesmo alguns membros do conselho editorial discutiram se, em nome da concisão, a melhor opção, ou a menos insuficiente, seria "O estranho" ou "O inquietante", duas soluções já adotadas em traduções anteriores. Podendo ambas ser consideradas corretas, são também claramente insuficientes diante da linha argumentativa desenvolvida pelo autor. Trata-se, é verdade, de um caso único no vocabulário freudiano, em que o próprio autor dedica-se exaustivamente, ao longo de todo o texto, a uma investigação filológico-lexical acerca de um vocábulo passível de diversas leituras e interpretações.

As teses freudianas sobre a subjetividade humana instalam uma divisão e uma opacidade no seio de algumas premissas fundamentais da concepção moderna de subjetividade, como a unidade do Eu ou a transparência dos atos de consciência. Na contramão do cartesianismo, não somos *in-divíduos*, mas sim seres *divididos* entre sistemas psíquicos frequentemente contraditórios. O exercício de início visto como lexical, filológico ou filosófico de Freud passa a se mostrar como essencialmente psicanalítico ao apontar para algo no aparente paradoxo veiculado por uma palavra tão usual da língua. Algo que vem confirmar suas hipóteses sobre um testemunho da divisão psíquica. O vocábulo em questão é composto do prefixo de negação (*un-*), como veremos, marca do recalque, segundo Freud, como cerne da divisão psíquica, seguido do elemento negado: *heimlich*, adjetivo que deriva do substantivo *Heim* (lar, morada), tão próximo, aliás, do inglês *home*. E se no inglês o conceito de *home* pode ser estendido ao de "terra natal", nesse sentido temos em alemão a palavra *Heimat* (a pátria no sentido afetivo, cantada pelos saudosos, por exemplo), em oposição a *Vaterland* (terra-pai, ou seja, a pátria cívica). Desse modo, *heimlich*, como o que é relativo ao "lar", é o *familiar*, o *conhecido*, o *costumeiro*, ainda que, por ser atinente à privacidade do "lar", em oposição ao público, denote também o que é íntimo, *oculto* da vista alheia e até mesmo *sigiloso*. Assim, *geheim* tem o sentido de *secreto*, *Geheimnis*, o de *segredo*. Vide o conhecido acrônimo *Gestapo* para *Geheime Staatspolizei* (polícia secreta estatal), a infame polícia secreta nazista que às escondidas investigava e invadia os lares (*Heim*), como fez com Freud e sua filha, Anna.

Não por acaso, ao elencar os sentidos de *heimlich*, Freud refere ainda as "[...] partes *heimlich* [íntimas] do corpo humano, *pudenda*" (neste volume, p. 47). Uma leitura rápida da longa citação do verbete do dicionário dos irmãos Grimm pode deixar escapar esse aspecto fundamental para a psicanálise, relativo ao seu sentido sexual: *heimlich* designa não apenas as partes íntimas do corpo humano, aquelas que devem ficar escondidas ou veladas, como também aquelas que são mais suscetíveis ao risco de ferimento, evocando indiretamente a angústia de castração.

Com essa dupla inscrição Freud já vai demonstrando passo a passo como o *heimlich*, aquilo que é tão "familiar e íntimo", pode evocar também a impressão do "secreto e desconhecido". Nisso, aliás, seu ensaio tem um importante precedente num escrito de 1910 que igualmente parte de reflexões aparentemente linguístico-filológicas para nutrir uma discussão essencialmente psicanalítica. Trata se do brevíssimo, porém denso, "Sobre o sentido antitético das palavras primitivas" ("Über den Gegensinn der Urworte"). O texto publicado originalmente num anuário psicanalítico[i] era, na verdade, uma espécie de resenha ao trabalho de mesmo título do filólogo comparatista alemão Carl Abel. Numa carta a Ferenczi, datada de 22 de outubro de 1909, Freud refere-se com entusiasmo à leitura que acabara de realizar. O trabalho de pesquisador da linguagem efetuado por Abel seria uma espécie de confirmação, em um domínio do saber conexo ao da psicanálise, da teoria dos sonhos, fornecendo o fundamento linguístico da tese de que a negação não opera no inconsciente. Uma nota sobre o tema foi introduzida na terceira edição de sua *Interpretação dos sonhos* (1911), precisamente no parágrafo em que Freud afirma que o sonho não conhece nem a oposição (*Gegensatz*) nem a contradição (*Widerspruch*). Chamam ali a atenção de Freud os exemplos de palavras que originalmente expressavam um par de oposição em vez de servirem a um significado polarizado. Eloquentes exemplos de uma língua tão próxima quanto o latim seriam *sacer*,[ii] que pode significar tanto "sagrado" (*heilig*) quanto "maldito" (*verflucht*), ou *altus*, que denota, a uma só vez,

---

[i] *Jahrbuch für Psychoanalytischen und Psychopathologischen Forschung* (Anuário de Pesquisa Psicanalítica e Psicopatológica), t. 2, n. 1, p. 178-184.

[ii] Ver, a este respeito, o proveito que Giorgio Agamben faz dessa ambiguidade em sua monumental obra *Homo sacer*.

"alto" (*hoch*) e "profundo" (*tief*). No pensamento freudiano, isso não seria algo tão novo, já que, desde os primórdios da psicanálise, mostra-se que o inconsciente se faz representar mais por aquilo que chamamos de *Komplexe* (reuniões de polaridades) do que por distinções dicotômicas excludentes.

Do ponto de vista das análises linguísticas de Freud, o ensaio sobre o *Unheimliche* ocupa uma posição central: ele pressupõe o texto publicado uma década antes, o referido "Sobre o sentido antitético das palavras primitivas" e prenuncia o que será formalizado alguns anos mais tarde sobre "A negação".[i] A tese do sentido antitético de palavras primitivas aplica-se perfeitamente ao caso do *Unheimliche*. Escreve Freud: "Em suma, familiar [*heimlich*] é uma palavra cujo significado se desenvolveu segundo uma ambivalência, até se fundir, enfim, com seu oposto, o infamiliar [*Unheimlich*]. Infamiliar é, de certa forma, um tipo de *familiar*. Juntemos esse resultado ainda não esclarecido com justeza com a definição de *infamiliar* trazida por Schelling. A investigação de casos específicos do *infamiliar* tornará compreensível essa alusão" (p. 47-49).

Além disso, Freud percebe a partícula *Un*- não apenas como privativa, mas ainda como um índice do recalcamento: "O *infamiliar* é, então, também nesse caso, o que uma vez foi doméstico, o que há muito é familiar. Mas o prefixo de negação "in-" [*Un*-] nessa palavra é a marca do recalcamento" (p. 95). O raciocínio que fundamenta tal asserção prenuncia uma tese capital do célebre artigo de 1925 sobre a negação (*Verneinung*). Aquilo que vale, em 1919, para a morfologia de uma palavra negativa será generalizado como princípio do

---

[i] Ambos publicados nesta coleção, primeiramente no volume *Neurose, psicose, perversão*, com tradução de Maria Rita Salzano Moraes. Republicados aqui, a fim de facilitar a consulta do leitor.

funcionamento de juízos negativos. Escreve Freud: "Com a ajuda da negação, apenas uma das consequências do processo de recalcamento é revogada, a saber, a de seu conteúdo de representação não chegar à consciência". Numa passagem ainda mais célebre: "Negar algo no juízo significa, basicamente: isto é alguma coisa que eu preferiria recalcar. A condenação[i] é o substituto intelectual do recalcamento; seu 'não' é a marca característica do mesmo, um certificado de origem, tal como o '*made in Germany*'. Por meio do símbolo da negação, o pensar se liberta das limitações do recalcamento e se enriquece de conteúdos, dos quais não pode prescindir para o seu desempenho" (neste volume, p. 143).

Sim, a profícua contradição do vocábulo alemão *unheimlich* nos remete àquilo que causa estranhamento e inquietação, fundamentalmente, por tocar algo de "familiar" e que, por algum motivo "secreto", não poderia ser identificado como tal. Em nome de uma saída "didática", poderíamos recorrer à locução "a inquietante estranheza familiar". Contudo, lançar mão desse recurso seria contrariar um princípio caro a Freud desde *A interpretação dos sonhos*: o da *Verdichtung* (condensação), que, diga-se de passagem, está em alemão muito próxima de *Dichtung*, o fazer poético. A língua alemã concebe a poesia como uma forma de "adensamento" do dizer. Nela, com pouco se diz muito.

---

[i] *Verurteilung*. O mesmo termo pode designar a *condenação*, que no sentido jurídico ou moral opõe-se à *absolvição*, e o *juízo negativo*, que no sentido lógico opõe-se a *juízo afirmativo*. Um juízo negativo é aquele que nega um predicado a um sujeito: "essa casa não é minha"; "[essa pessoa] não é minha mãe". Contudo, Jean Hyppolite, em seu célebre comentário a esse texto, enfatiza que o que está em jogo aqui é uma espécie de "julgar ao contrário", distinguindo entre uma "negação interna ao juízo" e uma "atitude de negação" (Ver HYPPOLITE, Jean. Comentário falado sobre a "Verneinung" de Freud. In: LACAN, Jacques. *Escritos*. Rio de Janeiro: Jorge Zahar, 1998. p. 893-902).

Eis uma marca que indubitavelmente se pode aplicar a esse breve ensaio psicanalítico.

Em grande parte, a genialidade de nosso autor inegavelmente reside em identificar na linguagem cotidiana e potencialmente acessível algo que nela é difícil de acessar, não por falta de informação ou por barreiras intelectuais, mas, sobretudo, por causa dos conflitos psíquicos ali enredados. Conflitos esses que se expressam também em barreiras culturais, em produções artísticas ou ainda na própria história de uma língua: as camadas de sedimentos, as ruínas e os vestígios de formações longínquas e talvez inacessíveis sem os recursos metodológicos da psicanálise. São estes os materiais preferidos das análises freudianas. Esse texto que o leitor tem diante de si é uma das mais ricas demonstrações de como a psicanálise opera com sua mais fundamental ferramenta: a língua cotidiana, com suas camadas e sua história. Aqui Freud demonstra de modo inequívoco como se entrelaçam na própria escrita os registros teórico e estético, como a linguagem científica e literária se interpenetram, ou ainda como o vivido e o fantasiado tecem relações complexas.

***

A *démarche* de Freud é clara. Ele começa solicitando apoio à autoridade da ciência. É esse o sentido de sua referência, logo no início do ensaio, a um artigo de Ernst Jentsch, publicado numa *Revista Psiquiátrico-Neurológica*. Tal recurso à ciência mostra seus limites rapidamente. Na estética filosófica também Freud não encontra grande alento, mas observa o que ela despreza, o que ela rejeita. Daí em diante, Freud recorre a outros saberes. Por um lado, recorre aos grandes léxicos, como o de Sanders e o dos irmãos Grimm, por outro, ao *Dichter*, no caso, E. T. A. Hoffmann em seu conto fantástico do "O Homem da Areia". Ciência, lexicografia, filosofia estética e literatura aqui se combinam na prosa freudiana sob inegável influência de um romantismo bastante singular, representado por Hoffmann. É digno de nota o recurso freudiano aos irmãos Grimm, não por conta de seus *Contos maravilhosos* (*Märchen*), cuja compilação constitui a obra mais traduzida e lida da literatura alemã, mas como grandes filólogos e lexicógrafos, autores do mais detalhado e extenso dicionário alemão. Eis aqui outro ponto em que vemos o comprometimento de Freud com o rigor e com a clareza não se confundir com um apego exclusivo ao científico ou ao conceitual, franqueando ao psicanalista um *laissez-passer* do qual ele não hesita em fazer uso quando cruza fronteiras entre o linguístico e o literário, entre o estético e o teórico.

Numa obra em que a materialidade tanto linguística quanto poética do idioma é abordada de forma tão interconexa, coube a opção por apresentá-la não somente em formato bilíngue, ou seja, na duplicidade das línguas, mas também na duplicidade do texto psicanalítico de Freud acompanhado do texto literário de Hoffmann e alguns pequenos escritos freudianos, que dialogam direta ou indiretamente com este. Este volume conta ainda com ensaios complementares que abordam diferentes aspectos dos textos de Freud e de Hoffmann. Três ensaios cumprem a função de comentar o texto freudiano: Ernani Chaves situa o ensaio de Freud na história do pensamento estético; Guilherme Massara Rocha, com a colaboração de Gilson Iannini, destaca aspectos metapsicológicos, acrescentando ao debate estético o horizonte ético da clínica psicanalítica; por sua vez, Christian Dunker insere o texto de Freud no debate contemporâneo acerca do estatuto do animismo, dialogando com as ontologias móveis e o perspectivismo. Para encerrar o volume, publicamos uma tradução inédita do conto de Hoffmann "O Homem da Areia", traduzido por Romero Freitas, que, na sequência, comenta o contexto estético da literatura de Hoffmann.

***

Sim, o caráter da duplicidade e do duplo (*Doppelgänger*) é também um ponto marcante do que Freud aqui nos apresenta. O tema do duplo, que já era do interesse dos primeiros analistas, como Otto Rank, aponta para algo de uma estrutura que nos lembra a famosa fita de Moebius: uma constante ambiguidade entre o dentro e o fora, o próprio e o alheio, o uno e o dividido. Algo tão magistralmente apresentado em "O Homem da Areia", de E. T. A. Hoffmann, com a continuidade/descontinuidade de Coppola e Coppelius, por exemplo. O duplo nos adverte de que nunca somos tão iguais a nós mesmos quanto pretendemos nem tão diversos daqueles que tomamos por distantes estranhos/estrangeiros.

AGRADECIMENTOS

Um trabalho dessa natureza envolve a colaboração contínua e/ou intensa de muitas pessoas. Primeiramente, gostaríamos de agradecer a Ernani Chaves, pela laboriosa primeira versão da tradução do texto de Freud e por sua abertura às diversas reformulações propostas nas versões posteriores. Um agradecimento especial a Romero Freitas, que, numa conversa em Ouro Preto, sugeriu o termo "infamiliar", que precisou decantar por quase três anos, até que se impusesse como a solução finalmente adotada. Somos ainda gratos por sua disponibilidade para ler e revisar aspectos conceituais dos paratextos e pela magistral tradução do conto de Hoffmann. A Guilherme Massara Rocha, pela paciência com as intervenções em seu manuscrito original. A Christian Dunker, por sua disponibilidade e pela perspectiva inovadora de leitura do texto freudiano. Finalmente, agradecemos a Rejane Dias e à Autêntica Editora, por tornar possível o encontro entre tradutor, revisor e editor em Florianópolis, para a finalização do trabalho.

REFERÊNCIAS

BOURGUIGNON, A.; COTET, P.; LAPLANCHE, J.; ROBERT, F. *Traduire Freud*. Paris: PUF, 1989

CASSIN, Barbara (Coord.). *Dicionário dos intraduzíveis: um vocabulário das filosofias. Volume um: Línguas*. Organização Fernando Santoro, Luisa Buarque. Belo Horizonte: Autêntica editora, 2018

CASSIN, Barbara (Coord.). *Vocabulaire Européen des Philosophies: Dictionnaire Des Intraduisibles*. Paris: Le Robert/Seuil, 2004.

HANNS, Luiz Alberto. *Dicionário comentado do alemão de Freud*. Rio de Janeiro: Imago, 1996.

SANTORO, Fernando. Intradução. In: CASSIN, Barbara (Coord.). *Dicionário dos intraduzíveis: um vocabulário das filosofias. Volume um: Línguas*. Organização Fernando Santoro, Luisa Buarque. Belo Horizonte: Autêntica editora, 2018.

NOTA À PRIMEIRA REIMPRESSÃO

A repercussão da presente tradução não poderia ter sido mais calorosa. Com pouco mais de um mês do lançamento do volume, inúmeras conferências, mesas-redondas e cursos foram promovidos por instituições psicanalíticas das mais diversas orientações e por várias universidades, em diferentes cantos do país. Nossa proposta de tradução encontrou não apenas eco, mas também testemunhos independentes de iniciativas semelhantes, além de ilustres predecessores, que desconhecíamos até então. Descobrimos, ao longo desse percurso, que os termos "infamiliar" e "infamiliaridade" já circulavam aqui e ali. Clarice Lispector, estrangeira na própria língua, o empregou algumas vezes em um sentido bastante próximo ao de Freud, como notou aliás Juliana Monteiro em sua tese de doutorado, orientada por Claudio Oliveira. Escrevendo também sobre Clarice Lispector, num dossiê do Instituto Moreira Salles, Alexandre Nodari refere que o termo "infamiliar", que aparece três vezes em *Laços de família*, poderia traduzir o *Unheimlich* freudiano. Por outra via, Chaim Katz também propôs, mais de uma vez, a equivalência entre *Unheimlich* e o *infamiliar.* Finalmente, bastante recentemente, Miquel Bassols escreveu: "Se tivéssemos que transpor literalmente o termo em nossa língua [o espanhol], seria então melhor falar de 'O in-familiar', entendendo o 'in-' como a negação do familiar, mas também como o mais interior a ele, o mais próprio, o mais êxtimo".[i] Todos estes testemunhos mostram que a língua de Freud é uma língua viva.

[i] O leitor interessado pode consultar as referências completas em: NODARI, A. "Tornar-se": notas sobre a "vida secreta" de Clarice Lispector. Disponível em: <https://bit.ly/2E9Mt3V>. KATZ, C. A clínica e o sofrimento; familiar e infamiliar. In: KATZ, C. (Org.). *Férenczi: história, teoria, técnica.* São Paulo: Ed. 34, 1996. BASSOLS, M. A língua familiar. *Opção Lacaniana*, n. 79, jul. 2018.

Das Unheimliche
(1919)

O infamiliar
(1919)

TRADUÇÃO: Ernani Chaves e Pedro Heliodoro Tavares

NOTAS: Ernani Chaves

I

Der Psychoanalytiker verspürt nur selten den Antrieb zu ästhetischen Untersuchungen, auch dann nicht, wenn man die Ästhetik nicht auf die Lehre vom Schönen einengt, sondern sie als Lehre von den Qualitäten unseres Fühlens beschreibt. Er arbeitet in anderen Schichten des Seelenlebens und hat mit den zielgehemmten, gedämpften, von so vielen begleitenden Konstellationen abhängigen Gefühlsregungen, die zumeist der Stoff der Ästhetik sind, wenig zu tun. Hie und da trifft es sich doch, daß er sich für ein bestimmtes Gebiet der Ästhetik interessieren muß, und dann ist dies gewöhnlich ein abseits liegendes, von der ästhetischen Fachliteratur vernachlässigtes.

Ein solches ist das »Unheimliche«. Kein Zweifel, daß es zum Schreckhaften, Angst- und Grauenerregenden gehört, und ebenso sicher ist es, daß dies Wort nicht immer in einem scharf zu bestimmenden Sinne gebraucht wird, so daß es eben meist mit dem Angsterregenden überhaupt zusammenfällt. Aber man darf doch erwarten, daß ein besonderer Kern vorhanden ist, der die Verwendung eines besonderen Begriffswortes rechtfertigt. Man möchte wissen, was dieser gemeinsame Kern ist, der etwa gestattet, innerhalb des Ängstlichen ein »Unheimliches« zu unterscheiden.

I

O psicanalista apenas raramente se sente estimulado a investigações estéticas, mesmo que ele não restrinja a estética à doutrina do belo, mas a descreva como a doutrina das qualidades do nosso sentir. Ele trabalha com outras camadas da vida anímica e tem pouco a fazer com as emoções inibidas quanto à meta, sufocadas, dependentes de um grande número de constelações concomitantes, as quais, em geral, constituem a matéria da estética. De todo modo, aqui e ali, ele percebe que pode se interessar por um domínio específico da estética, e então, trata-se de algo comumente deixado de lado, negligenciado pela literatura especializada.

Algo desse domínio é o "infamiliar".[1] Não há nenhuma dúvida de que ele diz respeito ao aterrorizante, ao que suscita angústia e horror, e, de todo modo, estamos seguros de que essa palavra nem sempre é utilizada num sentido rigoroso, de tal modo que, em geral, coincide com aquilo que angustia. Entretanto, pode-se esperar que exista um determinado núcleo, que justifique a utilização de uma palavra-conceito específica. Gostaríamos de saber o que é esse núcleo comum, que permite diferenciar, no interior do angustiante, algo "infamiliar".

Darüber findet man nun so viel wie nichts in den ausführlichen Darstellungen der Ästhetik, die sich überhaupt lieber mit den schönen, großartigen, anziehenden, also mit den positiven Gefühlsarten, ihren Bedingungen und den Gegenständen, die sie hervorrufen, als mit den gegensätzlichen, abstoßenden, peinlichen beschäftigen. Von seiten der ärztlichpsychologischen Literatur kenne ich nur die eine, inhaltsreiche aber nicht erschöpfende, Abhandlung von E. Jentsch.[i] Allerdings muß ich gestehen, daß aus leicht zu erratenden, in der Zeit liegenden Gründen die Literatur zu diesem kleinen Beitrag, insbesondere die fremdsprachige, nicht gründlich herausgesucht wurde, weshalb er denn auch ohne jeden Anspruch auf Priorität vor den Leser tritt.

Als Schwierigkeit beim Studium des Unheimlichen betont Jentsch mit vollem Recht, daß die Empfindlichkeit für diese Gefühlsqualität bei verschiedenen Menschen so sehr verschieden angetroffen wird. Ja, der Autor dieser neuen Unternehmung muß sich einer besonderen Stumpfheit in dieser Sache anklagen, wo große Feinfühligkeit eher am Platze wäre. Er hat schon lange nichts erlebt oder kennen gelernt, was ihm den Eindruck des Unheimlichen gemacht hätte, muß sich erst in das Gefühl hineinversetzen, die Möglichkeit desselben in sich wachrufen. Indes sind Schwierigkeiten dieser Art auch auf vielen anderen Gebieten der Ästhetik mächtig; man braucht darum die Erwartung nicht aufzugeben, daß sich die Fälle werden herausheben lassen, in denen der fragliche Charakter von den meisten widerspruchslos anerkannt wird.

Man kann nun zwei Wege einschlagen: nachsuchen, welche Bedeutung die Sprachentwicklung in dem Worte »unheimlich« niedergelegt hat, oder zusammentragen, was

---

[i] Zur Psychologie des Unheimlichen, *Psychiatr.-neurolog. Wochenschrift* 1906 Nr. 22 u. 23

A esse respeito, nada encontramos nas meticulosas exposições da estética, as quais, em geral, ocupam-se de preferência dos sentimentos belos, grandiosos, atraentes, ou seja, dos sentimentos positivos, de suas condições e dos objetos que eles evocam, em vez dos contraditórios, repugnantes, penosos. Do ponto de vista da literatura médico-psicológica, conheço apenas um ensaio[i] de Ernst Jentsch,[2] rico em conteúdo, mas que não esgota o assunto. Em todo caso, devo confessar, por razões fáceis de adivinhar e ligadas à nossa época,[3] que a bibliografia desta pequena contribuição, em especial aquela em língua estrangeira, não pode ser explorada com profundidade, de tal modo que a apresentamos ao leitor sem nenhuma reivindicação de prioridade.

Como dificuldade no estudo do *infamiliar*, Jentsch sublinha, com justa razão, que a sensibilidade para esse tipo de sentimento é encontrada em diferentes graus nas diferentes pessoas. Sim, o autor dessa nova investigação, por sua vez, teve de acusar certa obtusidade diante dessa matéria, em cujo lugar deveria haver uma grande fineza de sentimentos. Há muito, ele nada vivenciou ou conheceu que lhe provocasse a impressão de *infamiliar*, devendo antes mergulhar nesse sentimento, despertar nele mesmo essa possibilidade. De todo modo, dificuldades desse tipo também são imensas em muitos outros âmbitos da estética; por isso, não precisamos abandonar a expectativa de encontrar casos nos quais o caráter em questão seja reconhecido sem contradições pela maioria das pessoas.

Dessa maneira, podemos trilhar dois caminhos: investigar o que significou, durante o desenvolvimento

---

[i] "Zur Psychologie des Unheimlichen" [Sobre a psicologia do infamiliar]. *Psychiatrisch-neurologische Wochenschrift*, n. 22-23, 1906.

an Personen und Dingen, Sinneseindrücken, Erlebnissen und Situationen das Gefühl des Unheimlichen in uns wachruft, und den verhüllten Charakter des Unheimlichen aus einem allen Fällen Gemeinsamen erschließen. Ich will gleich verraten, daß beide Wege zum nämlichen Ergebnis führen, das Unheimliche sei jene Art des Schreckhaften, welche auf das Altbekannte, Längstvertraute zurückgeht. Wie das möglich ist, unter welchen Bedingungen das Vertraute unheimlich, schreckhaft werden kann, das wird aus dem Weiteren ersichtlich werden. Ich bemerke noch, daß diese Untersuchung in Wirklichkeit den Weg über eine Sammlung von Einzelfällen genommen und erst später die Bestätigung durch die Aussage des Sprachgebrauchs gefunden hat. In dieser Darstellung werde ich aber den umgekehrten Weg gehen.

Das deutsche Wort »unheimlich« ist offenbar der Gegensatz zu heimlich, heimisch, vertraut und der Schluß liegt nahe, es sei etwas eben darum schreckhaft, weil es nicht bekannt und vertraut ist. Natürlich ist aber nicht alles schreckhaft, was neu und nicht vertraut ist; die Beziehung ist nicht umkehrbar. Man kann nur sagen, was neuartig ist, wird leicht schreckhaft und unheimlich; einiges Neuartige ist schreckhaft, durchaus nicht alles. Zum Neuen und Nichtvertrauten muß erst etwas hinzukommen, was es zum Unheimlichen macht.

Jentsch ist im ganzen bei dieser Beziehung des Unheimlichen zum Neuartigen, Nichtvertrauten, stehen geblieben. Er findet die wesentliche Bedingung für das Zustandekommen des unheimlichen Gefühls in der intellektuellen Unsicherheit. Das Unheimliche wäre eigentlich immer etwas, worin man sich sozusagen nicht auskennt. Je besser ein Mensch in der Umwelt orientiert ist, destoweniger leicht wird er von den Dingen oder Vorfällen in ihr den Eindruck der Unheimlichkeit empfangen.

da língua, a palavra "infamiliar" ou compilar o que em pessoas e coisas, impressões sensíveis, vivências e situações desperta em nós o sentimento do *infamiliar*, e desbravar o seu caráter *infamiliar* encoberto a partir do que há de comum em todos os casos. Quero logo anunciar que ambos os caminhos conduzem, de fato, a um mesmo resultado, o de que o *infamiliar* é uma espécie do que é aterrorizante, que remete ao velho conhecido, há muito íntimo. Como é possível, sob quais condições, o que é íntimo se tornar *infamiliar*, aterrorizante, é algo a ser demonstrado na sequência. Observo ainda que essa investigação, na realidade, tomou um caminho além daquele de uma coleção de casos particulares e, posteriormente, encontrou a confirmação por meio do testemunho do uso da linguagem. Mas nesta exposição tomarei o caminho contrário.

A palavra alemã *unheimlich* [infamiliar] é, claramente, o oposto de *heimlich* [familiar], doméstico, íntimo, e nos aproximamos da conclusão de que algo seria assustador porque *não* seria conhecido e familiar. Mas, naturalmente, nem tudo que é novo e que não é familiar é assustador; a relação *não* é reversível. Pode-se apenas dizer que o que é inovador torna-se facilmente assustador e *infamiliar*; nem tudo o que é novidade é assustador. Ao novo e ao não familiar se deve, de início, acrescentar algo para torná-lo *infamiliar*.

Em suma, Jentsch reiterou essa relação do termo com a novidade, o não familiar. Ele encontra na incerteza intelectual a condição essencial para que o sentimento do *infamiliar* se mostre. O *infamiliar* seria propriamente algo do qual sempre, por assim dizer, nada se sabe. Quanto mais uma pessoa se orienta por aquilo que se encontra a sua volta, menos é atingida pela impressão de *infamiliaridade* quanto às coisas ou aos acontecimentos.

Wir haben es leicht zu urteilen, daß diese Kennzeichnung nicht erschöpfend ist, und versuchen darum, über die Gleichung unheimlich = nicht vertraut hinauszugehen. Wir wenden uns zunächst an andere Sprachen. Aber die Wörterbücher, in denen wir nachschlagen, sagen uns nichts Neues, vielleicht nur darum nicht, weil wir selbst Fremdsprachige sind. Ja wir gewinnen den Eindruck, daß vielen Sprachen ein Wort für diese besondere Nuance des Schreckhaften abgeht.[i]

Lateinisch: (nach K. E. Georges, Kl. Deutschlatein. Wörterbuch 1898) ein unheimlicher Ort – locus suspectus; in unh. Nachtzeit – intempesta nocte.

Griechisch (Wörterbücher von Rost und von Schenkl) ξένος – also fremd, fremdartig.

Englisch (aus den Wörterbüchern von Lucas, Bellow, Flügel, Muret-Sanders) uncomfortable, uneasy, gloomy, dismal, uncanny, ghastly, von einem Hause: haunted, von einem Menschen: a repulsive fellow.

Französisch (Sachs-Villatte) inquiétant, sinistre, lugubre, mal à son aise.

Spanisch (Tollhausen 1889) sospechoso, de mal aguëro, lugubre, siniestro.

Das Italienische und Portugiesische scheinen sich mit Worten zu begnügen, die wir als Umschreibungen bezeichnen würden. Im Arabischen und Hebräischen fällt unheimlich mit dämonisch, schaurig zusammen.

Kehren wir darum zur deutschen Sprache zurück.

In Daniel Sanders' Wörterbuch der Deutschen Sprache 1860 finden sich folgende Angaben zum Worte heimlich, die ich hier ungekürzt abschreiben und aus denen ich die

---

[i] Für die nachstehenden Auszüge bin ich Herrn Dr. Th. Reik zu Dank verpflichtet.

Podemos dizer que essa caracterização não se esgota e buscamos caminhar para além da equivalência *infamiliar* = não conhecido. Inicialmente, vejamos outras línguas. Contudo, os dicionários que consultamos não nos dizem nada de novo, talvez apenas pelo fato de que nós mesmos somos falantes de uma língua estrangeira. Sim, ficamos com a impressão de que muitas línguas fornecem uma palavra para essa nuance particular do assustador.[i]

Latim (segundo Georges, *Pequeno dicionário alemão-latim*, 1898): um local *infamiliar* – *lócus suspectus*; numa noite *infamiliar* – *intempesta nocte*.

Grego (Dicionário de Rost e Von Schenkl): ξένος [*xénos*] – ou seja, estrangeiro, estranho [*fremdartig*].

Inglês (do Dicionário de Lucas, Bellows, Flügel, Muret-Sanders): *uncomfortable* [desconfortável], *uneasy* [inquietante], *gloomy* [sombrio], *dismal* [horrível], *uncanny* [sinistro], *ghastly* [desagradável]; de uma casa: *haunted* [assombrada]; de uma pessoa: *a repulsive fellow* [um companheiro repulsivo].

Francês (Sachs-Villatte): *inquiétant* [inquietante], *sinistre* [sinistro], *lúgubre* [lúgubre], *mal à son aise* [que provoca mal-estar].

Espanhol (Tollhausen, 1889): *sospechoso* [suspeito], *de mal agüero* [de mau agouro], *lúgubre* [lúgubre], *siniestro* [sinistro].

O italiano e o português parecem se contentar com palavras que poderíamos chamar de paráfrases. Em árabe e hebraico, *infamiliar* equivale a *demoníaco, aterrador*.

Retornemos então à língua alemã.

No *Dicionário da língua alemã*, de Daniel Sanders (1860), encontramos os seguintes dados sobre a palavra

---

[i] Devo agradecer ao Dr. Theodor Reik pelos seguintes excertos.

eine und die andere Stelle durch Unterstreichung hervorheben will: (I. Bd., p. 729.)

> Heimlich, a. (-keit, f. -en): 1. auch Heimelich, heimelig, zum Hause gehörig, nicht fremd, vertraut, zahm, traut und traulich, anheimelnd etc. a) (veralt.) zum Haus, zur Familie gehörig oder: wie dazu gehörig betrachtet, vgl. lat. familiaris, vertraut: Die Heimlichen, die Hausgenossen; Der heimliche Rat. 1. Mos. 41, 45; 2. Sam. 23, 23. 1. Chr. 12, 25. Weish. 8, 4., wofür jetzt: Geheimer (s. d 1.) Rat üblich ist, s. Heimlicher -- b) von Thieren zahm, sich den Menschen traulich anschließend. Ggstz. wild, z. B. Tier, die weder wild noch heimlich sind etc. Eppendorf. 88; Wilde Thier ... so man sie h. und gewohnsam um die Leute aufzeucht. 92. So diese Thierle von Jugend bei den Menschen erzogen, werden sie ganz h., freundlich etc. Stumpf 608a etc. -- So noch: So h. ist's (das Lamm) und frißt aus meiner Hand. Hölty; Ein schöner, heimelicher (s. c) Vogel bleibt der Storch immerhin. Linck, Schl. 146. s. Häuslich. 1 etc. -- c) traut, traulich anheimelnd; das Wohlgefühl stiller Befriedigung etc., behaglicher Ruhe u. sichern Schutzes, wie das umschlossne wohnliche Haus erregend (vgl. Geheuer): Ist dir's h. noch im Lande, wo die Fremden deine Wälder roden? Alexis H. 1, 1, 289; Es war ihr nicht allzu h. bei ihm. Brentano Wehm. 92; Auf einem hohen hen Schattenpfade ... längs dem rieselnden rauschenden und plätschernden Waldbach. Forster B. 1, 417. Die H-keit der Heimath zerstören. Gervinus Lit. 5, 375. So vertraulich und heimlich habe ich nicht leicht ein Plätzchen gefunden. G. 14, 14; Wir dachten es uns so bequem, so artig, so gemütlich und h. 15, 9; In stiller H-keit, umzielt von engen Schranken. Haller; Einer sorglichen Hausfrau, die mit dem Wenigsten eine vergnügliche H-keit (Häuslichkeit) zu schaffen

heimlich, que aqui reproduzirei na íntegra e nos quais sublinharei uma ou outra passagem (v. i, p. 729):

> *Heimlich*, adj. (subst. *Heimlichkeit*, fem., pl. com *Heimlichkeiten*): também *Heimelich*, *heimelig*, pertencente à casa, não estranho, familiar, domesticado, conhecido e aconchegante, caseiro etc. (*a*) (ant.) pertencente à casa, à família, ou visto como pertencente, cf. latim *familiaris*, familiar. Os *Heimlichen*, os pertencentes à casa; *Der heimliche Rat*. Gên. 41: 45; II Sam. 23, 23; I Crôn. 12, 25; Sab. 8, 4; agora: *Geheimer* (ver d 1.) *Rat* [Conselheiro Privado], ver *Heimlicher* — (*b*) de animais domesticados, aproximado por confiança das pessoas. Antônimo. selvagem, p. ex., animais que não são selvagens nem *heimlich* etc. Eppendorf. 88; Animais selvagens [...] que são criados *h.* e habituados aos seres humanos. 92. Se esses animaizinhos são criados desde que são jovens junto aos homens, tornam-se inteiramente *h.* e amigáveis etc., Stumpf 608a etc. — Da mesma forma: É bastante *h.* (o cordeiro) e come da minha mão. Hölty; A cegonha é, segue sendo, um pássaro belo e *h.* (ver c). Linck. Schl. 146. ver *Häuslich* 1. [caseiro] etc. — (*c*) conhecido e aconchegante, caseiro; o bem-estar advindo de uma tranquila satisfação etc., de aprazível sossego e segura proteção, como o que se obtém no interior fechado da própria casa (cf. *Geheuer* [seguro]): Ainda te é *h.* estar em seu país, onde os forasteiros derrubam seus bosques? Alexis H. 1, 1, 289. Não lhe era muito *h.* na casa dele. Brentano Wehm. 92; Num elevado caminho sombreado e *h.* [...], ao longo do ribeirão sussurrante e caudaloso da floresta. Forster B. 1, 417. Destruir a *Heimlichkeit* da terra natal. Gervinus Lit. 5, 375. Não foi fácil encontrar um lugarzinho tão íntimo e *h.* G. 14, 14; Nós imaginávamos isso como tão confortável, tão amável, aprazível e *h.* 15, 9; Em sossegada *H-keit*, rodeado de barreiras estreitas. Haller;

versteht. Hartmann Unst. 1, 188; Desto h-er kam ihm jetzt der ihm erst kurz noch so fremde Mann vor. Kerner 540; Die protestantischen Besitzer fühlen sich ... nicht h. unter ihren katholischen Unterthanen. Kohl. Irl. 1, 172; Wenns h. wird und leise / die Abendstille nur an deiner Zelle lauscht. Tiedge 2, 39; Still und lieb und h., als sie sich / zum Ruhen einen Platz nur wünschen möchten. W. 11, 144; Es war ihm garnicht h. dabei 27, 170 etc. - Auch: Der Platz war so still, so einsam, so schatten-h. Scherr Pilg. 1, 170; Die ab- und zuströmenden Fluthwellen, träumend und wiegenlied-h. Körner, Sch. 3, 320 etc. -- Vgl. namentl. Un-h. - Namentl. bei schwäb., schwzr. Schriftst. oft dreisilbig: Wie »heimelich« war es dann Ivo Abends wieder, als er zu Hause lag. Auerbach, D. 1, 249; In dem Haus ist mir's so heimelig gewesen. 4, 307; Die warme Stube, der heimelige Nachmittag. Gotthelf, Sch. 127, 148; Das ist das wahre Heimelig, wenn der Mensch so von Herzen fühlt, wie wenig er ist, wie groß der Herr ist. 147; Wurde man nach und nach recht gemütlich und heimelig mit einander. U. 1, 297; Die trauliche Heimeligkeit. 380, 2, 86; Heimelicher wird es mir wohl nirgends werden als hier. 327; Pestalozzi 4, 240; Was von ferne herkommt ... lebt gw. nicht ganz heimelig (heimatlich, freund-nachbarlich) mit den Leuten. 325; Die Hütte, wo / er sonst so heimelig, so froh / ... im Kreis der Seinen oft gesessen. Reithard 20; Da klingt das Horn des Wächters so heimelig vom Thurm / da ladet seine Stimme so gastlich. 49; Es schläft sich da so lind und warm / so wunderheim'lig ein. 23 etc. -- *Diese Weise verdiente allgemein zu werden, um das gute Wort vor dem Veralten wegen nahe liegender Verwechslung mit 2 zu bewahren. vgl.: »Die Zecks sind alle h. (2)« H...? Was verstehen sie unter h..? -- »Nun ... es kommt mir mit ihnen vor, wie mit einem zugegrabenen Brunnen oder einem*

Uma esmerada dona de casa, que com o mínimo sabe criar uma agradável *H-keit* (*Häuslichkeit* [domesticidade]). Hartmann Unst. 1, 188; Tanto mais *h.* pareceu-lhe então o homem que até recentemente era tão estranho. Kerner 540; Os proprietários protestantes não se sentem *h.* entre os seus subordinados católicos. Kohl. Irl. 1, 172; Quando fica *h.* e calmo / o silêncio vespertino só a tua tenda espreita. Tiedge 2, 39; Quieto, agradável e *h.*, como eles / Não poderiam desejar melhor lugar para o repouso. W. 11, 144; Ele não se sentiu nada *h.* quanto a isso. 27, 170 etc. — Também: O lugar era tão silencioso, tão solitário, tão umbrosamente-*h.* Scherr Pilg. 1, 170; O fluxo e influxo das ondas, sonhadoras, acalantadoras-*h.* Körner, Sch. 3, 320 etc. — Cf. em particular *Un-h.* — Em escritores suábios e suíços, frequentemente como trissílabo: Como tornou a ser *heimelich* para Ivo, quando novamente deitou-se em sua casa. Auerbach, D. 1, 249; Me sentia tão *heimelig* naquela casa. 4. 307; O cálido vestíbulo, a tarde *heimelig.* Gotthelf, Sch. 127, 148; O verdadeiro estado *heimelig*, quando o homem sente no próprio coração quão pouco ele é, quão grande é o Senhor. 147; Ficavam mais e mais confortáveis e *heimelig* uns com os outros. U. 1, 297; Amável *Heimeligkeit.* 380, 2, 86; Em nenhum outro lugar me será tão *heimelig* quanto aqui. 327; Pestalozzi 4, 240; Quem vem de longe [...] não vive plenamente *heimelig* (*heimatlich, freundnachbarlich* [como em casa, em amistosa vizinhança]) com as pessoas. 325; A cabana em que ele/tão *heimelig*, tão contente/[...] com frequência ficava com os seus. Reithard, 20; A corneta da sentinela soa tão *heimelig* na torre — e convida-nos com seu som tão hospitaleiro. 49; Dorme-se ali em tal suavidade e calidez, maravilhosamente *heimelig.* 23 etc. — *Essa forma mereceria generalizar-se, de modo a evitar que esse bom vocábulo se tornasse obsoleto pela fácil confusão com 2* cf. ‘Os Zeck são todos h. (2.)’ *H...? O que você entende*

ausgetrockneten Teich. Man kann nicht darüber gehen, ohne daß es Einem immer ist, als könnte da wieder einmal Wasser zum Vorschein kommen.« Wir nennen das un-h.; Sie nennen's h. Worin finden Sie denn, daß diese Familie etwas Verstecktes und Unzuverlässiges hat? etc. Gutzkow R. 2, 61[i]. - d) (s. c) namentl. schles.: fröhlich, heiter, auch vom Wetter, s. Adelung und Weinhold. - 2. versteckt, verborgen gehalten, so daß man Andre nicht davon oder darum wissen lassen, es ihnen verbergen will, vgl. Geheim (2), von welchem erst nhd. Ew. es doch zumal in der ältern Sprache, z. B. in der Bibel, wie Hiob 11, 6; 15, 8; Weish. 2, 22; 1. Kor. 2, 7 etc. und so auch H-keit statt Geheimnis. Math. 13, 35 etc. nicht immer genau geschieden wird: H. (hinter Jemandes Rücken) Etwas thun, treiben; Sich h. davon schleichen; H-e Zusammenkünfte, Verabredungen; Mit h-er Schadenfreude zusehen; H. seufzen, weinen; H. thun, als ob man etwas zu verbergen hätte; H-e Liebe, Liebschaft, Sünde; H-e Orte (die der Wohlstand zu verhüllen gebietet). 1. Sam. 5, 6; Das h-e Gemach (Abtritt) 2. Kön. 10, 27; W. 5, 256 etc., auch: Der h-e Stuhl. Zinkgräf 1, 249; In Graben, in H-keiten werfen. 3, 75; Rollenhagen Fr. 83 etc. -- Führte, h. vor Laomedon / die Stuten vor. B. 161b etc. -- Ebenso versteckt, h., hinterlistig und boshaft gegen grausame Herren ... wie offen, frei, theilnehmend und dienstwillig gegen den leidenden Freund. Burmeister g B 2, 157; Du sollst mein h. Heiligstes noch wissen. Chamisso 4, 56; Die h--e Kunst (der Zauberei). 3, 224; Wo die öffentliche Ventilation aufhören muß, fängt die h-e Machination an. Forster, Br. 2, 135; Freiheit ist die leise Parole h. Verschworener, das laute Feldgeschrei der öffentlich Umwälzenden. G. 4, 222; Ein heilig, h. Wirken. 15; Ich habe Wurzeln / die

---

[i] Sperrdruck (auch im folgenden) vom Referenten.

por h...? — *'Bem... com eles tenho impressão semelhante a de uma fonte enterrada ou um açude seco. Não se pode passar por ali sem imaginar que a água poderia novamente brotar.'* Nós chamamos isso de un-h; *vocês, de* h. *O que faz você pensar que essa família tem algo de oculto e suspeito? etc.* Gutzkow R. 2, 61.[i] — (*d*) (ver *c*) particularmente na Silésia: alegre, sereno, também em relação ao tempo, ver Adelung e Weinhold. — 2. escondido, mantido oculto, de modo que outros nada saibam, desconhecido dos demais, cf. *Geheim* [secreto] (2.), somente no novo-alto-alemão e em que nem sempre se distingue claramente, sobretudo na linguagem mais antiga, p. ex. na Bíblia (Jó 11, 6; 15, 8; Prov. 2, 22; I Cor. 2, 7 etc.), bem como *H-keit* no lugar de *Geheimnis* [segredo]. Mt. 13, 35 etc., urdir, tramar coisas *h.* (pelas costas de alguém); 252/311 afastar-se *h.* [furtivamente]; reuniões, compromissos *h.*; assistir ao infortúnio alheio com *h.* alegria; suspirar, chorar *h.*; agir *h.*, como se tivesse algo a ocultar; amor, paixão, pecado *h.*; locais *h.* (que o recato manda ocultar), I Sam. 5, 6; o recinto *h.* (latrina). II Reis 10, 27; W[ieland]. 5, 256 etc., assim como: O assento *h.* Zinkgräf 1, 249; Atirar alguém em covas, em *H-keiten*, 3, 75; Rollenhagen Fr., 83 etc. — Conduziu *h.* ante Laomedon / as éguas antes dos cidadãos. 161 b etc. — Tão escondido, dissimulado, *h.* e maldoso com os senhores cruéis [...] quanto franco, livre, participante e solícito para com o amigo sofredor. Burmeister g B 2, 157; Você deverá saber o que tenho de mais *h.* e sagrado. Chamisso, 4, 56; A arte *h.* (a magia). 3, 224; Onde deve cessar a divulgação pública começam as maquinações *h.* Forster, Br. 2, 135; Liberdade é o lema sussurrado pelos conspiradores *h.*, o sonoro grito de guerra dos subversivos declarados. G[oethe]. 4, 222; Um efeito santo, *h.* 15; Tenho raízes / que estão bem *h.*, / no solo

---

[i] Aqui (assim como o que segue) os grifos são dos autores referidos.

sind gar h., / im tiefen Boden / bin ich gegründet. 2, 109; Meine h-e Tücke (vgl. Heimtücke). 30, 344; Empfängt er es nicht offenbar und gewissenhaft, so mag er es h. und gewissenlos ergreifen. 39, 22; Ließ h. und geheimnisvoll achromatische Fernröhre zusammensetzen. 375; Von nun an, will ich, sei nichts H-es mehr unter uns. Sch. 369b. -- Jemandes H-keiten entdecken, offenbaren, verrathen; H-keiten hinter meinem Rücken zu brauen. Alexis. H. 2, 3, 168; Zu meiner Zeit / befliß man sich der H--keit. Hagedorn 3, 92; Die H-keit und das Gepuschele unter der Hand. Immermann, M. 3, 289; Der H-keit (des verborgnen Golds) unmächtigen Bann / kann nur die Hand der Einsicht lösen. Novalis. 1, 69; Sag an, wo du sie verbirgst ... in welches Ortes verschwiegener H. Sch. 495b; Ihr Bienen, die ihr knetet / der H-keiten Schloß (Wachs zum Siegeln). Tieck, Cymb. 3, 2; Erfahren in seltnen H-keiten (Zauberkünsten). Schlegel Sh. 6, 102 etc. vgl. Geheimnis L. 10, 291 ff.

Zsstzg. s. 1 c, so auch nam. der Ggstz: Ún-: unbehagliches, banges Grauen erregend: Der schier ihm un-h., gespenstisch erschien. Chamisso 3, 238; Der Nacht un-h. bange Stunden. 4, 148; Mir war schon lang' un-h., ja graulich zu Mute. 242; Nun fängts mir an, un-h. zu werden. Gutzkow R. 2, 82; Empfindet ein u-es Grauen. Heine, Verm. 1, 51; Un-h. und starr wie ein Steinbild. Reis, 1, 10; Den u-en Nebel, Haarrauch geheißen. Immermann M, 3, 299; Diese blassen Jungen sind un-h. und brauen Gott weiß was Schlimmes. Laube, Band 1, 119; Unh. nennt man Alles, was im Geheimnis, im Verborgnen ... bleiben sollte und hervorgetreten ist. Schelling, 2, 2, 649 etc. - Das Göttliche zu verhüllen, mit einer gewissen U-keit zu umgeben 658 etc. - Unüblich als Ggstz. von (2), wie es Campe ohne Beleg anführt.

profundo / estou arraigado. 2, 109; Minha malícia *h.* [Tücke] (cf. *Heimtücke*). 30, 344; Se ele não obtiver isso de forma aberta e escrupulosamente, pode tomá-lo de modo *h.* e inescrupuloso. 39, 22; Mandou construir, *h.* e sigilosamente, telescópios acromáticos. 375; De agora em diante, quero que nada mais de *h.* exista entre nós. Sch. 369 b. — descobrir, revelar, trair as *H-keiten* de alguém; Urdir *H-keiten* pelas minhas costas. Alexis, H. 2, 3, 168; No meu tempo/praticava-se a *H-keit.* Hagedorn, 3, 92; A *H-keit* e as intrigas que se cometem às escondidas. Immerman, M. 3, 289; Somente a ação do conhecimento pode romper/o impotente encanto da *H-keit* (do ouro escondido). Novalis, 1, 169; Diga onde o esconde [...] em que lugar de silente *H-keit.* Schr., 495 b; Vocês, abelhas, que fabricam o selo das *H-keiten* (a cera para o lacre epistolar). Tieck, Cymb., 3, 2; Iniciado em raras *H-keiten* (artes mágicas). Schlegel, Sh., 6, 102 etc.; cf. *Geheimnis* [segredo] L. 10: 291 ss.

Em compostos, ver 1 *c*, particularmente para o antôn. *Infamiliar*: que provoca mal-estar, que desperta terrível temor: Pareceu-lhe bastante *un-h.*, fantasmagórico. Chamisso, 3, 238; As temíveis, *un-h.* horas da noite. 4, 148; Há muito tempo já sentia algo *un-h.*, até mesmo aterrorizante. 242; Agora passa a ficar *un-h.* para mim. Gutzkow R. 253/311 2, 82; Sente um pavor *un-h.* Verm. 1, 51; *Un-h.* e imóvel tal qual uma imagem de pedra. Reis, 1, 10; A neblina *un-h.*, chamada de Haarrauch. Immermann M., 3, 299; Esses jovens pálidos são *un-h.* e urdem sabe lá Deus que maldade. Laube, v. 1, 119; chama-se *Unh.* a tudo o que deveria permanecer em segredo, escondido, mas que veio à tona. Schelling, 2, 2, 649 etc. — Ocultar o divino, circundá-lo de uma certa *Un-keit* 658 etc. — Inusual como antôn. de (2.), como afirma Campe, sem qualquer referência.

Aus diesem langen Zitat ist für uns am interessantesten, daß das Wörtchen heimlich unter den mehrfachen Nuancen seiner Bedeutung auch eine zeigt, in der es mit seinem Gegensatz unheimlich zusammenfällt. Das heimliche wird dann zum unheimlichen; vgl. das Beispiel von Gutzkow: »Wir nennen das unheimlich, Sie nennen's heimlich.« Wir werden überhaupt daran gemahnt, daß dies Wort heimlich nicht eindeutig ist, sondern zwei Vorstellungskreisen zugehört, die, ohne gegensätzlich zu sein, einander doch recht fremd sind, dem des Vertrauten, Behaglichen und dem des Versteckten, Verborgen gehaltenen. Unheimlich sei nur als Gegensatz zur ersten Bedeutung, nicht auch zur zweiten gebräuchlich. Wir erfahren bei Sanders nichts darüber, ob nicht doch eine genetische Beziehung zwischen diesen zwei Bedeutungen anzunehmen ist. Hingegen werden wir auf eine Bemerkung von Schelling aufmerksam, die vom Inhalt des Begriffes Unheimlich etwas ganz Neues aussagt, auf das unsere Erwartung gewiß nicht eingestellt war. Unheimlich sei alles, was ein Geheimnis, im Verborgenen bleiben sollte und hervorgetreten ist.

Ein Teil der so angeregten Zweifel wird durch die Angaben in Jacob und Wilhelm Grimm: Deutsches Wörterbuch, Leipzig 1877 (IV/2, p. 874 f) geklärt:

> Heimlich; adj. und adv. vernaculus, occultus; mhd. heimelîch, heimlîch, heînlich.
> S. 874: In etwas anderem sinne: es ist mir heimlich, wohl, frei von furcht ...
> b) heimlich ist auch der von gespensterhaften freie ort ...
> S. 875: β) vertraut; freundlich, zutraulich.
> 4. *aus dem heimatlichen, häuslichen entwickelt sich weiter der begriff des fremden augen entzogenen, verborgenen, geheimen, eben auch in mehrfacher Beziehung ausgebildet ...*

O que há de mais interessante para nós, a partir dessa longa citação, é o fato de que a palavrinha "familiar" [*heimlich*], entre as diversas nuances no seu significado, também aponta coincidente com seu oposto "infamiliar" [*unheimlich*]. O familiar se torna então infamiliar; como no exemplo de Gutzkow: "Chamamos de *unheimlich*, o que o senhor chama de *heimlich*".[4] De todo modo, lembremos que essa palavra *heimlich* não é clara, pois diz respeito a dois círculos de representações, os quais, sem serem opostos, são, de fato, alheios um ao outro, ao do que é confiável, confortável e ao do que é encoberto, o que permanece oculto. *Unheimlich* seria usualmente oposto apenas do primeiro significado, mas não do segundo. Nada sabemos, pelo dicionário de Sanders, a esse respeito, nem se devemos aceitar um vínculo genético entre esses dois significados. Ao contrário, chamamos a atenção para uma observação de Schelling, que diz algo absolutamente novo a respeito do conteúdo do conceito de *infamiliar*, para o qual, certamente, nossa expectativa não estava preparada. *Infamiliar* seria tudo o que deveria permanecer em segredo, oculto, mas que veio à tona.[5]

Uma parte das dúvidas assim despertadas é desfeita pelos dados que nos traz o *Dicionário alemão*, de Jacob e Wilhelm Grimm (Leipzig, 1877, IV/2, p. 874 ss):

> *Heimlich*; adj. e adv. *vernaculus*, *occultus*; meio-alto-alemão *heimelîch*, *heimlîch*.
> P. 874: em sentido um tanto diferente: "Sinto-me *heimlich*, bem, sem temor" [...]
> [3] b) *heimlich* é também o local livre do fantasmagórico [...]
> P. 875: β) conhecido; amigável, confiável.
> 4. a partir de *heimatlich*, *häuslich* [da terra natal, doméstico], desenvolve-se o conceito de algo que está afastado de olhos estranhos, algo oculto, secreto, formado também em diversas relações [...]

S. 876:
»links am see
liegt eine matte heimlich im gehölz.«
Schiller, Tell I, 4.
... frei und für den modernen Sprachgebrauch ungewöhnlich ... heimlich ist zu einem verbum des verbergens gestellt: er verbirgt mich heimlich in seinem gezelt. ps. 27, 5. (... heimliche orte am menschlichen Körper, pudenda ... welche leute nicht stürben, die wurden geschlagen an heimlichen örten. 1 Samuel 5, 12 ...)
c) beamtete, die wichtige und geheim zu haltende ratschläge in staatssachen ertheilen, heiszen heimliche räthe, das adjektiv nach heutigem sprachgebrauch durch geheim (s. d.) ersetzt: ... (Pharao) nennet ihn (Joseph) den heimlichen rath. 1. Mos. 41, 45;
S. 878. 6. heimlich für die erkenntnis, mystisch, allegorisch: heimliche bedeutung, mysticus, divinus, occultus, figuratus.
S. 878: anders ist heimlich im folgenden, der erkenntnis entzogen, unbewuszt: ...
dann aber ist heimlich auch verschlossen, undurchdringlich in bezug auf erforschung: ...
»merkst du wohl? sie trauen mir nicht,
fürchten des Friedländers heimlich gesicht.«
Wallensteins lager, 2. aufz.
9. *die bedeutung des versteckten, gefährlichen, die in der vorigen nummer hervortritt, entwickelt sich noch weiter, so dasz heimlich den sinn empfängt, den sonst unheimlich* (gebildet nach heimlich 3, b) sp. 874) *hat*: »mir ist zu zeiten wie dem menschen der in nacht wandelt und an gespenster glaubt, jeder winkel ist ihm heimlich und schauerhaft.« Klinger, theater, 3, 298.

Also heimlich ist ein Wort, das seine Bedeutung nach einer Ambivalenz hin entwickelt, bis es endlich mit seinem Gegensatz unheimlich zusammenfällt. Unheimlich ist

P. 876:
"À esquerda do lago
Encontra-se um prado heimlich *no bosque"*
Schiller, *Guilherme Tell*, I, 4.
[...] de modo livre, e inusual no emprego moderno da língua [...], *heimlich* é associado a um termo de ocultação: Ele me esconde *heimlich* em sua tenda, Salmos, 27, 5. ([...] partes *heimlich* [íntimas] do corpo humano, *pudenda* [...] E os que não morriam eram feridos em partes *heimlich*, 1 Sam. 5, 12 [...])
c) funcionários que prestam conselhos importantes e de cunho sigiloso em assuntos de Estado são chamados "conselheiros *heimlich* [secretos]", o adjetivo é substituído por *geheim* no uso atual: [...] (Faraó) nomeia-o (a José) conselheiro secreto, Gên., 41, 45;
P. 878: 6. *Heimlich* em relação ao conhecimento, místico, alegórico: sentido *heimlich*, *mysticus*, *divinus*, *occultus*, *figuratus*.
P. 878: na sequência *heimlich* é algo distinto, é algo subtraído ao conhecimento, inconsciente [...]
Mas *heimlich* também é fechado, impenetrável à investigação:
"Não percebes? Eles não confiam em mim;
temem o semblante *heimlich* de Friedländer."
Schiller, *Wallensteins Lager*, cena 2.
9. O significado de oculto, perigoso, que aparece no número anterior, desenvolve-se ainda mais, de tal modo que *heimlich* assume o sentido que normalmente tem *unheimlich* (formado a partir de *heimlich*, 3b, col. 874): "Sinto-me às vezes como alguém que vagueia pela noite e acredita em fantasmas, cada canto é, para ele, *heimlich* e apavorante". Klinger, *Teatro*, 3, 298.

Em suma, familiar [*heimlich*] é uma palavra cujo significado se desenvolveu segundo uma ambivalência, até se fundir, enfim, com seu oposto, o infamiliar

irgendwie eine Art von heimlich. Halten wir dies noch nicht recht geklärte Ergebnis mit der Definition des Unheimlichen von Schelling zusammen. Die Einzeluntersuchung der Fälle des Unheimlichen wird uns diese Andeutungen verständlich machen.

II

Wenn wir jetzt an die Musterung der Personen und Dinge, Eindrücke, Vorgänge und Situationen herangehen, die das Gefühl des Unheimlichen in besonderer Stärke und Deutlichkeit in uns zu erwecken vermögen, so ist die Wahl eines glücklichen ersten Beispiels offenbar das nächste Erfordernis. E. Jentsch hat als ausgezeichneten Fall den »Zweifel an der Beseelung eines anscheinend lebendigen Wesens und umgekehrt darüber, ob ein lebloser Gegenstand nicht etwa beseelt sei« hervorgehoben und sich dabei auf den Eindruck von Wachsfiguren, kunstvollen Puppen und Automaten berufen. Er reiht dem das Unheimliche des epileptischen Anfalls und der Äußerungen des Wahnsinnes an, weil durch sie in dem Zuschauer Ahnungen von automatischen – mechanischen – Prozessen geweckt werden, die hinter dem gewohnten Bilde der Beseelung verborgen sein mögen. Ohne nun von dieser Ausführung des Autors voll überzeugt zu sein, wollen wir unsere eigene Untersuchung an ihn anknüpfen, weil er uns im weiteren an einen Dichter mahnt, dem die Erzeugung unheimlicher Wirkungen so gut wie keinem anderen gelungen ist.

»Einer der sichersten Kunstgriffe, leicht unheimliche Wirkungen durch Erzählungen hervorzurufen,« schreibt Jentsch, »beruht nun darauf, daß man den Leser im Ungewissen darüber läßt, ob er in einer bestimmten Figur eine Person oder etwa einen Automaten vor sich habe, und zwar so, daß diese Unsicherheit nicht direkt in den Brennpunkt seiner

[*unheimlich*].[6] Infamiliar é, de certa forma, um tipo de *familiar*. Juntemos esse resultado ainda não esclarecido com justeza com a definição de *infamiliar* por Schelling. A investigação de casos específicos do *infamiliar* tornará compreensível essa alusão.

II

Se agora passarmos em revista as pessoas e coisas, impressões, processos e situações nas quais o sentimento do *infamiliar*, com especiais força e clareza, pode ser despertado em nós, então fica claro que a próxima exigência seja a escolha de um primeiro exemplo feliz. Ernst Jentsch destacou como caso exemplar a "dúvida quanto a se um ser aparentemente vivo está inanimado e, ao contrário, se um objeto sem vida seria animado", invocando, nesse caso, figuras de cera, bonecas artificiais e autômatos. Ele enumera como infamiliares os ataques epilépticos e as manifestações da loucura, porque por meio deles se despertam no expectador ideias acerca dos processos automáticos-mecânicos que poderiam estar escondidos por trás das imagens costumeiras dos seres animados. Embora não estejamos inteiramente convencidos pelas exposições do autor, gostaríamos que nossa própria investigação estivesse a ele ligada, porque, em seguida, ele nos fez lembrar de um escritor que conseguiu, como nenhum outro, criar efeitos infamiliares.

"Um dos artifícios mais seguros, para despertar facilmente efeitos infamilares por meio de contos", escreve Jentsch, "consiste em deixar o leitor na incerteza se ele tem diante de si, em uma determinada figura, uma pessoa ou um autômato, de tal modo que, de fato, essa incerteza não aparece diretamente no ponto central de sua observação, com isso ele não seria imediatamente

Aufmerksamkeit tritt, damit er nicht veranlaßt werde, die Sache sofort zu untersuchen und klarzustellen, da hiedurch, wie gesagt, die besondere Gefühlswirkung leicht schwindet. E. T. A. Hoffmann hat in seinen Phantasiestücken dieses psychologische Manöver wiederholt mit Erfolg zur Geltung gebracht.«

Diese gewiß richtige Bemerkung zielt vor allem auf die Erzählung »Der Sandmann« in den »Nachtstücken« (dritter Band der Grisebach schen Ausgabe von Hoffmanns sämtlichen Werken), aus welcher die Figur der Puppe Olimpia in den ersten Akt der Offenbach schen Oper »Hoffmanns Erzählungen« gelangt ist. Ich muß aber sagen, - und ich hoffe die meisten Leser der Geschichte werden mir beistimmen - daß das Motiv der belebt scheinenden Puppe Olimpia keineswegs das einzige ist, welches für die unvergleichlich unheimliche Wirkung der Erzählung verantwortlich gemacht werden muß, ja nicht einmal dasjenige, dem diese Wirkung in erster Linie zuzuschreiben wäre. Es kommt dieser Wirkung auch nicht zustatten, daß die Olimpiaepisode vom Dichter selbst eine leise Wendung ins Satirische erfährt und von ihm zum Spott auf die Liebesüberschätzung von seiten des jungen Mannes gebraucht wird. Im Mittelpunkt der Erzählung steht vielmehr ein anderes Moment, nach dem sie auch den Namen trägt, und das an den entscheidenden Stellen immer wieder hervorgekehrt wird: das Motiv des Sandmannes, der den Kindern die Augen ausreißt.

Der Student Nathaniel, mit dessen Kindheitserinnerungen die phantastische Erzählung anhebt, kann trotz seines Glückes in der Gegenwart die Erinnerungen nicht bannen, die sich ihm an den rätselhaft erschreckenden Tod des geliebten Vaters knüpfen. An gewissen Abenden pflegte die Mutter die Kinder mit der Mahnung zeitig zu Bette zu schicken: Der Sandmann kommt, und wirklich hört das Kind dann jedesmal den schweren Schritt eines Besuchers, der den Vater für diesen Abend in Anspruch nimmt. Die Mutter, nach dem Sandmann

estimulado a investigar e esclarecer as coisas, porque, assim, como se diz, o efeito específico desse sentimento facilmente diminui. E. T. A. Hoffmann, em suas peças fantásticas, desempenhou, com êxito, essa manobra psicológica".[7]

Essa correta observação visa sobretudo ao conto "O Homem da Areia", das *Peças noturnas* (terceiro volume da edição de Grisebach das obras completas de Hoffmann), a partir do qual surgiu a figura da boneca Olímpia no primeiro ato da ópera de Offenbach, *Contos de Hoffmann*. Mas devo dizer – esperando que a maioria dos leitores dessas histórias concordem comigo – que o tema de Olímpia, a boneca aparentemente viva, não é, de modo algum, nem o único nem o principal responsável pelo incomparável efeito *infamiliar* do conto. Também não se deve atribuí-lo ao fato de que o episódio de Olímpia tenha da parte do próprio escritor uma leve mudança para o satírico e é por ele utilizado como escárnio pela excessiva valorização do amor por parte do jovem rapaz. No centro do conto está, muito mais, um outro fator, a partir do qual ele se intitula e que sempre retorna em passagens decisivas: o tema do *Homem da Areia,* aquele que arranca os olhos das crianças.

O estudante Nathaniel,[8] sobre cujas lembranças de infância o conto fantástico se ergue, apesar de sua felicidade no presente, não pode esquecer suas lembranças, que se ligam, nele, à terrível e misteriosa morte de seu amado pai. Em certas noites, a mãe cuida de mandar as crianças para a cama, pontualmente, com a seguinte admoestação: o Homem da Areia vai chegar e, de fato, a criança ouve, todas as vezes, o pesado passo do visitante, com quem o pai se ocupa naquela noite. A mãe, indagada sobre o Homem da Areia, nega que ele exista de outra

befragt, leugnet dann zwar, daß ein solcher anders denn als Redensart existiert, aber eine Kinderfrau weiß greifbarere Auskunft zu geben: »Das ist ein böser Mann, der kommt zu den Kindern, wenn sie nicht zu Bette gehen wollen und wirft ihnen Hände voll Sand in die Augen, daß sie blutig zum Kopf herausspringen, die wirft er dann in den Sack und trägt sie in den Halbmond zur Atzung für seine Kinderchen, die sitzen dort im Nest und haben krumme Schnäbel, wie die Eulen, damit picken sie der unartigen Menschenkindlein Augen auf.«

Obwohl der kleine Nathaniel alt und verständig genug war, um so schauerliche Zutaten zur Figur des Sandmannes abzuweisen, so setzte sich doch die Angst vor diesem selbst in ihm fest. Er beschloß zu erkunden, wie der Sandmann aussehe, und verbarg sich eines Abends, als er wieder erwartet wurde, im Arbeitszimmer des Vaters. In dem Besucher erkennt er dann den Advokaten Coppelius, eine abstoßende Persönlichkeit, vor der sich die Kinder zu scheuen pflegten, wenn er gelegentlich als Mittagsgast erschien, und identifiziert nun diesen Coppelius mit dem gefürchteten Sandmann. Für den weiteren Fortgang dieser Szene macht es der Dichter bereits zweifelhaft, ob wir es mit einem ersten Delirium des angstbesessenen Knaben oder mit einem Bericht zu tun haben, der als real in der Darstellungswelt der Erzählung aufzufassen ist. Vater und Gast machen sich an einem Herd mit flammender Glut zu schaffen. Der kleine Lauscher hört Coppelius rufen: »Augen her, Augen her«, verrät sich durch seinen Aufschrei und wird von Coppelius gepackt, der ihm glutrote Körner aus der Flamme in die Augen streuen will, um sie dann auf den Herd zu werfen. Der Vater bittet die Augen des Kindes frei. Eine tiefe Ohnmacht und lange Krankheit beenden das Erlebnis. Wer sich für die rationalistische Deutung des Sandmannes entscheidet, wird in dieser Phantasie des Kindes den fortwirkenden Einfluß

maneira a não ser como invenção, mas uma babá deu-lhe a informação concreta: "Trata-se de um homem mau, que aparece para as crianças, quando elas não querem ir dormir, lançando a mão cheia de areia nos olhos delas, de tal modo que os olhos, sangrando, saltam da cabeça; ele os recolhe num saco, levando-os, para a lua minguante, para alimentar suas crias; estas moram num ninho e têm bicos curvos, como as corujas, e, com eles, comem os olhos das criancinhas malcomportadas".

Embora o pequeno Nathaniel tivesse idade e entendimento suficientes para rejeitar tão horrível conteúdo a propósito da figura do Homem da Areia, fixa-se nele, então, o medo de que a mesma coisa se passasse com ele. Então decidiu saber como o Homem da Areia se parecia e, uma noite, escondeu-se no escritório do pai, quando aquele era novamente esperado. Por ocasião da visita, reconhece o advogado Coppelius, uma personalidade detestável, diante da qual a criança costumava se assustar, quando às vezes ele aparecia como convidado para o almoço, e logo identifica esse Coppelius com o amedrontador Homem da Areia. No desenvolvimento posterior dessa cena, o escritor já põe em dúvida se se trata do primeiro delírio de um garoto tomado pelo medo ou de um relato, que deve ser compreendido como real no mundo apresentado no conto. O pai e o convidado estão juntos a uma lareira, lidando com brasas flamejantes. O pequeno curioso ouve Coppelius chamar: "Olho aqui, olho aqui", mas é traído por seu grito e é pego por Coppelius, que quer lhe lançar aos olhos fragmentos de brasas flamejantes, para então jogá-lo na lareira. O pai suplica pelos olhos da criança. Esse acontecimento culmina num profundo desmaio e numa prolongada enfermidade. Quem se decide por uma interpretação racionalista do Homem da

jener Erzählung der Kinderfrau nicht verkennen. Anstatt der Sandkörner sind es glutrote Flammenkörner, die dem Kinde in die Augen gestreut werden sollen, in beiden Fällen, damit die Augen herausspringen. Bei einem weiteren Besuche des Sandmannes ein Jahr später wird der Vater durch eine Explosion im Arbeitszimmer getötet; der Advokat Coppelius verschwindet vom Orte, ohne eine Spur zu hinterlassen.

Diese Schreckgestalt seiner Kinderjahre glaubt nun der Student Nathaniel in einem herumziehenden italienischen Optiker Giuseppe Coppola zu erkennen, der ihm in der Universitätsstadt Wettergläser zum Kauf anbietet und nach seiner Ablehnung hinzusetzt: »Ei nix Wetterglas, nix Wetterglas! - hab auch sköne Oke - sköne Oke.«Das Entsetzen des Studenten wird beschwichtigt, da sich die angebotenen Augen als harmlose Brillen herausstellen; er kauft dem Coppola ein Taschenperspektiv ab und späht mit dessen Hilfe in die gegenüberliegende Wohnung des Professors Spalanzani, wo er dessen schöne, aber rätselhaft wortkarge und unbewegte Tochter Olimpia erblickt. In diese verliebt er sich bald so heftig, daß er seine kluge und nüchterne Braut über sie vergißt. Aber Olimpia ist ein Automat, an dem Spalanzani das Räderwerk gemacht und dem Coppola - der Sandmann - die Augen eingesetzt hat. Der Student kommt hinzu, wie die beiden Meister sich um ihr Werk streiten; der Optiker hat die hölzerne, augenlose Puppe davongetragen und der Mechaniker, Spalanzani, wirft Nathaniel die auf dem Boden liegenden blutigen Augen Olimpias an die Brust, von denen er sagt, daß Coppola sie dem Nathaniel gestohlen. Dieser wird von einem neuerlichen Wahnsinnsanfall ergriffen, in dessen Delirium sich die Reminiszenz an den Tod des Vaters mit dem frischen Eindruck verbindet: »Hui - hui - hui! - Feuerkreis - Feuerkreis! Dreh' dich Feuerkreis - lustig - lustig! Holzpüppchen hui, schön Holzpüppchen dreh' dich -.«

Areia não deixará de reconhecer nessa fantasia da criança a progressiva influência da narrativa da babá. Em vez de grãos de areia, são partículas de brasas flamejantes que devem ser atiradas nos olhos da criança, e com isso, nos dois casos, os olhos saltam para fora. Em outra visita do Homem da Areia, um ano depois, o pai é morto numa explosão no escritório; o advogado Coppelius desaparece do lugar, sem deixar rastro.

O agora estudante Nathaniel crê então reconhecer essa figura assustadora de sua infância em Giuseppe Coppola, um oculista ambulante italiano, que lhe oferece na cidade universitária um barômetro para comprar e, após sua recusa, acrescenta: "Ah, barômetro *no*, barômetro *no*! – mas tenho também *bellis occhios – bellis occhios*!".[9] O horror do estudante é apaziguado, porque os olhos oferecidos não passam de inocentes óculos; ele compra de Coppola um binóculo, com cujo auxílio avista, no apartamento em frente, do professor Spalanzani, sua bela mas misteriosamente muda e imóvel filha, Olímpia. Ele logo se apaixona tão intensamente por ela que esquece sua sagaz e sensata noiva. Mas Olímpia é um autômato, cuja engrenagem foi elaborada por Spalanzani e na qual Coppola – o Homem da Areia – introduziu os olhos. O estudante chega quando os dois mestres brigam por sua obra; o ótico pega a boneca de madeira, sem olhos, e o mecânico, Spalanzani, joga no peito de Nathaniel os olhos ensanguentados de Olímpia, que estavam no chão, dizendo que Coppola os havia roubado. Este sofre um novo ataque de loucura, em cujo delírio a reminiscência da morte do pai se liga a uma impressão recente: "Vu-uu-uu – vu-uu-uu – vu-uu-uu! – Roda de fogo – roda de fogo! – Gire, roda de fogo – divertido – divertido – Bonequinha de madeira vu-uu-uu bonito bonequinha de madeira, gire".

Damit wirft er sich auf den Professor, den angeblichen Vater Olimpias, und will ihn erwürgen.

Aus langer, schwerer Krankheit erwacht, scheint Nathaniel endlich genesen. Er gedenkt seine wiedergefundene Braut zu heiraten. Sie ziehen beide eines Tages durch die Stadt, auf deren Markt der hohe Ratsturm seinen Riesenschatten wirft. Das Mädchen schlägt ihrem Bräutigam vor, auf den Turm zu steigen, während der das Paar begleitende Bruder der Braut unten verbleibt. Oben zieht eine merkwürdige Erscheinung von etwas, was sich auf der Straße heranbewegt, die Aufmerksamkeit Claras auf sich. Nathaniel betrachtet dasselbe Ding durch Coppolas Perspektiv, das er in seiner Tasche findet, wird neuerlich vom Wahnsinn ergriffen und mit den Worten: Holzpüppchen dreh' dich, will er das Mädchen in die Tiefe schleudern. Der durch ihr Geschrei herbeigeholte Bruder rettet sie und eilt mit ihr herab. Oben läuft der Rasende mit dem Ausruf herum: Feuerkreis dreh' dich, dessen Herkunft wir ja verstehen. Unter den Menschen, die sich unten ansammeln, ragt der Advokat Coppelius hervor, der plötzlich wieder erschienen ist. Wir dürfen annehmen, daß es der Anblick seiner Annäherung war, der den Wahnsinn bei Nathaniel zum Ausbruch brachte. Man will hinauf, um sich des Rasenden zu bemächtigen, aber Coppelius[i] lacht: »wartet nur, der kommt schon herunter von selbst.« Nathaniel bleibt plötzlich stehen, wird den Coppelius gewahr und stürzt sich mit dem gellenden Schrei: Ja! »Sköne Oke – Sköne Oke« über das Geländer herab. Sowie er mit zerschmettertem Kopf auf dem Straßenpflaster liegt, ist der Sandmann im Gewühl verschwunden.

---

[i] Zur Ableitung des Namens: Coppella = Probiertiegel (die chemischen Operationen, bei denen der Vater verunglückt); coppo = Augenhöhle (nach einer Bemerkung von Frau Dr. Rank).

Com isso, ele se lança contra o professor, o suposto pai de Olímpia, querendo estrangulá-lo.

Desperto de uma longa e grave enfermidade, Nathaniel parece, enfim, curado. Ele pensa em se casar com a noiva que reencontrou. Um dia, eles passeiam pela cidade, em cuja praça principal a torre alta da prefeitura lança do alto sua gigantesca sombra. A jovem propõe ao seu noivo subir na torre, enquanto o irmão da noiva, que os acompanhava, permanecia embaixo. Do alto, uma curiosa aparição, que se movimenta na rua, chama a atenção de Clara. Nathaniel observa a mesma coisa com o monóculo[10] de Coppola, que ele encontra na sua bolsa, sofre um novo ataque de loucura e, com as palavras "bonequinha de madeira, gira", tenta arremessar sua noiva do alto. O irmão, atraído por seus gritos, salva-a e sai correndo com ela dali. No alto, o furioso corre em círculos, clamando: "*Roda de fogo,* gire – *roda de fogo,* gire!", palavras cuja proveniência conhecemos. Entre as pessoas que se reuniram embaixo, destaca-se o advogado Coppelius, que subitamente reapareceu. Deveríamos acreditar que sua aproximação provocou a eclosão da loucura de Nathaniel. Deseja-se subir, para conter o furioso, mas Coppelius[i] ri: "Ha, ha – esperem, ele virá para baixo por si só". Subitamente, Nathaniel fica parado, avista Coppelius e se lança sobre o parapeito, com gritos agudos: "Ha! *Bellis occhios – bellis occhios*!". Quando Nathanael jazia sobre as pedras do calçamento, com a cabeça destroçada, o Homem da Areia desapareceu na multidão.

---

i Sobre a derivação do nome: *Coppella* = crisol (as operações químicas, durante as quais o pai morre); *coppo* = cavidade ocular (segundo uma observação da esposa de Rank).

Diese kurze Nacherzählung wird wohl keinen Zweifel darüber bestehen lassen, daß das Gefühl des Unheimlichen direkt an der Gestalt des Sandmannes, also an der Vorstellung der Augen beraubt zu werden haftet, und daß eine intellektuelle Unsicherheit im Sinne von Jentsch mit dieser Wirkung nichts zu tun hat. Der Zweifel an der Beseeltheit, den wir bei der Puppe Olimpia gelten lassen mußten, kommt bei diesem stärkeren Beispiel des Unheimlichen überhaupt nicht in Betracht. Der Dichter erzeugt zwar in uns anfänglich eine Art von Unsicherheit, indem er uns, gewiß nicht ohne Absicht, zunächst nicht erraten läßt, ob er uns in die reale Welt oder in eine ihm beliebige phantastische Welt einführen wird. Er hat ja bekanntlich das Recht, das eine oder das andere zu tun, und wenn er z. B. eine Welt, in der Geister, Dämonen und Gespenster agieren, zum Schauplatz seiner Darstellungen gewählt hat, wie Shakespeare im Hamlet, Macbeth und in anderem Sinne im Sturm und im Sommernachtstraum, so müssen wir ihm darin nachgeben und diese Welt seiner Voraussetzung für die Dauer unserer Hingegebenheit wie eine Realität behandeln. Aber im Verlaufe der Hoffmann schen Erzählung schwindet dieser Zweifel, wir merken, daß der Dichter uns selbst durch die Brille oder das Perspektiv des dämonischen Optikers schauen lassen will, ja daß er vielleicht in höchsteigener Person durch solch ein Instrument geguckt hat. Der Schluß der Erzählung macht es ja klar, daß der Optiker Coppola wirklich der Advokat Coppelius und also auch der Sandmann ist.

Eine »intellektuelle Unsicherheit« kommt hier nicht mehr in Frage: wir wissen jetzt, daß uns nicht die Phantasiegebilde eines Wahnsinnigen vorgeführt werden sollen, hinter denen wir in rationalistischer Überlegenheit den nüchternen Sachverhalt erkennen mögen, und – der Eindruck des Unheimlichen hat sich durch diese Aufklärung nicht im mindesten verringert.

Esse curto reconto não deixa nenhuma dúvida de que o sentimento do *infamiliar* está diretamente colado à figura do Homem da Areia, ou seja, à representação de que os olhos devem ser roubados e que uma incerteza intelectual, no sentido de Jentsch, nada tem a ver com esse efeito. A dúvida legítima em relação ao caráter animado da boneca Olímpia não está de forma alguma em questão nesse forte exemplo do *infamiliar.* O escritor cria de fato em nós, no começo, uma espécie de incerteza, na medida em que ele, certamente sem nenhuma intenção, não permite que se intua, de início, se ele nos quer introduzir no mundo real ou em um mundo fantástico, que lhe é caro. Por razões conhecidas, ele tem o direito de fazer uma ou outra coisa, e se ele, por exemplo, escolheu como cenário de suas representações um mundo no qual agem espíritos, demônios e fantasmas, tal como Shakespeare em *Hamlet, Macbeth* e, em outro sentido, em *A tempestade* e *Sonho de uma noite de verão*, então devemos ceder ao escritor e tratar esse mundo, pressupondo a continuidade de nosso interesse, como uma realidade. Mas, no decorrer do conto de Hoffmann, essa dúvida flutua, como percebemos, na medida em que o escritor quer nos deixar ver por meio dos óculos ou do binóculo do demoníaco ótico, uma vez que ele, talvez, ele mesmo tenha olhado por um instrumento desses. A conclusão do conto torna claro que o ótico Coppola realmente é o advogado Coppelius, ou seja, também o Homem da Areia.

Não está mais em questão aqui uma "incerteza intelectual": agora, sabemos que não devemos apresentar as elucubrações fantasísticas de um louco, sob as quais poderíamos reconhecer, numa predominância racionalista, o conteúdo sóbrio, reduzindo ao mínimo, por meio desse esclarecimento, a impressão do *infamiliar.*

Eine intellektuelle Unsicherheit leistet uns also nichts für das Verständnis dieser unheimlichen Wirkung.

Hingegen mahnt uns die psychoanalytische Erfahrung daran, daß es eine schreckliche Kinderangst ist, die Augen zu beschädigen oder zu verlieren. Vielen Erwachsenen ist diese Ängstlichkeit verblieben und sie fürchten keine andere Organverletzung so sehr wie die des Auges. Ist man doch auch gewohnt zu sagen, daß man etwas behüten werde wie seinen Augapfel. Das Studium der Träume, der Phantasien und Mythen hat uns dann gelehrt, daß die Angst um die Augen, die Angst zu erblinden, häufig genug ein Ersatz für die Kastrationsangst ist. Auch die Selbstblendung des mythischen Verbrechers Oedipus ist nur eine Ermäßigung für die Strafe der Kastration, die ihm nach der Regel der Talion allein angemessen wäre. Man mag es versuchen, in rationalistischer Denkweise die Zurückführung der Augenangst auf die Kastrationsangst abzulehnen; man findet es begreiflich, daß ein so kostbares Organ wie das Auge von einer entsprechend großen Angst bewacht wird, ja man kann weitergehend behaupten, daß kein tieferes Geheimnis und keine andere Bedeutung sich hinter der Kastrationsangst verberge. Aber man wird damit doch nicht der Ersatzbeziehung gerecht, die sich in Traum, Phantasie und Mythus zwischen Auge und männlichem Glied kundgibt, und kann dem Eindruck nicht widersprechen, daß ein besonders starkes und dunkles Gefühl sich gerade gegen die Drohung das Geschlechtsglied einzubüßen erhebt, und daß dieses Gefühl erst der Vorstellung vom Verlust anderer Organe den Nachhall verleiht. Jeder weitere Zweifel schwindet dann, wenn man aus den Analysen an Neurotikern die Details des »Kastrationskomplexes« erfahren und dessen großartige Rolle in ihrem Seelenleben zur Kenntnis genommen hat.

Auch würde ich keinem Gegner der psychoanalytischen Auffassung raten, sich für die Behauptung, die Augenangst

Uma incerteza intelectual não nos leva ao entendimento desse efeito *infamiliar*.

Ao contrário, a experiência psicanalítica nos lembra que uma angústia assustadora das crianças é o medo de machucar ou perder os olhos. Em muitos adultos, essa angústia permanece, e eles não temem tanto ferir outro órgão quanto os olhos. É também costume dizer que se protegerá algo como se fosse a menina dos olhos. O estudo dos sonhos, das fantasias e dos mitos nos ensinou que a angústia relativa aos olhos, o medo de ficar cego é, com frequência, um substituto do medo da castração. Também o ato de cegar a si mesmo do mítico criminoso Édipo é apenas uma redução da punição pela castração, que, de acordo com a Lei de Talião, deveria ser-lhe atribuída. Busca-se rejeitar, no modo de pensar racionalista, a recondução da angústia em relação aos olhos à angústia de castração; considera-se compreensível que órgãos tão preciosos como os olhos sejam protegidos por um medo correspondente tão grande, podendo-se afirmar em seguida que nenhum profundo segredo e nenhum outro significado se escondem por trás do medo da castração. Mas, com isso, não se leva em conta a relação de substituição, que se manifesta no sonho, na fantasia e no mito, entre os olhos e o membro masculino, que não pode corresponder à impressão de que um sentimento especialmente forte e obscuro se eleva contra a ameaça de perda do órgão sexual e que esse sentimento da representação de perda confere ressonância quanto a outros órgãos. Então, qualquer outra dúvida diminui quando, a partir da análise dos neuróticos, conhecemos os detalhes do "complexo de castração", que tem extraordinário papel em sua vida anímica.

Não aconselharia, também, a nenhum opositor da interpretação psicanalítica apelar para a afirmação de que a

sei etwas vom Kastrationskomplex Unabhängiges gerade auf die Hoffmann sche Erzählung vom »Sandmann« zu berufen. Denn warum ist die Augenangst hier mit dem Tode des Vaters in innigste Beziehung gebracht? Warum tritt der Sandmann jedesmal als Störer der Liebe auf? Er entzweit den unglücklichen Studenten mit seiner Braut und ihrem Bruder, der sein bester Freund ist, er vernichtet sein zweites Liebesobjekt, die schöne Puppe Olimpia, und zwingt ihn selbst zum Selbstmord, wie er unmittelbar vor der beglückenden Vereinigung mit seiner wiedergewonnenen Clara steht. Diese sowie viele andere Züge der Erzählung erscheinen willkürlich und bedeutungslos, wenn man die Beziehung der Augenangst zur Kastration ablehnt, und werden sinnreich, sowie man für den Sandmann den gefürchteten Vater einsetzt, von dem man die Kastration erwartet.[i]

---

[i] 4 In der Tat hat die Phantasiebearbeitung des Dichters die Elemente des Stoffes nicht so wild herumgewirbelt, daß man ihre ursprüngliche Anordnung nicht wiederherstellen könnte. In der Kindergeschichte stellen der Vater und Coppelius die durch Ambivalenz in zwei Gegensätze zerlegte Vaterimago dar; der eine droht mit der Blendung (Kastration), der andere, der gute Vater, bittet die Augen des Kindes frei. Das von der Verdrängung am stärksten betroffene Stück des Komplexes, der Todeswunsch gegen den bösen Vater, findet seine Darstellung in dem Tod des guten Vaters, der dem Coppelius zur Last gelegt wird. Diesem Väterpaar entsprechen in der späteren Lebensgeschichte des Studenten der Professor Spalanzani und der Optiker Coppola, der Professor an sich eine Figur der Vaterreihe, Coppola als identisch mit dem Advokaten Coppelius erkannt. Wie sie damals zusammen am geheimnisvollen Herd arbeiteten, so haben sie nun gemeinsam die Puppe Olimpia verfertigt; der Professor heißt auch der Vater Olimpias. Durch diese zweimalige Gemeinsamkeit verraten sie sich als Spaltungen der Vaterimago, d. h. sowohl der Mechaniker als auch der Optiker sind der Vater der Olimpia wie des Nathaniel. In der Schreckensszene der Kinderzeit hatte Coppelius, nachdem er auf die Blendung des Kleinen verzichtet, ihm probeweise Arme und Beine abgeschraubt, also wie ein Mechaniker an einer Puppe mit ihm gearbeitet. Dieser sonderbare Zug, der ganz aus dem Rahmen der Sandmannvorstellung heraustritt, bringt ein neues Äquivalent der Kastration ins Spiel; er weist aber auch

angústia relativa aos olhos seria independente do complexo de castração, exatamente no que diz respeito ao "Homem da Areia", o conto de Hoffmann. Então, por que a angústia relativa aos olhos é trazida aqui em íntima relação com a morte do pai? Por que o Homem da Areia aparece sempre como aquele que perturba o amor? Ele separa o infeliz estudante de sua noiva e do irmão dela, que é seu melhor amigo, destrói seu segundo objeto de amor, a bela boneca Olímpia, e força-o ao suicídio, imediatamente antes da feliz união com Clara, recém-reencontrada. Esses, assim como muitos outros traços do conto, parecem arbitrários e sem significado quando recusamos a ligação da angústia relativa aos olhos com a castração e se tornam plenos de sentido quando se substitui o Homem da Areia pelo temido pai, de quem se espera a castração.[i]

---

[i] De fato, a elaboração da fantasia do escritor não embaralhou de maneira tão crua os elementos do tema, de tal modo que sua ordem originária não pudesse ser reconstruída. Na história da criança, o pai e Coppelius representam a imago paterna dilacerada em dois opostos por meio da ambivalência; um ameaça cegá-lo (castração), o outro, o bom pai, suplica pelos olhos da criança. A parte do complexo que foi mais fortemente atingida pelo recalque, o desejo de morte em relação ao pai maldoso, encontra sua representação na morte do bom pai, atribuída a Coppelius. Essa dupla de pais corresponde, na posterior história de vida do estudante, ao professor Spalanzani e ao ótico Coppola; no professor reconhecemos uma figura da série paterna, Coppola como idêntico ao advogado Coppelius. Como, na época, eles trabalhavam próximo à misteriosa lareira, ambos construíram juntos a boneca Olímpia; o professor é chamado também de pai de Olímpia. Por meio dessa dupla conexão, eles se denunciam como cisões da imago paterna, ou seja, tanto o mecânico quanto o ótico são pais de Olímpia, assim como de Nathaniel. Na assustadora cena da infância, depois que ele renuncia a cegar o pequeno, ele lhe desparafusou braços e pernas à maneira de um experimento, ou seja, ele trabalhara com ele tal como um mecânico com sua boneca. Esse traço singular, que surge inteiramente do interior da representação do Homem da Areia, traz à cena um novo equivalente da castração; mas ela também

Wir würden es also wagen, das Unheimliche des Sandmannes auf die Angst des kindlichen Kastrationskomplexes zurückzuführen. Sowie aber die Idee auftaucht, ein solches infantiles Moment für die Entstehung des unheimlichen Gefühls in Anspruch zu nehmen, werden wir auch zum Versuch getrieben, dieselbe Ableitung für andere Beispiele des Unheimlichen in Betracht zu ziehen. Im Sandmann findet sich noch das Motiv der belebt scheinenden Puppe, das Jentsch hervorgehoben hat. Nach diesem Autor ist es eine besonders günstige Bedingung für die Erzeugung unheimlicher Gefühle, wenn eine intellektuelle Unsicherheit geweckt wird, ob etwas belebt oder leblos sei, und wenn das Leblose die Ähnlichkeit mit dem Lebenden zu weit treibt. Natürlich sind wir aber gerade mit den Puppen vom Kindlichen nicht

---

auf die innere Identität des Coppelius mit seinem späteren Widerpart, dem Mechaniker Spalanzani hin, und bereitet uns für die Deutung der Olimpia vor. Diese automatische Puppe kann nichts anderes sein als die Materialisation von Nathaniels femininer Einstellung zu seinem Vater in früher Kindheit. Ihre Väter - Spalanzani und Coppola - sind ja nur neue Auflagen, Reinkarnationen, von Nathaniels Väterpaar; die sonst unverständliche Angabe des Spalanzani, daß der Optiker dem Nathaniel die Augen gestohlen (s. o.), um sie der Puppe einzusetzen; gewinnt so als Beweis für die Identität von Olimpia und Nathaniel ihre Bedeutung. Olimpia ist sozusagen ein von Nathaniel losgelöster Komplex, der ihm als Person entgegentritt; die Beherrschung durch diesen Komplex findet in der unsinnig zwanghaften Liebe zur Olimpia ihren Ausdruck. Wir haben das Recht, diese Liebe eine narzißtische zu heißen, und verstehen, daß der ihr Verfallene sich dem realen Liebesobjekt entfremdet. Wie psychologisch richtig es aber ist, daß der durch den Kastrationskomplex an den Vater fixierte Jüngling der Liebe zum Weibe unfähig wird, zeigen zahlreiche Krankenanalysen, deren Inhalt zwar weniger phantastisch, aber kaum minder traurig ist als die Geschichte des Studenten Nathaniel.

E. T. A. Hoffmann war das Kind einer unglücklichen Ehe. Als er drei Jahre war, trennte sich der Vater von seiner kleinen Familie und lebte nie wieder mit ihr vereint. Nach den Belegen, die E. Grisebach in der biographischen Einleitung zu Hoffmanns Werken beibringt, war die Beziehung zum Vater immer eine der wundesten Stellen in des Dichters Gefühlsleben.

Havíamos arriscado dizer que o infamiliar do Homem da Areia remeteria à angústia provocada pelo complexo de castração infantil.[11] Mas, ao passo que surge a ideia de levar em conta um fator infantil como esse para o surgimento do sentimento *infamiliar*, também somos impulsionados a considerar a mesma dedução para outros exemplos do *infamiliar*. No Homem da Areia, encontra-se ainda o tema da boneca aparentemente viva, que Jentsch havia destacado. Segundo esse autor, esse fato é uma condição especialmente favorável para a eclosão dos sentimentos do *infamiliar*, na medida em que desperta uma incerteza intelectual, se algo estaria ou não vivo, e se o sem vida é demasiado semelhante ao vivo. Mas, sem dúvida, não estamos muito longe da relação do infantil com

---

se refere à íntima identidade de Coppelius com seu posterior antagonista, o mecânico Spalanzani, e nos prepara para a interpretação de Olímpia. Essa boneca automática não pode ser outra coisa a não ser a materialização da posição feminina de Nathaniel em relação a seu pai na sua primeira infância. Os pais dela – Spalanzani e Coppola – são apenas novas edições, reencarnações da dupla de pais de Nathaniel; mesmo a incompreensível declaração de Spalanzani, de que o ótico havia roubado os olhos de Nathaniel (ver acima), para colocá-los na boneca, constitui-se então como justificativa para o significado da identidade entre Olímpia e Nathaniel. Olímpia é, por assim dizer, um complexo liberado de Nathaniel, que a ele, como pessoa, contrapõe-se; o domínio por meio desse complexo encontra sua expressão no desvairado e obsessivo amor por Olímpia. Chamamos esse amor, com razão, de narcísico, e entendemos que quem a ele sucumbiu se afasta do real objeto do amor. A correção psicológica de que o menino se fixa ao pai tornando-o incapaz de amar uma mulher é demonstrada por inúmeras análises de pacientes cujo conteúdo, embora seja menos fantasioso do que a história do estudante Nathaniel, nem por isso é menos triste.

E. T. A. Hoffmann foi filho de um casamento infeliz. Quando tinha 3 anos, seu pai se separou da pequena família e nunca mais viveu junto deles. Segundo as provas, que Eduard Grisebach reuniu na introdução biográfica às obras de Hoffmann, a relação com o pai foi sempre a situação mais dolorosa da vida sentimental do escritor.

weit entfernt. Wir erinnern uns, daß das Kind im frühen Alter des Spielens überhaupt nicht scharf zwischen Belebtem und Leblosem unterscheidet und daß es besonders gerne seine Puppe wie ein lebendes Wesen behandelt. Ja, man hört gelegentlich von einer Patientin erzählen, sie habe noch im Alter von acht Jahren die Überzeugung gehabt, wenn sie ihre Puppen auf eine gewisse Art, möglichst eindringlich, anschauen würde, müßten diese lebendig werden. Das infantile Moment ist also auch hier leicht nachzuweisen; aber merkwürdig, im Falle des Sandmannes handelte es sich um die Erweckung einer alten Kinderangst, bei der lebenden Puppe ist von Angst keine Rede, das Kind hat sich vor dem Beleben seiner Puppen nicht gefürchtet, vielleicht es sogar gewünscht. Die Quelle des unheimlichen Gefühls wäre also hier nicht eine Kinderangst, sondern ein Kinderwunsch oder auch nur ein Kinderglaube. Das scheint ein Widerspruch; möglicherweise ist es nur eine Mannigfaltigkeit, die späterhin unserem Verständnis förderlichwerden kann.

E. T. A. Hoffmann ist der unerreichte Meister des Unheimlichen in der Dichtung. Sein Roman »Die Elixire des Teufels« weist ein ganzes Bündel von Motiven auf, denen man die unheimliche Wirkung der Geschichte zuschreiben möchte. Der Inhalt des Romans ist zu reichhaltig und verschlungen, als daß man einen Auszug daraus wagen könnte. Zu Ende des uches, wenn die dem Leser bisher vorenthaltenen Voraussetzungen der Handlung nachgetragen werden, ist das Ergebnis nicht die Aufklärung des Lesers, sondern eine volle Verwirrung desselben. Der Dichter hat zu viel Gleichartiges gehäuft; der Eindruck des Ganzen leidet nicht darunter, wohl aber das Verständnis. Man muß sich damit begnügen, die hervorstechendsten unter jenen unheimlich wirkenden Motiven herauszuheben, um zu untersuchen, ob auch für sie eine Ableitung aus infantilen Quellen zulässig ist.

as bonecas. Lembremos que nas brincadeiras das crianças bem pequenas não existe, em geral, uma rigorosa diferença entre vivos e não vivos, e que, em especial, elas tratam sua boneca preferida como um ser vivo. Ocasionalmente, ouvimos de uma paciente que com a idade de 8 anos ainda estava convencida de que se ela mirasse suas bonecas da maneira mais penetrante possível, elas adquiririam vida. O fator infantil aqui é facilmente verificável; mas, para nosso espanto, no caso do Homem da Areia, trata-se do despertar de um antigo medo infantil, enquanto, no que diz respeito às bonecas vivas, não se trata de medo; a criança não temeu a vivificação de suas bonecas, talvez até a tenha desejado. Nesse caso, a fonte do sentimento *infamiliar* não seria o medo infantil, mas um desejo infantil ou até mesmo meramente uma crença infantil. Isso parece uma contradição; é possível que se trate apenas de uma complicação, que, posteriormente, pode auxiliar nossa compreensão.

E. T. A. Hoffmann é o inigualável mestre do *Infamiliar* na literatura. Seu romance *Os elixires do diabo* reúne uma grande quantidade de temas nos quais se pode assinalar o efeito *infamiliar* da história. O conteúdo do romance é bastante rico e emaranhado para ousarmos representá-lo por um excerto. Ao final do livro, quando se acrescentam *a posteriori* os pressupostos da ação até então indisponíveis, o resultado não é o esclarecimento do leitor, mas sim uma total confusão. O escritor acumulou demasiadas coisas semelhantes; a impressão da totalidade nada sofre com isso, mas o entendimento, sim. Devemos nos contentar em enfatizar os fatores que mais provocam os efeitos do *infamiliar* para investigar se também neles é permitida sua dedução a partir de fontes infantis. Trata-se do âmbito do duplo, em todas as suas gradações e formações; ou

Es sind dies das Doppelgängertum in all seinen Abstufungen und Ausbildungen, also das Auftreten von Personen, die wegen ihrer gleichen Erscheinung für identisch gehalten werden müssen, die Steigerung dieses Verhältnisses durch Überspringen seelischer Vorgänge von einer dieser Personen auf die andere, - was wir Telepathie heißen würden - so daß der eine das Wissen, Fühlen und Erleben des andern mitbesitzt, die Identifizierung mit einer anderen Person, so daß man an seinem Ich irre wird oder das fremde Ich an die Stelle des eigenen versetzt, also Ichverdopplung, Ichteilung, Ichvertauschung - und endlich die beständige Wiederkehr des Gleichen, die Wiederholung der nämlichen Gesichtszüge, Charaktere, Schicksale, verbrecherischen Taten, ja der Namen durch mehrere aufeinanderfolgende Generationen.

Das Motiv des Doppelgängers hat in einer gleichnamigen Arbeit von O. Rank eine eingehende Würdigung gefunden.[i] Dort werden die Beziehungen des Doppelgängers zum Spiegel- und Schattenbild, zum Schutzgeist, zur Seelenlehre und zur Todesfurcht untersucht, es fällt aber auch helles Licht auf die überraschende Entwicklungsgeschichte des Motivs. Denn der Doppelgänger war ursprünglich eine Versicherung gegen den Untergang des Ichs, eine »energische Dementierung der Macht des Todes« (O. Rank) und wahrscheinlich war die »unsterbliche« Seele der erste Doppelgänger des Leibes. Die Schöpfung einer solchen Verdopplung zur Abwehr gegen die Vernichtung hat ihr Gegenstück in einer Darstellung der Traumsprache, welche die Kastration durch Verdopplung oder Vervielfältigung des Genitalsymbols auszudrücken liebt; sie wird in der Kultur der alten Ägypter ein Antrieb für die Kunst, das Bild des Verstorbenen in dauerhaftem Stoff zu formen. Aber diese Vorstellungen sind auf dem Boden

[i] O. Rank, Der Doppelgänger, Imago III, 1914.

seja, o aparecimento de pessoas que, por causa da mesma aparência, devem ser consideradas como idênticas; o incremento dessas relações por meio da transmissão dos processos psíquicos de uma dessas pessoas para a outra – o que deveríamos chamar de telepatia –, de tal modo que uma se apropria do conhecimento, do sentimento e das vivências da outra; a identificação com uma outra pessoa, de modo que esta perde o domínio de seu Eu ou transporta o Eu alheio para o lugar do seu próprio, ou seja, duplicação do Eu, divisão do Eu, confusão do Eu – e, enfim, o eterno retorno do mesmo, a repetição dos mesmos traços fisionômicos, o mesmo caráter, o mesmo destino, os mesmos atos criminosos, o nome por meio de muitas e sucessivas gerações.

O tema do *duplo*[12] suscitou num trabalho do mesmo nome de Otto Rank uma minuciosa apreciação.[i] Nele, as relações do duplo com imagens no espelho e sombras, com espíritos protetores, doutrinas sobre a alma e o medo da morte são investigadas, lançando uma viva luz sobre a história surpreendente do desenvolvimento desses temas. Na origem, o duplo era uma garantia contra o declínio do Eu, um "enérgico desmentido do poder da morte" (O. Rank), e, provavelmente, a alma "imortal" foi o primeiro duplo do corpo. A criação de uma duplicidade dessa ordem como defesa contra a destruição tem seu contraponto em uma representação da linguagem onírica, na qual a castração ama expressar-se por meio da duplicação ou da multiplicação do símbolo genital; na cultura dos antigos egípcios, ela se tornou um impulso para a arte, para moldar a imagem do morto num material durável. Mas essas representações surgiram no campo do ilimitado

---

[i] O. Rank. *O duplo*. Imago III, 1914.

der uneingeschränkten Selbstliebe entstanden, des primären Narzißmus, welcher das Seelenleben des Kindes wie des Primitiven beherrscht, und mit der Überwindung dieser Phase ändert sich das Vorzeichen des Doppelgängers, aus einer Versicherung des Fortlebens wird er zum unheimlichen Vorboten des Todes.

Die Vorstellung des Doppelgängers braucht nicht mit diesem uranfänglichen Narzißmus unterzugehen; denn sie kann aus den späteren Entwicklungsstufen des Ichs neuen Inhalt gewinnen. Im Ich bildet sich langsam eine besondere Instanz heraus, welche sich dem übrigen Ich entgegenstellen kann, die der Selbstbeobachtung und Selbstkritik dient, die Arbeit der psychischen Zensur leistet und unserem Bewußtsein als »Gewissen« bekannt wird. Im pathologischen Falle des Beachtungswahnes wird sie isoliert, vom Ich abgespalten, dem Arzte bemerkbar. Die Tatsache, daß eine solche Instanz vorhanden ist, welche das übrige Ich wie ein Objekt behandeln kann, also daß der Mensch der Selbstbeobachtung fähig ist, macht es möglich, die alte Doppelgängervorstellung mit neuem Inhalt zu erfüllen und ihr mancherlei zuzuweisen, vor allem all das, was der Selbstkritik als zugehörig zum alten überwundenen Narzißmus der Urzeit erscheint.[i]

Aber nicht nur dieser der Ichkritik anstößige Inhalt kann dem Doppelgänger einverleibt werden, sondern ebenso alle unterbliebenen Möglichkeiten der Geschicksgestaltung, an

---

[i] Ich glaube, wenn die Dichter klagen, daß zwei Seelen in des Menschen Brust wohnen, und wenn die Populärpsychologen von der Spaltung des Ichs im Menschen reden, so schwebt ihnen diese Entzweiung, der Ichpsychologie angehörig, zwischen der kritischen Instanz und dem Ich- Rest vor und nicht die von der Psychoanalyse aufgedeckte Gegensätzlichkeit zwischen dem Ich und dem unbewußten Verdrängten. Der Unterschied wird allerdings dadurch verwischt, daß sich unter dem von der Ichkritik Verworfenen zunächst die Abkömmlinge des Verdrängten befinden.

amor por si mesmo, o narcisismo primário, que domina a vida anímica das crianças assim como a dos primitivos, e, com a superação dessa fase, os presságios do duplo se modificam, e de uma segurança quanto à continuidade da vida ele se torna o *infamiliar* mensageiro da morte.

A representação do duplo não declina, necessariamente, junto com esse protonarcisismo dos primórdios, pois, a partir de um desenvolvimento posterior do Eu, ele pode ganhar novo conteúdo. No Eu se forma, lentamente, uma instância singular, que se pode, além disso, contrapor ao restante do Eu, e que serve à auto-observação e à autocrítica, conduzindo o trabalho de censura psíquica, e que nossa consciência conhece como "consciência moral". Nos casos patológicos do delírio de ser observado, ela é isolada, cindida do Eu, tornando-se perceptível ao médico. O fato de que exista tal instância, que pode tratar o restante do Eu como um objeto, ou seja, que as pessoas sejam capazes de auto-observação, torna possível à antiga representação do duplo ser preenchida com um novo conteúdo, apontando nele muitas coisas, sobretudo aquilo que na autocrítica parece com o antigo e superado narcisismo dos primórdios.[i]

Não apenas esse conteúdo reprovado pela crítica do Eu pode ser incorporado pelo duplo, mas também, do mesmo modo, todas as possibilidades pressupostas das formas

---

[i] Creio que quando os poetas se queixam de que duas almas habitam o peito das pessoas e quando os psicólogos populares falam da cisão do Eu nas pessoas, eles têm em vista essa separação, que diz respeito à psicologia do Eu, entre a instância crítica e o resto do Eu, e não ao antagonismo descoberto pela psicanálise entre o Eu e o inconsciente recalcado. Em todo caso, a diferença é eliminada, na medida em que os elementos rejeitados pela crítica do Eu se encontram, antes de tudo, como derivados do recalcado.

denen die Phantasie noch festhalten will, und alle Ichstrebungen, die sich infolge äußerer Ungunst nicht durchsetzen konnten, sowie alle die unterdrückten Willensentscheidungen, die die Illusion des freien Willens ergeben haben.[i]

Nachdem wir aber so die manifeste Motivierung der Doppelgängergestalt betrachtet haben, müssen wir uns sagen: Nichts von alledem macht uns den außerordentlich hohen Grad von Unheimlichkeit, der ihr anhaftet, verständlich, und aus unserer Kenntnis der pathologischen Seelenvorgänge dürfen wir hinzusetzen, nichts von diesem Inhalt könnte das Abwehrbestreben erklären, das ihn als etwas Fremdes aus dem Ich hinausprojiziert. Der Charakter des Unheimlichen kann doch nur daher rühren, daß der Doppelgänger eine den überwundenen seelischen Urzeiten angehörige Bildung ist, die damals allerdings einen freundlicheren Sinn hatte. Der Doppelgänger ist zum Schreckbild geworden, wie die Götter nach dem Sturz ihrer Religion zu Dämonen werden (H. Heine, Die Götter im Exil).

Die anderen bei Hoffmann verwendeten Ichstörungen sind nach dem Muster des Doppelgängermotivs leicht zu beurteilen. Es handelt sich bei ihnen um ein Rückgreifen auf einzelne Phasen in der Entwicklungsgeschichte des Ichgefühls, um eine Regression in Zeiten, da das Ich sich noch nicht scharf von der Außenwelt und vom Anderen abgegrenzt hatte. Ich glaube, daß diese Motive den Eindruck des Unheimlichen mitverschulden, wenngleich es nicht leicht ist, ihren Anteil an diesem Eindruck isoliert herauszugreifen.

---

[i] In der H. H. Ewers schen Dichtung »Der Student von Prag«, von welcher die Rank sche Studie über den Doppelgänger ausgegangen ist, hat der Held der Geliebten versprochen, seinen Duellgegner nicht zu töten. Auf dem Wege zum Duellplatz begegnet ihm aber der Doppelgänger, welcher den Nebenbuhler bereits erledigt hat.

do destino, às quais a fantasia ainda quer se aferrar, e todas as aspirações do Eu, que não puderam se realizar devido a expressas circunstâncias desfavoráveis, assim como todas as decisões volitivas reprimidas, que resultaram da ilusão de livre arbítrio.[i,13]

Entretanto, depois que observamos as motivações manifestas da figura do duplo, devemos nos dizer: nada disso torna compreensível o extraordinário grau de *infamiliaridade* que lhe é próprio e, a partir do nosso conhecimento dos processos anímicos patológicos, devíamos afirmar que nada desses conteúdos poderia esclarecer o propósito de defesa que os projetou para fora do Eu, como se fossem um estranho. O caráter do *infamiliar* pode então mobilizar apenas a partir disso, de tal modo que o duplo é uma formação da mesma família dos processos anímicos superados dos tempos primevos, os quais tiveram, em todo caso, naquela época, um sentido amigável. O duplo se tornou uma imagem do horror, tal como os deuses, que após a queda de suas religiões tornaram-se demônios (Heine, *Os deuses no exílio*).[14]

As outras perturbações do Eu usadas por Hoffmann são facilmente avaliáveis de acordo com o modelo do duplo. Trata-se, neles, de um apegar-se a fases específicas da história do desenvolvimento do sentimento de Eu, de uma regressão aos tempos nos quais o Eu ainda não havia, rigorosamente, se separado do mundo exterior e dos outros. Creio que esses temas contribuam para a impressão do *infamiliar*, mesmo que não seja fácil isolar sua parcela de contribuição para essa impressão.

---

[i] Em *O estudante de Praga*, de H. H. Ewers, que é o ponto de partida do estudo de Rank sobre o duplo, o herói prometeu à amada não matar aquele que o desafiara para um duelo. Mas, a caminho do local do duelo, ele encontra seu duplo, que já havia eliminado o rival.

Das Moment der Wiederholung des Gleichartigen wird als Quelle des unheimlichen Gefühls vielleicht nicht bei jedermann Anerkennung finden. Nach meinen Beobachtungen ruft es unter gewissen Bedingungen und in Kombination mit bestimmten Umständen unzweifelhaft ein solches Gefühl hervor, das überdies an die Hilflosigkeit mancher Traumzustände mahnt. Als ich einst an einem heißen Sommernachmittag die mir unbekannten, menschenleeren Straßen einer italienischen Kleinstadt durchstreifte, geriet ich in eine Gegend, über deren Charakter ich nicht lange in Zweifel bleiben konnte. Es waren nur geschminkte Frauen an den Fenstern der kleinen Häuser zu sehen, und ich beeilte mich, die enge Straße durch die nächste Einbiegung zu verlassen. Aber nachdem ich eine Weile führerlos herumgewandert war, fand ich mich plötzlich in derselben Straße wieder, in der ich nun Aufsehen zu erregen begann, und meine eilige Entfernung hatte nur die Folge, daß ich auf einem neuen Umwege zum dritten Male dahingeriet. Dann aber erfaßte mich ein Gefühl, das ich nur als unheimlich bezeichnen kann, und ich war froh, als ich unter Verzicht auf weitere Entdeckungsreisen auf die kürzlich von mir verlassene Piazza zurückfand. Andere Situationen, die die unbeabsichtigte Wiederkehr mit der eben beschriebenen gemein haben und sich in den anderen Punkten gründlich von ihr unterscheiden, haben doch dasselbe Gefühl von Hilflosigkeit und Unheimlichkeit zur Folge. Zum Beispiel wenn man sich im Hochwald, etwa vom Nebel überrascht, verirrt hat und nun trotz aller Bemühungen, einen markierten oder bekannten Weg zu finden, wiederholt zu der einen, durch eine bestimmte Formation gekennzeichneten Stelle zurückkommt. Oder wenn man im unbekannten, dunkeln Zimmer wandert, um die Türe oder den Lichtschalter aufzusuchen und dabei

Talvez, o fator da repetição do mesmo como fonte do sentimento *infamiliar* não seja reconhecido por todos.[15] Segundo minhas observações, sob certas condições e combinações em determinadas circunstâncias, um sentimento dessa ordem é, sem dúvida, evocado, o que, além disso, lembra as situações de desamparo em muitos sonhos. Como certa vez, em uma quente tarde de verão, quando eu caminhava a esmo pelas ruas desconhecidas e vazias de uma pequena cidade italiana, e acabei numa região cujas características não me deixaram por muito tempo em dúvida. À minha vista, havia apenas mulheres maquiadas nas janelas das pequenas casas, e me apressei para abandonar a estreita rua na primeira esquina. Mas, depois de um tempo em que vaguei sem direção, encontrei-me, subitamente, de novo na mesma rua, onde, então, levantei os olhos e chamou-me a atenção que meu apressado afastamento teve como consequência ter tomado, pela terceira vez, um novo desvio. Contudo, então, experimentei um sentimento que eu poderia apenas caracterizar como sendo da ordem do *infamiliar*; fiquei feliz por ter renunciado a fazer outras descobertas nessa viagem quando, rapidamente, já estava de volta à *piazza* de onde havia saído. Outras situações que tinham em comum o retorno involuntário como essa que acabo de descrever e se diferenciavam dela em outros pontos tiveram como consequência o mesmo sentimento de desamparo e *infamiliaridade*. Por exemplo, quando na floresta, surpreendidos por algo como a névoa, nos perdemos no caminho e então, apesar de todos os esforços para encontrarmos um caminho sinalizado ou conhecido, voltamos repetidamente para um lugar marcado por um aspecto determinado. Ou quando nos deslocamos em um cômodo desconhecido, escuro, procurando a porta ou o

zum xten Male mit demselben Möbelstück zusammenstößt, eine Situation, die Mark Twain allerdings durch groteske Übertreibung in eine unwiderstehlich komische umgewandelt hat.

An einer anderen Reihe von Erfahrungen erkennen wir auch mühelos, daß es nur das Moment der unbeabsichtigten Wiederholung ist, welches das sonst Harmlose unheimlich macht und uns die Idee des Verhängnisvollen, Unentrinnbaren aufdrängt, wo wir sonst nur von »Zufall« gesprochen hätten. So ist es z. B. gewiß ein gleichgültiges Erlebnis, wenn man für seine in einer Garderobe abgegebenen Kleider einen Schein mit einer gewissen Zahl - sagen wir: 62 - erhält oder wenn man findet, daß die zugewiesene Schiffskabine diese Nummer trägt. Aber dieser Eindruck ändert sich, wenn beide an sich indifferenten Begebenheiten nahe aneinander rücken, so daß einem die Zahl 62 mehrmals an demselben Tage entgegentritt, und wenn man dann etwa gar die Beobachtung machen sollte, daß alles, was eine Zahlenbezeichnung trägt, Adressen, Hotelzimmer, Eisenbahnwagen u. dgl. immer wieder die nämliche Zahl wenigstens als Bestandteil, wiederbringt. Man findet das »unheimlich« und wer nicht stich- und hiebfest gegen die Versuchungen des Aberglaubens ist, wird sich geneigt finden, dieser hartnäckigen Wiederkehr der einen Zahl eine geheime Bedeutung zuzuschreiben, etwa einen Hinweis auf das ihm bestimmte Lebensalter darin zu sehen. Oder wenn man eben mit dem Studium der Schriften des großen Physiologen E. Hering beschäftigt ist, und nun wenige Tage auseinander Briefe von zwei Personen dieses Namens aus verschiedenen Ländern empfängt, während man bis dahin niemals mit Leuten, die so heißen, in Beziehung getreten war. Ein geistvoller Naturforscher hat vor kurzem den Versuch unternommen, Vorkommnisse solcher Art gewissen Gesetzen unterzuordnen, wodurch der Eindruck des

interruptor de luz, e aí, pela enésima vez, nos batemos na mesma parte do mesmo móvel, uma situação que, em todo caso, Mark Twain transformou, por meio de um grotesco exagero, em algo irresistivelmente cômico.[16]

Em outra série de experiências também reconhecemos, sem esforço, que o fator da repetição involuntária é aquele segundo o qual até mesmo o inofensivo se torna *infamiliar*, impondo-nos a ideia do fatídico, do inescapável, onde nós até então falávamos de "acaso". Assim, por exemplo, trata-se, certamente, de uma vivência indiferente quando deixamos o casaco em uma chapelaria,[17] obtendo um recibo com uma determinada senha – digamos: 62[18] –, ou quando nos damos conta de que nossa cabine no navio tem o mesmo número. Mas essa impressão se modifica se esses dois acontecimentos indiferentes em si se aproximam um do outro, de tal modo que o número 62 nos aparece diversas vezes no mesmo dia, e então passamos a observar que tudo o que traz uma indicação numérica, endereço, quarto de hotel, vagão do trem e coisas semelhantes reapresenta sempre o mesmo número, no mínimo como elemento parcial. Considera-se isso como "infamiliar", e quem não está armado contra a tentação da superstição tenderá a atribuir, obstinadamente, a esse retorno de um número um significado secreto, vendo nisso algo como uma alusão a uma determinada época de sua vida. Ou, em outro caso, estando ocupados com o estudo dos escritos do grande fisiologista Ewald Hering,[19] recebemos, com poucos dias de intervalo, diferentes cartas de duas pessoas com esse mesmo nome, de diferentes países, sem nunca ter conhecido pessoas com esse nome. Um excelente naturalista, pouco tempo atrás, intentou submeter eventos dessa espécie a certas leis, por meio das quais a impressão do

Unheimlichen aufgehoben werden müßte. Ich getraue mich nicht zu entscheiden, ob es ihm gelungen ist.[i]

Wie das Unheimliche der gleichartigen Wiederkehr aus dem infantilen Seelenleben abzuleiten ist, kann ich hier nur andeuten und muß dafür auf eine bereitliegende ausführliche Darstellung in anderem Zusammenhange verweisen. Im seelisch Unbewußten läßt sich nämlich die Herrschaft eines von den Triebregungen ausgehenden Wiederholungszwanges erkennen, der wahrscheinlich von der innersten Natur der Triebe selbst abhängt, stark genug ist, sich über das Lustprinzip hinauszusetzen, gewissen Seiten des Seelenlebens den dämonischen Charakter verleiht, sich in den Strebungen des kleinen Kindes noch sehr deutlich äußert und ein Stück vom Ablauf der Psychoanalyse des Neurotikers beherrscht. Wir sind durch alle vorstehenden Erörterungen darauf vorbereitet, daß dasjenige als unheimlich verspürt werden wird, was an diesen inneren Wiederholungszwang mahnen kann.

Nun, denke ich aber, ist es Zeit uns von diesen immerhin schwierig zu beurteilenden Verhältnissen abzuwenden und unzweifelhafte Fälle des Unheimlichen aufzusuchen, von deren Analyse wir die endgültige Entscheidung über die Geltung unserer Annahme erwarten dürfen.

Im »Ring des Polykrates« wendet sich der Gast mit Grausen, weil er merkt, daß jeder Wunsch des Freundes sofort in Erfüllung geht, jede seiner Sorgen vom Schicksal unverzüglich aufgehoben wird. Der Gastfreund ist ihm »unheimlich« geworden. Die Auskunft, die er selbst gibt, daß der allzu Glückliche den Neid der Götter zu fürchten habe, erscheint uns noch undurchsichtig, ihr Sinn ist mythologisch verschleiert. Greifen wir darum ein anderes

---

[i] P. Kammerer, Das Gesetz der Serie, Wien 1919.

infamiliar deveria ser superada. Não me atreveria a afirmar se ele teve êxito.[i]

Como o infamiliar referente ao retorno do mesmo pode derivar da vida anímica infantil trata-se de algo que aqui posso apenas mencionar, remetendo a uma exposição minuciosa, a ser preparada em outro contexto. No inconsciente anímico, é possível, de fato, reconhecer-se o domínio de uma incessante *compulsão à repetição* das moções pulsionais, a qual, provavelmente, depende da mais íntima natureza das pulsões, e que é suficientemente forte para se impor ao princípio de prazer, conferindo um caráter demoníaco a certos aspectos da vida anímica, algo que ainda se expressa claramente nas aspirações da criança e que domina uma parte do decurso da psicanálise dos neuróticos. Estamos preparados para todas as discussões mencionadas a esse respeito, uma vez que o que se pode lembrar dessa compulsão interna à repetição pode ser sentido como *infamiliar*.

Mas penso que é tempo de nos afastarmos dessas relações sempre difíceis de serem julgadas e procurarmos casos indubitáveis do *infamiliar*, de cuja análise deveríamos esperar a decisão definitiva sobre a validade de nossa hipótese.

Em *O anel de Polícrates*,[20] o convidado se afasta com horror, porque percebe que cada desejo do amigo é imediatamente realizado, de tal modo que qualquer preocupação com o destino está suspensa. Para ele, seu anfitrião tornou-se "infamiliar". A informação, que ele próprio dá, de que o outro deveria temer a inveja dos deuses por tanta felicidade nos parece demasiado opaca, pois seu sentido é mitologicamente velado. Tomemos, para isso,

[i] P. Kammerer. *A lei da série*. Viena, 1919.

Beispiel aus weit schlichteren Verhältnissen heraus: In der Krankengeschichte eines Zwangsneurotikers[i] habe ich erzählt, daß dieser Kranke einst einen Aufenthalt in einer Wasserheilanstalt genommen hatte, aus dem er sich eine große Besserung holte. Er war aber so klug, diesen Erfolg nicht der Heilkraft des Wassers, sondern der Lage seines Zimmers zuzuschreiben, welches der Kammer einer liebenswürdigen Pflegerin unmittelbar benachbart war. Als er dann zum zweiten Mal in diese Anstalt kam, verlangte er dasselbe Zimmer wieder, mußte aber hören, daß dies bereits von einem alten Herrn besetzt sei und gab seinem Unmut darüber in den Worten Ausdruck: Dafür soll ihn aber der Schlag treffen. Vierzehn Tage später erlitt der alte Herr wirklich einen Schlaganfall. Für meinen Patienten war dies ein »unheimliches« Erlebnis. Der Eindruck des Unheimlichen wäre noch stärker gewesen, wenn eine viel kürzere Zeit zwischen jener Äußerung und dem Unfall gelegen wäre oder wenn der Patient über zahlreiche ganz ähnliche Erlebnisse hätte berichten können. In der Tat war er um solche Bestätigungen nicht verlegen, aber nicht er allein, alle Zwangsneurotiker, die ich studiert habe, wußten Analoges von sich zu erzählen. Sie waren gar nicht überrascht, regelmäßig der Person zu begegnen, an die sie eben - vielleicht nach langer Pause - gedacht hatten; sie pflegten regelmäßig am Morgen einen Brief von einem Freund zu bekommen, wenn sie am Abend vorher geäußert hatten: Von dem hat man aber jetzt lange nichts gehört, und besonders Unglücks- oder Todesfälle ereigneten sich nur selten, ohne eine Weile vorher durch ihre Gedanken gehuscht zu sein. Sie pflegten diesem Sachverhalt in der

---

[i] Bemerkungen über einen Fall von Zwangsneurose, Jahrb. f. Psychoanalyse, I, 1909 und Sammlung kl. Schriften, dritte Folge, 1913.

outro exemplo, a partir de relações amplas e simples. Na história clínica de um neurótico obsessivo,[i] contei que esse paciente havia passado uma temporada em uma estação de águas, da qual retornou com sensível melhora. Mas ele era tão esperto que relacionou esse êxito não à força curativa das águas, mas ao fato de que seus aposentos ficavam imediatamente adjacentes aos de uma amável enfermeira. Quando ele voltou, na segunda vez, a esse mesmo estabelecimento, quis reservar novamente o mesmo quarto, mas teve de ouvir como resposta que este já estava ocupado por um senhor de idade, e então expressou seu mau humor a respeito, com as seguintes palavras: "pois que ele morra de infarto por conta disso". Quatorze dias depois, o senhor idoso sofreu, de fato, um infarto. Para meu paciente, isso foi uma vivência "infamiliar". A impressão do *infamiliar* teria sido ainda mais forte se entre essa expressão e o infarto propriamente dito tivesse decorrido um tempo ainda mais curto ou se o paciente pudesse relatar sobre inumeráveis vivências semelhantes. De fato, ele não se envergonhou em fornecer tais confirmações, mas não apenas ele, pois todos os neuróticos obsessivos que estudei contaram coisas análogas. Eles não ficavam surpreendidos se regularmente encontrassem uma pessoa na qual haviam acabado de pensar – talvez após um longo período; eles se preocupavam, regularmente, em receber pela manhã a carta de um amigo sobre quem, na noite anterior, disseram o seguinte: dele faz tempo que não recebo notícias, e raramente aconteciam desastres e acidentes fatais sem que antes essas ideias não tivessem passado pela sua cabeça. Eles se preocupavam em expressar essas circunstâncias ao

[i] "Observações sobre um caso de neurose obsessiva (O homem dos ratos)" (*Ges. Werke*, v. VII).

bescheidensten Weise Ausdruck zu geben, indem sie behaupteten, »Ahnungen« zu haben, die »meistens« eintreffen.

Eine der unheimlichsten und verbreitetsten Formen des Aberglaubens ist die Angst vor dem »bösen Blick«, welcher bei dem Hamburger Augenarzt S. Seligmann[i] eine gründliche Behandlung gefunden hat. Die Quelle, aus welcher diese Angst schöpft, scheint niemals verkannt worden zu sein. Wer etwas Kostbares und doch Hinfälliges besitzt, fürchtet sich vor dem Neid der anderen, indem er jenen Neid auf sie projiziert, den er im umgekehrten Falle empfunden hätte. Solche Regungen verrät man durch den Blick, auch wenn man ihnen den Ausdruck in Worten versagt, und wenn jemand durch auffällige Kennzeichen, besonders unerwünschter Art, vor den anderen hervorsticht, traut man ihm zu, daß sein Neid eine besondere Stärke erreichen und dann auch diese Stärke in Wirkung umsetzen wird. Man fürchtet also eine geheime Absicht zu schaden, und auf gewisse Anzeichen hin nimmt man an, daß dieser Absicht auch die Kraft zu Gebote steht.

Die letzterwähnten Beispiele des Unheimlichen hängen von dem Prinzip ab, das ich, der Anregung eines Patienten folgend, die »Allmacht der Gedanken« benannt habe. Wir können nun nicht mehr verkennen, auf welchem Boden wir uns befinden. Die Analyse der Fälle des Unheimlichen hat uns zur alten Weltauffassung des *Animismus* zurückgeführt, die ausgezeichnet war durch die Erfüllung der Welt mit Menschengeistern, durch die narzißtische Überschätzung der eigenen seelischen Vorgänge, die Allmacht der Gedanken und die darauf aufgebaute Technik der Magie, die Zuteilung von sorgfältig abgestuften Zauberkräften an fremde Personen und Dinge (Mana), sowie durch alle die Schöpfungen, mit denen sich der

---

[i] S. Seligmann, Der böse Blick und Verwandtes, 2 Bände, Berlin 1910 u. 1911.

modo de um modesto augúrio, quando afirmavam ter "pressentimentos" que, "na sua maioria", confirmavam-se.

Uma das formas de superstição mais infamiliares e mais amplamente conhecidas é o medo do "mau olhado", ao qual Siegfried Seligmann,[i] um oftalmologista de Hamburgo, dedicou uma aprofundada investigação.[21] A fonte criadora desse medo parece jamais ter sido conhecida. Quem possui algo precioso, mas frágil, teme a inveja do outro e, por isso, projeta sobre o outro a inveja que, inversamente, o outro sentira por ele. Tais moções são denunciadas pelo olhar mesmo quando se impede sua expressão em palavras e mesmo quando sobre alguém, ocasionalmente, caracterizado de uma maneira especial, indesejada, acredita-se que sua inveja tem uma força singular e que essa força se converta em efeito. Desse modo, tememos uma secreta intenção de prejudicar e aceitamos certos indícios de que essa intenção também dispõe de força para se efetivar.

Esses últimos exemplos do *infamiliar* dependem de um princípio que eu, seguindo a sugestão de um paciente, chamei de "onipotência de pensamentos". Não podemos mais ignorar em que terreno nos encontramos. A análise de casos da ordem do *infamiliar* nos remeteu à antiga concepção *animista* de mundo, que se caracterizava pelo preenchimento do mundo com espíritos humanos, pela supervalorização narcísica dos próprios processos anímicos, pela onipotência de pensamentos e pela técnica da magia construída a partir disso, pela distribuição das forças mágicas cuidadosamente escalonadas entre pessoas estranhas e coisas (*mana*), bem como por

---

[i] S. Seligmann. *O mau olhado e assemelhados* [*Der böse Blick und Verwandtes*]. Berlim, 1910-1911. 2 v.

uneingeschränkte Narzißmus jener Entwicklungsperiode gegen den unverkennbaren Einspruch der Realität zur Wehre setzte. Es scheint, daß wir alle in unserer individuellen Entwicklung eine diesem Animismus der Primitiven entsprechende Phase durchgemacht haben, daß sie bei keinem von uns abgelaufen ist, ohne noch äußerungsfähige Reste und Spuren zu hinterlassen, und daß alles, was uns heute als »unheimlich« erscheint, die Bedingung erfüllt, daß es an diese Reste animistischer Seelentätigkeit rührt und sie zur Äußerung anregt.[i]

Hier ist nun der Platz für zwei Bemerkungen, in denen ich den wesentlichen Inhalt dieser kleinen Untersuchung niederlegen möchte. Erstens, wenn die psychoanalytische Theorie in der Behauptung recht hat, daß jeder Affekt einer Gefühlsregung, gleichgültig von welcher Art, durch die Verdrängung in Angst verwandelt wird, so muß es unter den Fällen des Ängstlichen eine Gruppe geben, in der sich zeigen läßt, daß dies Ängstliche etwas wiederkehrendes Verdrängtes ist. Diese Art des Ängstlichen wäre eben das Unheimliche und dabei muß es gleichgültig sein, ob es ursprünglich selbst ängstlich war oder von einem anderen Affekt getragen. Zweitens, wenn dies wirklich die geheime Natur des Unheimlichen ist, so verstehen wir, daß der Sprachgebrauch das Heimliche in seinen Gegensatz, das Unheimliche übergehen läßt (S. 302), denn dies Unheimliche ist wirklich nichts Neues oder Fremdes, sondern etwas dem Seelenleben von alters her Vertrautes, das ihm nur durch den Prozeß der Verdrängung entfremdet worden ist. Die Beziehung auf die Verdrängung

---

[i] Vgl. hiezu den Abschnitt III Animismus, Magie und Allmacht der Gedanken in des Verf. Buch: Totem und Tabu. 1913. Dort auch die Bemerkung (S. 19 Note): »Es scheint, daß wir den Charakter des ›Unheimlichen‹ solchen Eindrücken verleihen, welche die Allmacht der Gedanken und die animistische Denkweise überhaupt bestätigen wollen, während wir uns bereits im Urteil von ihr abgewendet haben.«

todas essas criações com as quais o ilimitado narcisismo desse período do desenvolvimento se defende da objeção imposta pela realidade. Parece que todos nós, em nosso desenvolvimento individual, atravessamos uma fase correspondente a esse animismo dos primitivos e que não nos afastamos dela sem que ela nos legue restos e rastros capazes de expressão, de tal modo que tudo o que hoje nos aparece como "infamiliar" é a condição para que esses restos da atividade psíquica animista ainda nos toquem e estimulem sua expressão.[i]

Aqui é o lugar para duas observações, por meio das quais gostaria de expor o conteúdo essencial desta pequena investigação. Em primeiro lugar, se a teoria psicanalítica tem razão ao afirmar que todo afeto de uma moção de sentimento, de qualquer espécie, transforma-se em angústia por meio do recalque, entre os casos que provocam angústia deve haver então um grupo no qual se mostra que esse angustiante é algo recalcado que retorna. Essa espécie de angustiante seria então o infamiliar e, nesse caso, seria indiferente se ele mesmo era, originariamente, angustiante ou se carregava algum outro afeto consigo. Em segundo lugar, se isso é mesmo a natureza secreta do infamiliar, então entendemos por que o uso da língua permitiu que o familiar deslizasse para seu oposto, o infamiliar, uma vez que esse infamiliar nada tem realmente de novo ou de estranho, mas é algo íntimo à vida anímica desde muito tempo e que foi afastado pelo processo de recalcamento.

---

[i] Ver, a respeito, a seção III, "Animismo, magia e onipotência de pensamentos", em *Totem e tabu*, 1913, de minha autoria. E ali, ver também a observação: "Parece que emprestamos a tais impressões o caráter de 'infamiliar', às quais a onipotência de pensamentos e o modo de pensar animista em geral querem confirmar, enquanto nós já nos afastamos no julgamento sobre eles".

erhellt uns jetzt auch die Schelling sche Definition, das Unheimliche sei etwas, was im Verborgenen hätte bleiben sollen und hervorgetreten ist.

Es erübrigt uns nur noch, die Einsicht, die wir gewonnen haben, an der Erklärung einiger anderer Fälle des Unheimlichen zu erproben.

Im allerhöchsten Grade unheimlich erscheint vielen Menschen, was mit dem Tod, mit Leichen und mit der Wiederkehr der Toten, mit Geistern und Gespenstern zusammenhängt. Wir haben ja gehört, daß manche moderne Sprachen unseren Ausdruck: ein unheimliches Haus gar nicht anders wiedergeben können als durch die Umschreibung: ein Haus, in dem es spukt. Wir hätten eigentlich unsere Untersuchung mit diesem, vielleicht stärksten Beispiel von Unheimlichkeit beginnen können, aber wir taten es nicht, weil hier das Unheimliche zu sehr mit dem Grauenhaften vermengt und zum Teil von ihm gedeckt ist. Aber auf kaum einem anderen Gebiet hat sich unser Denken und Fühlen seit den Urzeiten so wenig verändert, ist das Alte unter dünner Decke so gut erhalten geblieben, wie in unserer Beziehung zum Tode. Zwei Momente geben für diesen Stillstand gute Auskunft: Die Stärke unserer ursprünglichen Gefühlsreaktionen und die Unsicherheit unserer wissenschaftlichen Erkenntnis. Unsere Biologie hat es noch nicht entscheiden können, ob der Tod das notwendige Schicksal jedes Lebewesens oder nur ein regelmäßiger, vielleicht aber vermeidlicher Zufall innerhalb des Lebens ist. Der Satz: alle Menschen müssen sterben, paradiert zwar in den Lehrbüchern der Logik als Vorbild einer allgemeinen Behauptung, aber keinem Menschen leuchtet er ein und unser Unbewußtes hat jetzt so wenig Raum wie vormals für die Vorstellung der eigenen Sterblichkeit. Die Religionen bestreiten noch immer der unableugbaren Tatsache des individuellen Todes ihre Bedeutung und setzen die Existenz

Essa relação com o recalcamento também lança luz, agora, à definição de Schelling, para quem o infamiliar seria algo que deveria permanecer oculto, mas que veio à tona.

Resta-nos apenas aplicar o entendimento que adquirimos ao esclarecimento de alguns outros casos do *infamiliar*.

Em muitas pessoas, o mais elevado grau do infamiliar aparece associado à morte, a cadáveres e ao retorno dos mortos, a espíritos e fantasmas. Já ouvimos que em muitas línguas existe a expressão "uma casa infamiliar", cujo significado não nos poderia ser restituído a não ser reformulando-o: uma casa mal-assombrada. Poderíamos, de fato, ter começado nossa investigação talvez pelo mais forte exemplo da infamiliaridade, mas não o fizemos, porque aqui o infamiliar se mescla bastante com o horrorífico e, em parte, é por ele recoberto. Mas raramente em algum outro domínio nossos pensamentos e sentimentos mudaram tão pouco desde os tempos primitivos – o antigo permaneceu tão bem escondido sob uma fina coberta – quanto na nossa relação com a morte. Dois fatores nos informam bem sobre esse silêncio: a força de nossas reações emocionais originárias e a incerteza de nosso conhecimento científico. Nossa biologia ainda não pode decidir se a morte é o destino necessário de todo ser vivo ou apenas um incidente regular, talvez um evitável acaso no interior da vida. A proposição "todos os homens devem morrer"[22] é parafraseada, de fato, nos livros didáticos de lógica como modelo de uma afirmação universal, mas ninguém a esclarece, e nosso inconsciente tem agora tão pouco espaço como antes para a representação da própria mortalidade. As religiões seguem contestando o fato inegável da morte individual e prolongam a existência para além do fim da vida; os poderes seculares não creem

über das Lebensende hinaus fort, die staatlichen Gewalten meinen die moralische Ordnung unter den Lebenden nicht aufrecht erhalten zu können, wenn man auf die Korrektur des Erdenlebens durch ein besseres Jenseits verzichten soll, auf den Anschlagsäulen unserer Großstädte werden Vorträge angekündigt, welche Belehrung spenden wollen, wie man sich mit den Seelen der Verstorbenen in Verbindung setzen kann, und es ist unleugbar, daß mehrere der feinsten Köpfe und schärfsten Denker unter den Männern der Wissenschaft, zumal gegen das Ende ihrer eigenen Lebenszeit, geurteilt haben, daß es an Möglichkeiten für solchen Verkehr nicht fehle. Da fast alle von uns in diesem Punkt noch so denken wie die Wilden, ist es auch nicht zu verwundern, daß die primitive Angst vor dem Toten bei uns noch so mächtig ist und bereit liegt, sich zu äußern, sowie irgend etwas ihr entgegen kommt. Wahrscheinlich hat sie auch noch den alten Sinn, der Tote sei zum Feind des Überlebenden geworden und beabsichtige, ihn mit sich zu nehmen, als Genossen seiner neuen Existenz. Eher könnte man bei dieser Unveränderlichkeit der Einstellung zum Tode fragen, wo die Bedingung der Verdrängung bleibt, die erfordert wird, damit das Primitive als etwas Unheimliches wiederkehren könne. Aber die besteht doch auch; offiziell glauben die sogenannten Gebildeten nicht mehr an das Sichtbarwerden der Verstorbenen als Seelen, haben deren Erscheinung an entlegene und selten verwirklichte Bedingungen geknüpft, und die ursprünglich höchst zweideutige, ambivalente Gefühlseinstellung zum Toten ist für die höheren Schichten des Seelenlebens zur eindeutigen der Pietät abgeschwächt worden.[i]

Es bedarf jetzt nur noch weniger Ergänzungen, denn mit dem Animismus, der Magie und Zauberei, der Allmacht der

---

[i] Vgl.: Das Tabu und die Ambivalenz in »Totem und Tabu«.

poder sustentar a ordem moral entre os seres vivos, se para corrigir a vida terrena devemos a ela renunciar em vista de uma vida melhor no além. Em cartazes espalhados por nossas grandes cidades são anunciadas palestras nas quais instrutores querem ensinar como podemos nos comunicar com as almas dos mortos, e é inegável que muitas das cabeças mais sensíveis e muitos pensadores mais profundos entre os homens de ciência, por ocasião da proximidade do fim de suas próprias vidas, avaliaram que poderia haver tal possibilidade. Na medida em que quase todos nós, nesse ponto, ainda pensamos como os selvagens, não devemos nos admirar que o medo primitivo diante da morte seja, em nós, ainda muito poderoso e esteja pronto para se expressar, assim que algo venha ao seu encontro. Provavelmente, ele conserva ainda o antigo sentido de que o morto se torna um inimigo do que sobrevive e pretende levá-lo e torná-lo um companheiro de sua nova existência. Poderíamos antes perguntar acerca dessa imutabilidade de nossa posição diante da morte, na qual permanece a condição do recalcamento, que é exigida para que o primitivo possa retornar como algo infamiliar. Mas essa condição continua existindo; oficialmente, os chamados eruditos não acreditam mais que os mortos possam ser vistos como almas e ligam seu aparecimento a condições remotas e realmente raras, de tal modo que a posição sentimental originária, extremamente dúbia, ambivalente em relação aos mortos foi enfraquecida pelas camadas mais elevadas da vida anímica, dando lugar à piedade.[i]

Restam agora apenas alguns poucos complementos, já que com o animismo, a magia e a feitiçaria, a

---

[i] Ver "O tabu e a ambivalência", em *Totem e tabu*.

Gedanken, der Beziehung zum Tode, der unbeabsichtigten Wiederholung und dem Kastrationskomplex haben wir den Umfang der Momente, die das Ängstliche zum Unheimlichen machen, so ziemlich erschöpft.

Wir heißen auch einen lebenden Menschen unheimlich, und zwar dann, wenn wir ihm böse Absichten zutrauen. Aber das reicht nicht hin, wir müssen noch hinzutun, daß diese seine Absichten uns zu schaden sich mit Hilfe besonderer Kräfte verwirklichen werden. Der »Gettatore«, ist ein gutes Beispiel hiefür, diese unheimliche Gestalt des romanischen Aberglaubens, die Albrecht Schaeffer in dem Buche »Josef Montfort« mit poetischer Intuition und tiefem psychoanalytischem Verständnis zu einer sympathischen Figur umgeschaffen hat. Aber mit diesen geheimen Kräften stehen wir bereits wieder auf dem Boden des Animismus. Die Ahnung solcher Geheimkräfte ist es, die dem frommen Gretchen den Mephisto so unheimlich werden läßt:

> »Sie ahnt, daß ich ganz sicher ein Genie,
> Vielleicht sogar der Teufel bin.«

Das Unheimliche der Fallsucht, des Wahnsinns, hat denselben Ursprung. Der Laie sieht hier die Äußerung von Kräften vor sich, die er im Nebenmenschen nicht vermutet hat, deren Regung er aber in entlegenen Winkeln der eigenen Persönlichkeit dunkel zu spüren vermag. Das Mittelalter hatte konsequenterweise und psychologisch beinahe korrekt alle diese Krankheitsäußerungen der Wirkung von Dämonen zugeschrieben. Ja, ich würde mich nicht verwundern zu hören, daß die Psychoanalyse, die sich mit der Aufdeckung dieser geheimen Kräfte beschäftigt, vielen Menschen darum selbst unheimlich geworden ist. In einem Falle, als mir die Herstellung eines seit vielen Jahren siechen Mädchens - wenn auch nicht sehr rasch - gelungen war, habe ich's von der Mutter der für lange Zeit Geheilten selbst gehört.

onipotência de pensamentos, a relação com a morte, a repetição involuntária e o complexo de castração já se esgotou razoavelmente a extensão dos fatores a partir dos quais o angustiante se torna *infamiliar*.

Chamamos também de *infamiliar* a uma pessoa viva e, de fato, quando lhe atribuímos más intenções. Mas isso não é suficiente, devemos ainda acrescentar que essas suas intenções de nos prejudicar se realizarão com a ajuda de forças especiais. O *Gettatore*[23] é um bom exemplo disso, essa estranha figura das superstições romanas, que Albrecht Schaeffer, no livro *Josef Montfort,* transformou, com intuição poética e profunda compreensão psicológica, em uma figura simpática.[24] Mas, com essas forças misteriosas, estamos novamente no campo do animismo. O pressentimento de tais forças secretas é que torna Mefisto tão *infamiliar* para a devota Gretchen:

> Ela sente certamente que sou um gênio
> mas, talvez, eu seja mesmo o diabo.[25]

O *infamiliar* da epilepsia e da loucura tem a mesma origem. O leigo tem aqui, diante de si, a expressão de forças que ele não imaginara à volta dele, mas cujo movimento podia ser percebido, obscuro, num canto remoto da própria personalidade. A Idade Média atribuíra, de maneira consequente e, ao mesmo tempo, psicologicamente quase correta, todas essas manifestações de doença a efeitos demoníacos. Não me admiraria ouvir que a psicanálise, ocupada em descobrir essas forças misteriosas, tornou-se, ela mesma, *infamiliar* para muitas pessoas. Em um caso pelo menos, quando consegui o restabelecimento de uma jovem que definhava há muitos anos – mesmo que não tão rapidamente –, ouvi isso de sua própria mãe, muito tempo depois de sua filha ter sido curada.

Abgetrennte Glieder, ein abgehauener Kopf, eine vom Arm gelöste Hand wie in einem Märchen von Hauff, Füße, die für sich allein tanzen wie in dem erwähnten Buche von A. Schaeffer, haben etwas ungemein Unheimliches an sich, besonders wenn ihnen wie im letzten Beispiel noch eine selbständige Tätigkeit zugestanden wird. Wir wissen schon, daß diese Unheimlichkeit von der Annäherung an den Kastrationskomplex herrührt. Manche Menschen würden die Krone der Unheimlichkeit der Vorstellung zuweisen, scheintot begraben zu werden. Allein die Psychoanalyse hat uns gelehrt, daß diese schreckende Phantasie nur die Umwandlung einer anderen ist; die ursprünglich nichts Schreckhaftes war, sondern von einer gewissen Lüsternheit getragen wurde, nämlich der Phantasie vom Leben im Mutterleib.

***

Tragen wir noch etwas Allgemeines nach, was strenggenommen bereits in unseren bisherigen Behauptungen über den Animismus und die überwundenen Arbeitsweisen des seelischen Apparats enthalten ist, aber doch einer besonderen Hervorhebung würdig scheint, daß es nämlich oft und leicht unheimlich wirkt, wenn die Grenze zwischen Phantasie und Wirklichkeit verwischt wird, wenn etwas real vor uns hintritt, was wir bisher für phantastisch gehalten haben, wenn ein Symbol die volle Leistung und Bedeutung des Symbolisierten übernimmt und dergleichen mehr. Hierauf beruht auch ein gutes Stück der Unheimlichkeit, die den magischen Praktiken anhaftet. Das Infantile daran, was auch das Seelenleben der Neurotiker beherrscht, ist die Überbetonung der psychischen Realität im Vergleich zur materiellen, ein Zug, welcher sich der Allmacht der Gedanken anschließt. Mitten in der Absperrung des Weltkrieges kam eine Nummer des englischen Magazins »Strand« in meine Hände, in der ich unter anderen ziemlich überflüssigen Produktionen eine Erzählung las, wie

Membros cortados, uma cabeça decepada, uma mão separada do braço, como em um conto de Hauff,[26] pés que dançam sozinhos, como no livro de Schaeffer acima mencionado, têm algo de extremamente *infamiliar*, em especial se ainda lhes for concedida uma atividade autônoma. Já sabemos que essa *infamiliaridade* está relacionada ao complexo de castração. Muitas pessoas atribuiriam à ideia de alguém ser enterrado ainda vivo a expressão maior da infamiliaridade.[27] Mas a psicanálise nos ensinou que essa fantasia assustadora era apenas a transformação de uma outra que, originariamente, nada tinha de aterrorizante, mas era portadora de fato de uma certa lascívia: a fantasia de viver no ventre materno.[28]

***

Acrescentemos ainda algo de cunho geral, que já está rigorosamente contido em nossas afirmações feitas até aqui sobre o animismo e o já superado modo de trabalhar do aparelho psíquico, mas que parece ser digno de uma ênfase especial: propriamente, algo que tem um efeito de *infamiliar* frequente e facilmente alcançado quando as fronteiras entre fantasia e realidade são apagadas, quando algo real, considerado como fantástico, surge diante de nós, quando um símbolo assume a plena realização e o significado do simbolizado e coisas semelhantes. Aqui se baseia também boa parte da *infamiliaridade* inerente às práticas mágicas. Nesse caso, o que há de infantil, que também domina a vida anímica do neurótico, é a ênfase exagerada na realidade psíquica em comparação com a realidade material, um traço que se vincula à onipotência de pensamentos. Em meio aos obstáculos dessa guerra mundial, chegou às minhas mãos um número da revista inglesa *Strand*,[29] na qual, entre outras matérias completamente superficiais,

ein junges Paar eine möblierte Wohnung bezieht, in der sich ein seltsam geformter Tisch mit holzgeschnitzten Krokodilen befindet. Gegen Abend pflegt sich dann ein unerträglicher, charakteristischer Gestank in der Wohnung zu verbreiten, man stolpert im Dunkeln über irgend etwas, man glaubt zu sehen, wie etwas Undefinierbares über die Treppe huscht, kurz, man soll erraten, daß infolge der Anwesenheit dieses Tisches gespenstische Krokodile im Hause spuken, oder daß die hölzernen Scheusale im Dunkeln Leben bekommen oder etwas Ähnliches. Es war eine recht einfältige Geschichte, aber ihre unheimliche Wirkung verspürte man als ganz hervorragend.

Zum Schlusse dieser gewiß noch unvollständigen Beispielsammlung soll eine Erfahrung aus der psychoanalytischen Arbeit erwähnt werden, die, wenn sie nicht auf einem zufälligen Zusammentreffen beruht, die schönste Bekräftigung unserer Auffassung des Unheimlichen mit sich bringt. Es kommt oft vor, daß neurotische Männer erklären, das weibliche Genitale sei ihnen etwas Unheimliches. Dieses Unheimliche ist aber der Eingang zur alten Heimat des Menschenkindes, zur Örtlichkeit, in der jeder einmal und zuerst geweilt hat. »Liebe ist Heimweh«, behauptet ein Scherzwort, und wenn der Träumer von einer Örtlichkeit oder Landschaft noch im Traume denkt: Das ist mir bekannt, da war ich schon einmal, so darf die Deutung dafür das Genitale oder den Leib der Mutter einsetzen. Das Unheimliche ist also auch in diesem Falle das ehemals Heimische, Altvertraute. Die Vorsilbe un an diesem Worte ist aber die Marke der Verdrängung.

III

Schon während der Lektüre der vorstehenden Erörterungen werden sich beim Leser Zweifel geregt haben, denen jetzt gestattet werden soll sich zu sammeln und laut zu werden.

li um conto no qual um jovem casal ocupa uma casa mobiliada, onde se encontra uma mesa esquisita, talhada na forma de um crocodilo. Ao anoitecer, espalha-se pela casa um insuportável e característico fedor, tropeça-se no escuro em alguma coisa, acredita-se ver algo indefinível deslizando pela escada, em resumo, deve-se intuir que, devido à presença dessa mesa, crocodilos fantasmas assombram a casa ou que na escuridão os monstros de madeira adquiram vida ou algo assim. Era uma história completamente simplória, mas seu efeito *infamiliar* era sentido de maneira extraordinária.[30]

Para concluir essa coleção de exemplos, certamente ainda incompleta, deve ser mencionada uma experiência a partir do trabalho psicanalítico, a qual, mesmo que não diga respeito a um encontro ocasional, é a que melhor corrobora nossa interpretação do *infamiliar.* Ocorre, com frequência, que homens neuróticos declarem que o genital feminino seria, para eles, algo *infamiliar.* Mas esse *infamiliar* [*Unheimlich*] é a porta de entrada para o antigo lar [*Heim*] da criatura humana, para o lugar no qual cada um, pelo menos uma vez, encontrou-se. "Amor é saudade do lar [*Heimweh*]", afirma um gracejo, e se o sonhador ainda no sonho pensa num lugar ou numa paisagem: isso me é conhecido, aqui já estive pelo menos uma vez, então a interpretação para isso remete ao genital ou ao corpo da mãe. O *infamiliar* é, então, também nesse caso, o que uma vez foi doméstico, o que há muito é familiar. Mas o prefixo de negação "in-" [*Un-*] nessa palavra é a marca do recalcamento.

III

Já durante a leitura das descrições anteriores dúvidas devem ter surgido no leitor, as quais agora poderão ser reunidas e ditas em alto e bom tom.

Es mag zutreffen, daß das Unheimliche das Heimliche-Heimische ist, das eine Verdrängung erfahren hat und aus ihr wiedergekehrt ist, und daß alles Unheimliche diese Bedingung erfüllt. Aber mit dieser Stoffwahl scheint das Rätsel des Unheimlichen nicht gelöst. Unser Satz verträgt offenbar keine Umkehrung. Nicht alles was an verdrängte Wunschregungen und überwundene Denkweisen der individuellen Vorzeit und der Völkerurzeit mahnt, ist darum auch unheimlich.

Auch wollen wir es nicht verschweigen, daß sich fast zu jedem Beispiel, welches unseren Satz erweisen sollte, ein analoges finden läßt, das ihm widerspricht. Die abgehauene Hand z. B. im Hauffschen Märchen »Die Geschichte von der abgehauenen Hand« wirkt gewiß unheimlich, was wir auf den Kastrationskomplex zurückgeführt haben. Aber in der Erzählung des Herodot vom Schatz des Rhampsenit läßt der Meisterdieb, den die Prinzessin bei der Hand festhalten will, ihr die abgehauene Hand seines Bruders zurück, und andere werden wahrscheinlich ebenso wie ich urteilen, daß dieser Zug keine unheimliche Wirkung hervorruft. Die prompte Wunscherfüllung im »Ring des Polykrates« wirkt auf uns sicherlich ebenso unheimlich wie auf den König von Ägypten selbst. Aber in unseren Märchen wimmelt es von sofortigen Wunscherfüllungen und das Unheimliche bleibt dabei aus. Im Märchen von den drei Wünschen läßt sich die Frau durch den Wohlgeruch einer Bratwurst verleiten zu sagen, daß sie auch so ein Würstchen haben möchte. Sofort liegt es vor ihr auf dem Teller. Der Mann wünscht im Ärger, daß es der Vorwitzigen an der Nase hängen möge. Flugs baumelt es an ihrer Nase. Das ist sehr eindrucksvoll, aber nicht im geringsten unheimlich. Das Märchen stellt sich überhaupt ganz offen auf den animistischen Standpunkt der Allmacht von Gedanken und Wünschen, und ich wüßte

É justo dizer que o *infamiliar* é o familiar-doméstico que sofreu um recalcamento, dele retornando, e que todo *infamiliar* preenche essa condição. Mas, com a escolha desse material, o enigma do *infamiliar* não foi solucionado. Nosso princípio não suporta uma reversão. Nem tudo que nos lembra moções recalcadas de desejo e modos de pensar superados da pré-história individual e da pré-história dos povos age, por isso, como *infamiliar*.

Não queremos também silenciar o fato de que para quase todos os exemplos que nosso princípio deveria justificar, pode-se encontrar algum análogo que o contradiz. A mão amputada, por exemplo, no conto maravilhoso de Hauff, "A história da mão amputada", tem certamente um efeito *infamiliar*, que remetemos ao complexo de castração. Mas, na narrativa de Heródoto sobre o tesouro de Rampsinito, segundo a qual a princesa tenta segurar a mão do chefe dos ladrões, e ele oferece a mão amputada de seu irmão, assim como eu, outros deverão avaliar que esse movimento não desperta nenhuma efeito *infamiliar*.[31] A imediata realização de desejo em *O anel de Polícrates* tem, sem dúvida, sobre nós o mesmo efeito *infamiliar* que teve sobre o rei do Egito. Entretanto, em nossos contos maravilhosos[32] abundam tais realizações imediatas de desejo, e neles o *infamiliar* está excluído. No conto dos três desejos, o cheiro apetitoso de uma salsicha assada motiva a mulher a dizer que gostaria de possuir nem que fosse uma pequenina. Imediatamente, a pequena salsicha aparece em seu prato. Irritado, o marido da intrometida deseja que a salsicha fique pendurada no nariz da mulher. Rapidamente, ela aparece balançando no nariz da esposa. Tudo isso é muito impressionante, mas não é nada *infamiliar*. Os contos maravilhosos se apresentam muito abertos em relação ao ponto de vista animista da onipotência de

doch kein echtes Märchen zu nennen, in dem irgend etwas Unheimliches vorkäme. Wir haben gehört, daß es in hohem Grade unheimlich wirkt, wenn leblose Dinge, Bilder, Puppen, sich beleben, aber in den Andersenschen Märchen leben die Hausgeräte, die Möbel, der Zinnsoldat und nichts ist vielleicht vom Unheimlichen entfernter. Auch die Belebung der schönen Statue des Pygmalion wird man kaum als unheimlich empfinden.

Scheintod und Wiederbelebung von Toten haben wir als sehr unheimliche Vorstellungen kennen gelernt. Dergleichen ist aber wiederum im Märchen sehr gewöhnlich; wer wagte es unheimlich zu nennen, wenn z. B. Schneewittchen die Augen wieder aufschlägt? Auch die Erweckung von Toten in den Wundergeschichten z. B. des Neuen Testaments ruft Gefühle hervor, die nichts mit dem Unheimlichen zu tun haben. Die unbeabsichtigte Wiederkehr des Gleichen, die uns so unzweifelhafte unheimliche Wirkungen ergeben hat, dient doch in einer Reihe von Fällen anderen, und zwar sehr verschiedenen Wirkungen. Wir haben schon einen Fall kennen gelernt, in dem sie als Mittel zur Hervorrufung des komischen Gefühls gebraucht wird und könnten Beispiele dieser Art häufen. Andere Male wirkt sie als Verstärkung u. dgl., ferner: woher rührt die Unheimlichkeit der Stille, des Alleinseins, der Dunkelheit? Deuten diese Momente nicht auf die Rolle der Gefahr bei der Entstehung des Unheimlichen, wenngleich es dieselben Bedingungen sind, unter denen wir die Kinder am häufigsten Angst äußern sehen? Und können wir wirklich das Moment der intellektuellen Unsicherheit ganz vernachlässigen, da wir doch seine Bedeutung für das Unheimliche des Todes zugegeben haben?

So müssen wir wohl bereit sein anzunehmen, daß für das Auftreten des unheimlichen Gefühls noch andere als die von uns vorangestellten stofflichen Bedingungen maßgebend sind.

pensamentos e desejos, e eu não saberia nomear nenhum conto maravilhoso autêntico no qual aparecesse algo de *infamiliar*. Ouvimos que o mais alto grau do *infamiliar* ocorre quando coisas sem vida, imagens ou bonecas ganham vida, mas, nos contos de Andersen, os utensílios domésticos, os móveis, os soldados de chumbo ganham vida, e nada é, talvez, mais distante do *infamiliar*.[33] Mesmo quando a bela estátua de Pigmaleão ganha vida, dificilmente sentimos algo de *infamiliar*.[34]

Vimos a morte aparente e a ressurreição dos mortos como representações altamente *infamiliares*. Mas coisas dessa ordem são muito corriqueiras em contos maravilhosos; quem ousaria chamar de *infamiliar* quando, por exemplo, a Branca de Neve abre novamente os olhos? Também o despertar dos mortos nas histórias de milagres, por exemplo, do Novo Testamento, desperta sentimentos que nada têm a ver com o *infamiliar*. O retorno involuntário da mesma coisa, em uma série de casos, provoca outros efeitos e, de fato, muito diferentes entre si. Conhecemos um caso no qual esse retorno involuntário foi utilizado como meio para despertar sentimentos cômicos, e exemplos desse tipo podem se acumular. Outras vezes, seu efeito é o de reforço ou coisa parecida: de onde vem a *infamiliaridade* do silêncio, do estar sozinho, da escuridão? Esses fatores não sinalizam o papel do perigo da emergência do *infamiliar*, mesmo que se trate das mesmas condições, pelas quais vemos as crianças sentirem medo, com a maior frequência? Podemos realmente desprezar por inteiro o fator da incerteza intelectual, ainda que admitamos seu significado para o *infamiliar* na morte?

Assim sendo, deveríamos bem admitir que, para a entrada em cena do sentimento do *infamiliar*, são necessárias

Man könnte zwar sagen, mit jener ersten Feststellung sei das psychoanalytische Interesse am Problem des Unheimlichen erledigt, der Rest erfordere wahrscheinlich eine ästhetische Untersuchung. Aber damit würden wir dem Zweifel das Tor öffnen, welchen Wert unsere Einsicht in die Herkunft des Unheimlichen vom verdrängten Heimischen eigentlich beanspruchen darf.

Eine Beobachtung kann uns den Weg zur Lösung dieser Unsicherheiten weisen. Fast alle Beispiele, die unseren Erwartungen widersprechen, sind dem Bereich der Fiktion, der Dichtung, entnommen. Wir erhalten so einen Wink, einen Unterschied zu machen zwischen dem Unheimlichen, das man erlebt, und dem Unheimlichen, das man sich bloß vorstellt, oder von dem man liest.

Das Unheimliche des Erlebens hat weit einfachere Bedingungen, umfaßt aber weniger zahlreiche Fälle. Ich glaube, es fügt sich ausnahmslos unserem Lösungsversuch, läßt jedesmal die Zurückführung auf altvertrautes Verdrängtes zu. Doch ist auch hier eine wichtige und psychologisch bedeutsame Scheidung des Materials vorzunehmen, die wir am besten an geeigneten Beispielen erkennen werden.

Greifen wir das Unheimliche der Allmacht der Gedanken, der prompten Wunscherfüllung, der geheimen schädigenden Kräfte, der Wiederkehr der Toten heraus. Die Bedingung, unter der hier das Gefühl des Unheimlichen entsteht, ist nicht zu verkennen. Wir - oder unsere primitiven Urahnen - haben dereinst diese Möglichkeiten für Wirklichkeit gehalten, waren von der Realität dieser Vorgänge überzeugt. Heute glauben wir nicht mehr daran, wir haben diese Denkweisen *überwunden*, aber wir fühlen uns dieser neuen Überzeugungen nicht ganz sicher, die alten leben noch in uns fort und lauern auf Bestätigung. Sowie sich nun etwas in unserem Leben ereignet, was diesen alten abgelegten Überzeugungen eine Bestätigung

ainda outras condições materiais, além das apresentadas até agora. Poder-se-ia dizer, de fato, que, com estas primeiras colocações, o interesse da psicanálise pelo problema do *infamiliar* estivesse resolvido, e o resto exigiria, provavelmente, uma investigação estética. Mas, com isso, abriríamos a porta da dúvida acerca do valor de nossa hipótese, a da origem do *infamiliar* no familiar recalcado.

Uma observação poderia justificar o caminho para a solução dessa incerteza. Quase todos os exemplos que contrariam nossa expectativa são retirados do domínio da ficção, da criação literária. Assim, é possível acenar para uma diferença entre o *infamiliar* por nós vivenciado e aquele que está simplesmente representado ou o que conhecemos pela leitura.

O *infamiliar* que se vivencia possui duas condições simples, mas compreende muito poucos casos. Acredito que nossa tentativa de solução esteja sujeita, sem exceção, a retroceder ao recalcado que um dia foi conhecido. De fato, também aqui se deve fazer uma separação importante e psicologicamente significativa do material que deveríamos, da melhor maneira possível, reconhecer nos exemplos apropriados.

Tomemos o *infamiliar* da onipotência de pensamentos, da imediata realização de desejos, de forças misteriosamente danosas, do retorno dos mortos. A condição para que, nesses casos, surja o *infamiliar* não deve ser desconhecida. Nós – assim como nossos ancestrais primitivos – consideramos, inicialmente, essa possibilidade como real, fomos convencidos da realidade desses acontecimentos. Hoje, não acreditamos mais nisso, *superamos* esse modo de pensar, mas não nos sentimos inteiramente seguros acerca dessas novas convicções, as antigas ainda sobrevivem em nós e estão à espera de uma confirmação. Na medida em que

zuzuführen scheint, haben wir das Gefühl des Unheimlichen, zu dem man das Urteil ergänzen kann: Also ist es doch wahr, daß man einen anderen durch den bloßen Wunsch töten kann, daß die Toten weiterleben und an der Stätte ihrer früheren Tätigkeit sichtbar werden u. dgl.! Wer im Gegenteile diese animistischen Überzeugungen bei sich gründlich und endgültig erledigt hat, für den entfällt das Unheimliche dieser Art. Das merkwürdigste Zusammentreffen von Wunsch und Erfüllung, die rätselhafteste Wiederholung ähnlicher Erlebnisse an demselben Ort oder zum gleichen Datum, die täuschendsten Gesichtswahrnehmungen und verdächtigsten Geräusche werden ihn nicht irre machen, keine Angst in ihm erwecken, die man als Angst vor dem »Unheimlichen« bezeichnen kann. Es handelt sich hier also rein um eine Angelegenheit der Realitätsprüfung, um eine Frage der materiellen Realität.[i]

---

i Da auch das Unheimliche des Doppelgängers von dieser Gattung ist, wird es interessant, die Wirkung zu erfahren, wenn uns einmal das Bild der eigenen Persönlichkeit ungerufen und unvermutet entgegentritt. E. Mach berichtet zwei solcher Beobachtungen in der »Analyse der Empfindungen«, 1900, Seite 3. Er erschrak das eine Mal nicht wenig, als er erkannte, daß das gesehene Gesicht das eigene sei, das andere Mal fällte er ein sehr ungünstiges Urteil über den anscheinend Fremden, der in seinen Omnibus einstieg, »Was steigt doch da für ein herabgekommener Schulmeister ein«. - Ich kann ein ähnliches Abenteuer erzählen: Ich saß allein im Abteil des Schlafwagens, als bei einem heftigeren Ruck der Fahrtbewegung die zur anstoßenden Toilette führende Türe aufging und ein älterer Herr im Schlafrock, die Reisemütze auf dem Kopf, bei mir eintrat. Ich nahm an, daß er sich beim Verlassen des zwischen zwei Abteilen befindlichen Kabinetts in der Richtung geirrt hatte und fälschlich in mein Abteil gekommen war, sprang auf, um ihn aufzuklären, erkannte aber bald verdutzt, daß der Eindringling mein eigenes vom Spiegel in der Verbindungstür entworfenes Bild war. Ich weiß noch, daß mir die Erscheinung gründlich mißfallen hatte. Anstatt also über den Doppelgänger zu erschrecken, hatten beide - Mach wie ich - ihn einfach nicht agnosziert. Ob aber das Mißfallen dabei nicht doch

algo *acontece* em nossa vida, que parece encontrar uma confirmação nessas antigas e abandonadas convicções, podemos complementar o sentimento *infamiliar* com a seguinte avaliação: "É realmente verdade que se pode matar alguém apenas com um simples desejo, que os mortos ressuscitam e se tornam visíveis nos antigos lugares de suas atividades" e assim por diante. Quem, ao contrário, conseguiu se livrar absoluta e definitivamente dessas crenças animistas não experimenta esse tipo de *infamiliar*. A mais clara concordância entre desejo e satisfação, a mais enigmática repetição das mesmas vivências no mesmo lugar ou na mesma data, as mais ilusórias percepções visuais, os mais suspeitos ruídos não o enganarão, não lhe provocarão nenhum medo que pudéssemos caracterizar como medo do *infamiliar*. Ou seja, nesse caso, trata-se simplesmente de uma oportunidade para a prova de realidade, de uma questão sobre a realidade material.[i,35]

---

[i] Como o infamiliar do duplo é também dessa espécie, é interessante experimentar, pelo menos uma vez, o efeito provocado em nós pela imagem da própria personalidade, quando ela aparece inaudível e insuspeita. Ernst Mach relata duas observações desse gênero em "Análise das sensações" [Analyse der Empfindungen], 1900, p. 3. Ele ficou muito apavorado, certa vez, quando reconheceu que o rosto que via era o seu próprio; numa outra vez, profere um julgamento muito desfavorável sobre alguém, aparentemente desconhecido, que subiu em seu ônibus: "quem é esse professorzinho decadente para estar subindo aqui?". Posso contar uma aventura semelhante: eu estava sentado sozinho na cabine do vagão-dormitório, quando, sob o efeito de um brusco sobressalto um pouco mais violento que os outros, a porta que levava ao toalete contíguo se abriu e um senhor mais velho, de pijama, com o boné de viagem na cabeça, adentrou minha cabine. Suspeitando de que ele, ao sair do sanitário que se encontrava entre as duas cabines, havia se enganado de direção e, erroneamente, chegado até a minha, dei um pulo, para lhe esclarecer o acontecido, mas logo reconheci, perplexo, que o invasor era a minha própria imagem refletida no espelho da porta intermediária. Sei ainda que essa aparição me deixou, no fundo,

Anders verhält es sich mit dem Unheimlichen, das von verdrängten infantilen Komplexen ausgeht, vom Kastrationskomplex, der Mutterleibsphantasie usw., nur daß reale Erlebnisse, welche diese Art von Unheimlichem erwecken, nicht sehr häufig sein können. Das Unheimliche des Erlebens gehört zumeist der früheren Gruppe[i] an, für die Theorie ist aber die Unterscheidung der beiden sehr bedeutsam. Beim Unheimlichen aus infantilen Komplexen kommt die Frage der materiellen Realität gar nicht in Betracht, die psychische Realität tritt an deren Stelle. Es handelt sich um wirkliche Verdrängung eines Inhaltes und um die Wiederkehr des Verdrängten, nicht um die Aufhebung des *Glaubens an die Realität* dieses Inhalts. Man könnte sagen, in dem einen Falle sei ein gewisser Vorstellungsinhalt, im anderen der Glaube an seine (materielle) Realität verdrängt. Aber die letztere Ausdrucksweise dehnt wahrscheinlich den Gebrauch des Terminus »Verdrängung« über seine rechtmäßigen Grenzen aus. Es ist korrekter, wenn wir einer hier spürbaren psychologischen Differenz Rechnung tragen und den Zustand, in dem sich die animistischen Überzeugungen des Kulturmenschen befinden, als ein - mehr oder wenig vollkommenes - *Überwundensein* bezeichnen. Unser Ergebnis lautete dann: Das Unheimliche des Erlebens kommt zustande, wenn *verdrängte* infantile Komplexe durch einen Eindruck wieder belebt werden, oder wenn *überwundene* primitive Überzeugungen wieder bestätigt scheinen. Endlich darf man sich durch die Vorliebe für glatte Erledigung und durchsichtige Darstellung nicht vom Bekenntnis abhalten lassen, daß die beiden hier aufgestellten Arten des Unheimlichen im Erleben

---

ein Rest jener archaischen Reaktion war, die den Doppelgänger als unheimlich empfindet?

[i] [von der wir im vorigen Absatz sprachen]

Isso é diferente com o *infamiliar* que advém dos complexos infantis recalcados, do complexo de castração, da fantasia com o ventre materno, entre outros, mas as vivências reais que despertam esse tipo de *infamiliar* não parecem ser frequentes. O *infamiliar* das vivências pertence, sobretudo, ao primeiro grupo,[i] mas, para a teoria, a diferença entre ambos é muito significativa. No *infamiliar* que surge dos complexos infantis não se leva em consideração a questão da realidade material, a realidade psíquica toma seu lugar. Trata-se do recalcamento efetivo de um conteúdo e do retorno do recalcado, mas não da superação da *crença na realidade*. Poder-se-ia dizer que, num caso, trata-se de determinado conteúdo representativo, em outro, da crença na sua realidade (material) recalcada. Mas o último modo de expressão amplia, provavelmente, o uso do termo "recalcamento" para além de suas delimitações comuns. O mais correto, se quisermos aqui levar em conta uma perceptível diferença psicológica e a circunstância na qual se encontram as crenças animistas do humano civilizado, é caracterizá-las – em maior ou menor grau – como crenças *a serem superadas*. Nossa conclusão é a seguinte: o *infamiliar* da vivência existe quando complexos infantis recalcados são revividos por meio de uma impressão ou quando crenças primitivas *superadas* parecem novamente confirmadas. Por fim, não devemos permitir que, pela preferência por uma hábil resolução e transparente apresentação, nem sempre possam

descontente. Mas, em vez de ficarmos atemorizados com o duplo, ambos – Mach e eu – não o haviam, simplesmente, reconhecido. Mas, e se o descontentamento, nesse caso, não fosse apenas um resto dessa reação arcaica, a de sentir o duplo como infamiliar?

i [Do qual falávamos no parágrafo anterior].

nicht immer scharf zu sondern sind. Wenn man bedenkt, daß die primitiven Überzeugungen auf das innigste mit den infantilen Komplexen zusammenhängen und eigentlich in ihnen wurzeln, wird man sich über diese Verwischung der Abgrenzungen nicht viel verwundern.

Das Unheimliche der Fiktion – der Phantasie, der Dichtung – verdient in der Tat eine gesonderte Betrachtung. Es ist vor allem weit reichhaltiger als das Unheimliche des Erlebens, es umfaßt dieses in seiner Gänze und dann noch anderes, was unter den Bedingungen des Erlebens nicht vorkommt. Der Gegensatz zwischen Verdrängtem und Überwundenem kann nicht ohne tiefgreifende Modifikation auf das Unheimliche der Dichtung übertragen werden, denn das Reich der Phantasie hat ja zur Voraussetzung seiner Geltung, daß sein Inhalt von der Realitätsprüfung enthoben ist. Das paradox klingende Ergebnis ist, *daß in der Dichtung vieles nicht unheimlich ist, was unheimlich wäre, wenn es sich im Leben ereignete, und daß in der Dichtung viele Möglichkeiten bestehen unheimliche Wirkungen zu erzielen, die fürs Leben wegfallen.*

Zu den vielen Freiheiten des Dichters gehört auch die, seine Darstellungswelt nach Belieben so zu wählen, daß sie mit der uns vertrauten Realität zusammenfällt, oder sich irgendwie von ihr entfernt. Wir folgen ihm in jedem Falle. Die Welt des Märchens z. B. hat den Boden der Realität von vornherein verlassen und sich offen zur Annahme der animistischen Überzeugungen bekannt. Wunscherfüllungen, geheime Kräfte, Allmacht der Gedanken, Belebung des Leblosen, die im Märchen ganz gewöhnlich sind, können hier keine unheimliche Wirkung äußern, denn für die Entstehung des unheimlichen Gefühls ist, wie wir gehört haben, der Urteilsstreit erfordert, ob das überwundene Unglaubwürdige nicht doch real möglich ist, eine Frage, die

ser claramente distinguidas as duas formas de infamiliar aqui apresentadas. Quando pensamos que as crenças primitivas se acoplam no mais íntimo aos complexos infantis e, de fato, neles se enraízam, não nos admiramos muito com o desaparecimento dessas delimitações.

O *infamiliar* da ficção – da fantasia, da criação literária – merece, de fato, uma consideração à parte. Ele é, sobretudo, muito mais rico do que o *infamiliar* das vivências. Ele não só o abrange na sua totalidade, como é também aquele que não aparece sob as condições do vivido. O antagonismo entre recalcado e superado não pode ser transposto para o *infamiliar* da criação literária sem uma profunda modificação, uma vez que o reino da fantasia tem como pressuposto de sua legitimação o fato de que seu conteúdo foi dispensado da prova de realidade. O resultado paradoxal que ressoa aqui é que *na criação literária não é infamiliar muito daquilo que o seria se ocorresse na vida e que na criação literária existem muitas possibilidades de atingir efeitos do infamiliar que não se aplicam à vida.*

Dentre as muitas liberdades do escritor, há também aquela de poder escolher, de acordo com sua preferência, seu modo de figurar o mundo, seja fazendo-o concordar com a realidade por nós conhecida, seja, de certo modo, afastando-se dela. De toda forma, nós o seguimos. O mundo dos contos maravilhosos, por exemplo, desde sempre abandonou o fundamento da realidade e se declarou aberto para aceitar as crenças animistas. A realização de desejos, as forças misteriosas, a onipotência do pensamento, a vivificação dos inanimados, muito comuns nesses contos, podem aqui não expressar nenhum efeito do *infamiliar*; pois, para o surgimento de tal sentimento, conforme vimos, é exigido um conflito de julgamento, caso a superação do que deixa

durch die Voraussetzungen der Märchenwelt überhaupt aus dem Wege geräumt ist. So verwirklicht das Märchen, das uns die meisten Beispiele von Widerspruch gegen unsere Lösung des Unheimlichen geliefert hat, den zuerst erwähnten Fall, daß im Reiche der Fiktion vieles nicht unheimlich ist, was unheimlich wirken müßte, wenn es sich im Leben ereignete. Dazu kommen fürs Märchen noch andere Momente, die später kurz berührt werden sollen.

Der Dichter kann sich auch eine Welt erschaffen haben, die minder phantastisch als die Märchenwelt, sich von der realen doch durch die Aufnahme von höheren geistigen Wesen, Dämonen oder Geistern Verstorbener scheidet. Alles Unheimliche, was diesen Gestalten anhaften könnte, entfällt dann, soweit die Voraussetzungen dieser poetischen Realität reichen. Die Seelen der Danteschen Hölle oder die Geistererscheinungen in Shakespeares Hamlet, Macbeth, Julius Caesar mögen düster und schreckhaft genug sein, aber unheimlich sind sie im Grunde ebensowenig wie etwa die heitere Götterwelt Homers. Wir passen unser Urteil den Bedingungen dieser vom Dichter fingierten Realität an und behandeln Seelen, Geister und Gespenster, als wären sie vollberechtigte Existenzen, wie wir es selbst in der materiellen Realität sind. Auch dies ist ein Fall, in dem Unheimlichkeit erspart wird.

Anders nun, wenn der Dichter sich dem Anscheine nach auf den Boden der gemeinen Realität gestellt hat. Dann übernimmt er auch alle Bedingungen, die im Erleben für die Entstehung des unheimlichen Gefühls gelten, und alles was im Leben unheimlich wirkt, wirkt auch so in der Dichtung. Aber in diesem Falle kann der Dichter auch das Unheimliche weit über das im Erleben mögliche Maß hinaus steigern und vervielfältigen, indem er solche Ereignisse vorfallen läßt, die in der Wirklichkeit nicht oder nur sehr selten zur Erfahrung

de ser digno de crença não seja realmente possível, uma questão que, por meio dos pressupostos do mundo dos contos maravilhosos, foi, no geral, afastada do caminho. Desse modo, os contos maravilhosos, que nos oferecem a maioria dos exemplos que contradizem nossa solução para o problema do *infamiliar*, concretizam, no primeiro dos casos mencionados, a ideia de que, no reino da ficção, muita coisa que seria *infamiliar*, caso sucedesse na vida, ali não o é. Para que isso aconteça, outros fatores se agregam a esses contos, que mencionaremos, rapidamente, mais adiante.

O escritor também pode criar um mundo que, ainda que menos fantástico que o mundo dos contos maravilhosos, separa-se do mundo real por meio da incorporação de seres espiritualmente superiores, demônios ou fantasmas de falecidos. Tudo de *infamiliar* que essas figuras poderiam suscitar desaparece, tão logo atingimos os pressupostos dessa realidade poética. As almas do inferno de Dante ou a aparição de espectros no *Hamlet*, em *Macbeth* e em *Júlio César*, de Shakespeare, deveriam ser suficientemente lúgubres e amedrontadoras, mas, no fundo, são tão infamiliares quanto o sereno mundo dos deuses de Homero. Nós ajustamos nosso juízo às condições dessa realidade fingida pelo escritor e tratamos as almas, os espíritos e os fantasmas como se tivessem uma existência justificada, tal como a nossa na realidade material. Também nesse caso a *infamiliaridade* está ausente.

A coisa é diferente, entretanto, quando o escritor se coloca, aparentemente, no interior da realidade comum. Nesse caso, ele assume também todas as condições que são válidas, nas vivências, para o surgimento do *infamiliar*, e tudo aquilo que, na vida, tem efeito *infamiliar* também o tem na criação literária. Mas, nesse caso, o escritor pode elevar e diversificar esse *infamiliar* bem além daquilo que é possível nas vivências, na medida em que ele deixa acontecer aquilo

gekommen wären. Er verrät uns dann gewissermaßen an unseren für überwunden gehaltenen Aberglauben, er betrügt uns, indem er uns die gemeine Wirklichkeit verspricht und dann doch über diese hinausgeht. Wir reagieren auf seine Fiktionen so, wie wir auf eigene Erlebnisse reagiert hätten; wenn wir den Betrug merken, ist es zu spät, der Dichter hat seine Absicht bereits erreicht, aber ich muß behaupten, er hat keine reine Wirkung erzielt. Bei uns bleibt ein Gefühl von Unbefriedigung, eine Art von Groll über die versuchte Täuschung, wie ich es besonders deutlich nach der Lektüre von Schnitzlers Erzählung »Die Weissagung« und ähnlichen mit dem Wunderbaren liebäugelnden Produktionen verspürt habe. Der Dichter hat dann noch ein Mittel zur Verfügung, durch welches er sich dieser unserer Auflehnung entziehen und gleichzeitig die Bedingungen für das Erreichen seiner Absichten verbessern kann. Es besteht darin, daß er uns lange Zeit über nicht erraten läßt, welche Voraussetzungen er eigentlich für die von ihm angenommene Welt gewählt hat, oder daß er kunstvoll und arglistig einer solchen entscheidenden Aufklärung bis zum Ende ausweicht. Im ganzen wird aber hier der vorhin angekündigte Fall verwirklicht, daß die Fiktion neue Möglichkeiten des unheimlichen Gefühls erschafft, die im Erleben wegfallen würden.

Alle diese Mannigfaltigkeiten beziehen sich streng genommen nur auf das Unheimliche, das aus dem Überwundenen entsteht. Das Unheimliche aus verdrängten Komplexen ist resistenter, es bleibt in der Dichtung – von einer Bedingung abgesehen - ebenso unheimlich wie im Erleben. Das andere Unheimliche, das aus dem Überwundenen, zeigt diesen Charakter im Erleben und in der Dichtung, die sich auf den Boden der materiellen Realität stellt, kann ihn aber in den fiktiven, vom Dichter geschaffenen Realitäten einbüßen.

Es ist offenkundig, daß die Freiheiten des Dichters und damit die Vorrechte der Fiktion in der Hervorrufung

que, na realidade, raramente ou nunca chega a se tornar experiência. Em certa medida, ele trai as crenças que supúnhamos superadas, ele nos ilude, na medida em que nos promete a realidade comum, quando, de fato, vai muito além dela. Reagimos às suas ficções tal como reagiríamos às nossas próprias vivências; quando percebemos o engodo, já é tarde demais, o escritor já atingiu suas intenções, mas, devo afirmar, ele não visava a nenhum real efeito. Permanece em nós um sentimento de insatisfação, uma espécie de rancor pelo engano intentado, tal como isso é particularmente claro após a leitura de "A profecia", um conto de Schnitzler, e outras produções do gênero, nas quais se flerta com o maravilhoso.[36] O escritor tem, então, à sua disposição um meio pelo qual ele evita essa nossa insurgência e, ao mesmo tempo, pode melhorar as condições para alcançar sua intenção. Nisso consiste o fato de que ele não nos permite intuir por longo tempo quais são os pressupostos que escolheu para esse mundo, ou que ele evita até o fim, de maneira artificial e maliciosa, o esclarecimento de algo tão decisivo. Mas, no geral, cumpre-se o caso anteriormente anunciado, de tal modo que a ficção cria novas possibilidades para a sensação do *infamiliar*, que não se dão nas vivências.

Toda essa diversidade se relaciona, a rigor, apenas com o *infamiliar* oriundo do que fora superado. O *infamiliar* que surge a partir dos complexos recalcados é mais resistente, permanecendo tão *infamiliar* na criação literária – visto a partir de uma condição – quanto nas vivências. O outro *infamiliar*, que advém do que foi superado, mostra seu caráter nas vivências e na criação literária que se coloca no nível da realidade material, mas pode se perder na realidade ficcional criada pelo escritor.

É claro que, por meio das observações anteriores, as liberdades do poeta e, com isso, o privilégio da ficção no

und Hemmung des unheimlichen Gefühls durch die vorstehenden Bemerkungen nicht erschöpft werden. Gegen das Erleben verhalten wir uns im allgemeinen gleichmäßig passiv und unterliegen der Einwirkung des Stofflichen. Für den Dichter sind wir aber in besonderer Weise lenkbar, durch die Stimmung, in die er uns versetzt, durch die Erwartungen, die er in uns erregt, kann er unsere Gefühlsprozesse von dem einen Erfolg ablenken und auf einen anderen einstellen, und kann aus demselben Stoff oft sehr verschiedenartige Wirkungen gewinnen. Dies ist alles längst bekannt und wahrscheinlich von den berufenen Ästhetikern eingehend gewürdigt worden. Wir sind auf dieses Gebiet der Forschung ohne rechte Absicht geführt worden, indem wir der Versuchung nachgaben, den Widerspruch gewisser Beispiele gegen unsere Ableitung des Unheimlichen aufzuklären. Zu einzelnen dieser Beispiele wollen wir darum auch zurückkehren.

Wir fragten vorhin, warum die abgehauene Hand im Schatz der Rhampsenit nicht unheimlich wirke wie etwa in der Hauffschen »Geschichte von der abgehauenen Hand«. Die Frage erscheint uns jetzt bedeutsamer, da wir die größere Resistenz des Unheimlichen aus der Quelle verdrängter Komplexe erkannt haben. Die Antwort ist leicht zu geben. Sie lautet, daß wir in dieser Erzählung nicht auf die Gefühle der Prinzessin, sondern auf die überlegene Schlauheit des »Meisterdiebes« eingestellt werden. Der Prinzessin mag das unheimliche Gefühl dabei nicht erspart worden sein, wir wollen es selbst für glaubhaft halten, daß sie in Ohnmacht gefallen ist, aber wir verspüren nichts Unheimliches, denn wir versetzen uns nicht in sie, sondern in den anderen. Durch eine andere Konstellation wird uns der Eindruck des Unheimlichen in der Nestroyschen Posse »Der Zerrissene« erspart, wenn der Geflüchtete, der sich für einen Mörder hält,

despertar e na inibição do sentimento do *infamiliar* não se esgotaram. Perante o vivenciar, comportamos-nos em geral, em certa medida, passivamente e sucumbimos ao efeito do tema. Mas, para o escritor, somos conduzíveis de uma maneira especial; mediante o estado emocional no qual ele nos coloca, por meio das expectativas que ele nos suscita, ele pode manobrar o processo de nossos sentimentos, ajustando-os, com êxito, de um lado para outro, podendo, a partir do mesmo tema, atingir, frequentemente, os efeitos mais variados. Tudo isso é conhecido há muito tempo e, provavelmente, já foi avaliado em detalhes por especialistas em estética. Fomos introduzidos nesse domínio da pesquisa sem uma justa intenção, na medida em que cedemos à tentação de esclarecer a contradição de certos exemplos, contra nossa compreensão do *infamiliar*. Entretanto, gostaríamos de retomar alguns desses exemplos.

Perguntamo-nos por que a mão amputada na história do tesouro de Rampsinito não tem efeito *infamiliar* como no conto de Hauff, "História da mão amputada". A questão nos parece muito significativa, porque nela reconhecemos a grande resistência ao *infamiliar*, quando as suas fontes são os complexos recalcados. A resposta é simples. Ela diz que, nesse conto, não se trata dos sentimentos da princesa, mas sim da esperteza do "mestre dos ladrões". O sentimento não pode ser poupado da princesa, nós mesmos acreditamos que ela tenha desmaiado, mas não percebemos nada de *infamiliar*, pois não nos colocamos no lugar dela, mas sim no dele. Por meio de outra constelação de coisas, a impressão do *infamiliar* nos é poupada na farsa *O dilacerado*, de Nestroy,[37] quando o fugitivo, que é considerado um assassino, a cada vez que vê, em qualquer alçapão cuja tampa ele abra, o suposto

aus jeder Falltüre, deren Deckel er aufhebt, das vermeintliche Gespenst des Ermordeten aufsteigen sieht und verzweifelt ausruft: Ich hab' doch nur einen umgebracht. Zu was diese gräßliche Multiplikation? Wir kennen die Vorbedingungen dieser Szene, teilen den Irrtum des »Zerrissenen« nicht, und darum wirkt, was für ihn unheimlich sein muß, auf uns mit unwiderstehlicher Komik. Sogar ein »wirkliches« *Gespenst* wie das in O. Wildes Erzählung »Der Geist von Canterville« muß all seiner Ansprüche, wenigstens Grauen zu erregen, verlustig werden, wenn der Dichter sich den Scherz macht, es zu ironisieren und hänseln zu lassen. So unabhängig kann in der Welt der Fiktion die Gefühlswirkung von der Stoffwahl sein. In der Welt der Märchen sollen Angstgefühle, also auch unheimliche Gefühle überhaupt nicht erweckt werden. Wir verstehen das und sehen darum auch über die Anlässe hinweg, bei denen etwas Derartiges möglich wäre.

Von der Einsamkeit, Stille und Dunkelheit können wir nichts anderes sagen, als daß dies wirklich die Momente sind, an welche die bei den meisten Menschen nie ganz erlöschende Kinderangst geknüpft ist. Die psychoanalytische Forschung hat sich mit dem Problem derselben an anderer Stelle auseinandergesetzt.

fantasma do morto, desesperado, grita: "De fato, matei apenas *um*. O que significa essa atroz multiplicação?". Conhecemos o pressuposto dessa cena, ela não participa do erro do "dilacerado" e, por isso, aquilo que lhe deve ser *infamiliar* provoca em nós um efeito de irresistível comicidade. Até mesmo um *fantasma* "real", como no conto de Oscar Wilde "O fantasma de Canterville", deve tornar engraçadas todas as suas reivindicações, provocando um mínimo de incitação ao horror, fazendo piada, ironizando e zombando.[38] Dessa maneira, no mundo da ficção, o efeito dos sentimentos pode ser independente da escolha do enredo. No mundo dos contos maravilhosos não devem ser despertados os sentimentos de angústia, tampouco os de ordem *infamiliar* em geral. Entendemos isso e eis o motivo de não considerarmos os acontecimentos em que algo assim seria possível.

Sobre a solidão, o silêncio e a escuridão, nada podemos dizer a não ser que esses são realmente os fatores ligados à angústia infantil, que não desaparece por completo na maioria das pessoas. A pesquisa psicanalítica se confrontou com esse mesmo problema, em outro lugar.[39]

Das Unheimliche (1919)

1919 Primeira publicação: *Imago*, v. 5, n. 5-6, p. 297-324

1924 *Gesammelte Schriften*, t. X, p. 369-408

1947 *Gesammelte Werke*, t. XII, p. 227-268

Em uma carta a Ferenczi, datada de 12 de maio de 1919, Freud anuncia não apenas ter concluído um rascunho de *Além do princípio de prazer*, cuja cópia ele anexa à carta, mas ainda ter retomado mais uma vez o breve escrito "Das Unheimliche", além de estar perseguindo obstinadamente o fundamento psicanalítico da psicologia de massas. Isso mostra, por si só, como estão imbricados no pensamento de Freud a reformulação clínica e metapsicológica da teoria das pulsões, a reflexão estético-literária e a vertente política e social da psicanálise. Não por acaso, Freud sugere uma espécie de genealogia *a posteriori* de seu escrito, numa nota (neste volume, p. 85) em que remete o leitor à Parte III de seu *Totem e tabu*.

No mesmo ano, Freud publicaria ainda uma nota intitulada "E. T. A. Hoffmann sobre a função da consciência", o que indica como a leitura desse autor o absorvia àquela altura. O termo "*das Unheimliche*" é, sem dúvida, aquele que mais dificuldades traz ao tradutor, tendo sido traduzido de muitas maneiras diferentes. Vale a pena mencionar algumas: em francês, "L'inquietant étrangeté" (Gallimard), "L'inquietant familier" (Payot) ou simplesmente "L'inquietant" (PUF); em espanhol, "Lo siniestro" (Biblioteca Nueva) ou "Lo ominoso" (Amorrortu); em italiano, "Il perturbante" (Boringhieri); em inglês, "The uncanny" (Standard Edition); em português, "O estranho" (Edição Standard) ou "O inquietante" (Companhia das Letras).

Na presente edição, optou-se por "infamiliar", palavra que, apesar de ser um neologismo, melhor apreende tanto os aspectos semânticos quanto os morfológicos do original alemão, conforme explicitado no texto de introdução a este volume (p. 7-25).

A longa análise lexical empreendida por Freud acerca do termo *Unheimliche* é posta à prova com sua leitura do conto de Hoffmann, assim como sua análise do "fenômeno" propriamente dito é efetuada com as ferramentas da psicanálise. Essa análise pressupõe os achados acerca do sentido antitético das palavras-primitivas e prenuncia uma importante contribuição de Freud acerca do estatuto da negação.

Trata-se não apenas de contribuição maior para a estética e a crítica literária, sendo provavelmente o escrito de Freud mais comentado em departamentos de artes e de literatura, mas também da proposição de um conceito-chave que atravessou campos os mais diversos, demarcando ainda um ponto de virada no pensamento de Freud.

NOTAS

1 A dificuldade, ou até mesmo a impossibilidade, de traduzir a palavra alemã *unheimlich* talvez só seja comparável à dificuldade de traduzir o termo *Trieb*. Com maior ou menor frequência, *unheimlich* foi traduzido por termos como "estranho", "sinistro", "inquietante", "ominoso" ou ainda por locuções como "inquietante estranheza", "estranheza familiar" ou até mesmo "inquietante estranheza familiar". Conforme explicitado no texto de apresentação deste volume, optamos por traduzir *unheimlich* por "infamiliar". Na presente tradução, reservamos o termo "estranho", em português, para o que Freud designa com *fremd*, ou seja, o *alheio*, da ordem da *alteridade*. Com "infamiliar" logramos manter a morfologia o mais próximo possível do original alemão, conservando a presença do prefixo de negação ("in-", em português/*Un-*, em alemão) como marca do "recalque". Com isso, impede-se, mas ao mesmo tempo conserva-se, em certa medida, o reconhecimento do que há ali de "familiar/conhecido/doméstico". Certamente a sensação provocada por algo infamiliar, uma vez que sua familiaridade foi esquecida, recalcada, provoca "inquietação", "estranheza", mas, ao mesmo tempo, a sensação de algo bastante íntimo, próximo, familiar. Mantivemos o termo em alemão nas passagens de cunho mais etimológico ou lexicográfico, elaboradas por Freud a partir de dicionários e exemplos de uso por escritores. Devemos agradecer ao germanista Romero Freitas, tradutor, neste volume, do conto "O Homem da Areia", de E. T. A. Hoffmann, pela sugestão da expressão "infamiliar". (N.T./N.E.)

2 Ernst Anton Jentsch (1867-1919) foi um psiquiatra alemão que, além de ter ficado conhecido pela referência de Freud ao seu estudo sobre o *Unheimlich*, também foi o tradutor para o inglês do livro de Havelock Ellis sobre as patologias sexuais, assim como, para o alemão, traduziu o livro de Cesare Lombroso sobre gênio e degeneração. (N.T.)

3 Trata-se aqui, é claro, da época da Primeira Guerra Mundial (1914-1918) que termina um ano antes da publicação deste escrito. (N.T.)

4 Freud faz referência a uma passagem do romance *Os cavaleiros do espírito* [*Die Ritter vom Geiste*] –, do escritor e jornalista alemão Karl Ferdinand Gutzkow (1811-1878), considerado um dos criadores do moderno romance social alemão. A passagem à qual Freud alude se encontra na página 61 da primeira edição do romance, que é de 1850. Freud deve ter feito a referência de memória, conservando apenas o sentido da passagem no romance, quando a personagem Dankmar considera

unheimlich [infamiliar] aquilo que o seu interlocutor chama de *heimlich* [familiar]. (N.T.)

[5] A citação de Schelling encontra-se em sua *Filosofia da mitologia*, aulas proferidas na Universidade de Berlim entre 1837-1842, mas publicadas pela primeira vez, por seus alunos, apenas em 1849. A frase completa de Schelling é a seguinte: "*Unheimlich nennte man alles, was im Geheimniss, in Verborgen, in der Latenz bleiben und hervorgetreten ist*" ["Chama-se *unheimlich* a tudo que permaneceu em segredo, escondido, em latência, e que veio à tona"] (SCHELLING, Friedrich. *Philosophie der Mytologie*. München: C. H. Beck, 1968. p. 515). (N.T.)

[6] Ver "O sentido antitéticos das palavras primitivas". (N.E.)

[7] Essa passagem se encontra logo no primeiro parágrafo do texto de Jentsch, o qual pode ser acessado, gratuitamente, no sítio da Biblioteca da Universidade de Frankfurt. (N.T.)

[8] Freud utiliza a grafia *Nathaniel* para o nome do protagonista da história de Hoffmann. Contudo, nas diferentes edições alemãs de "O Homem da Areia" que consultamos consta a grafia *Nathanael*. Nessa edição, procuramos seguir o que constava no texto-fonte de cada edição tomada como referência, prescindindo da adaptação dos nomes próprios. (N.T.)

[9] No original: "*Ei, nix Wetterglas, nix Wetterglas! – hab auch sköne Oke – sköne Oke*", num alemão falado por um falante nativo do italiano, que traz as marcas de uma interlíngua. (N.T.)

[10] Não nos parece ocasional que, diante das possibilidades que se apresentam na língua alemã, Freud tenha escolhido *Perspektiv*, em vez de *Fernglas* ou mesmo *Binokel*. Freud escolheu uma palavra ligada a uma semântica que ele conhecia muito bem, qual seja, a da pintura renascentista, que, como sabemos, cria uma forte ilusão de ótica, que ele apreciou, em especial, nas obras de Leonardo da Vinci. Com essa escolha, ele também fortalece o tema dos "olhos" e do medo de sua "perda", da "castração", central no ensaio sobre o "infamiliar". (N.T.)

[11] A palavra *Angst* pode ser traduzida tanto como "medo" quanto como "angústia". Por outro lado, elas possuem entre si uma sutil, mas decisiva diferença, para a qual Freud sinaliza, por exemplo, em conhecida passagem de "Além do princípio do prazer". Assim sendo, de maneira bastante esquemática, podemos dizer que, por um lado, o "medo" de perder ou de machucar os olhos remete a algo mais reconhecido. Outra coisa, entretanto, são os efeitos relativos ao "complexo de castração", mais propriamente "angustiantes", na medida em que sua motivação é desconhecida por nós, devido a seu caráter inconsciente. (N.T.)

[12] "Duplo" é a tradução de *Doppelgänger*, termo criado por Jean-Paul Richter, ou simplesmente Jean-Paul, um dos mais importantes escritores do movimento romântico alemão. Literalmente, "o que caminha ao

lado", ou ainda, destacando seu elemento romântico, o "companheiro de viagem", uma espécie de "sombra". Trata-se de um dos temas mais frequentes na literatura e nas artes plásticas do século XIX. (N.T.)

[13] Freud retoma aqui o exemplo de Otto Rank, que abre o seu famoso livro sobre o "duplo" com uma análise do filme *O estudante de Praga*, lançado em 1913. Esse filme, dirigido por Paul Wegener e Stellan Rye, baseou-se no conto "William Wilson", de Edgar Allan Poe. Ambientado na Praga do final do Império Austro-Húngaro, o filme conta a história de Bauldin, um estudante que vende o reflexo de sua imagem para uma figura mefistofélica, para poder, em troca, conquistar o coração de uma condessa. A partir desse pacto, ele fica inteiramente refém de sua imagem, que o acompanha como uma sombra e, ao final, o destrói. Hanns-Heinz Ewers (1871-1943), ator, escritor e cineasta alemão, associou-se a Paul Wegener, fundou uma produtora e escreveu o roteiro de *O estudante de Praga*. Além do mencionado conto de Poe, o roteiro tem também clara influência da tradição da história dos "duplos" e dos "reflexos especulares", tais como *A história extraordinária de Peter Schlemihl* (1814), de Adelbert von Chamisso, "A história da imagem do espelho perdido" (1815), de E. T. A. Hoffmann, e *O retrato de Dorian Gray* (1890), de Oscar Wilde. É importante lembrar que Freud, alheio ao cinema, refere-se ao roteiro de Ewers e não ao filme, como o faz Rank no seu livro. Ewers teve uma trajetória pessoal bastante conturbada, que culminou com sua adesão, por algum tempo, ao nazismo. (N.T.)

[14] Heinrich Heine (1797-1856) foi um dos mais importantes escritores lidos e citados por Freud, embora sem a mesma frequência que Goethe, Shakespeare ou Sófocles. É referido em passagens importantes de obras como *A interpretação dos sonhos* e *O chiste e suas relações com o inconsciente*. O longo poema *Os deuses no exílio* foi publicado em 1853, em Paris, onde Heine vivia exilado desde 1831. Na capital francesa ele entrou em contato com os socialistas utópicos e conheceu pessoalmente Karl Marx. Nesse poema, Heine faz uma virulenta crítica à religião, mostrando como a doutrina cristã sepulta completamente os antigos deuses gregos. A leitura do poema nos mostra o quanto Freud encontrava nele os elementos do "infamiliar", que a própria ideia de "exílio" expressa. O "exílio", condição histórica e existencial do judeu e ativista político que foi Heine, é uma espécie de alegoria privilegiada do sentimento de estranheza provocado pela situação do familiar que se tornou infamiliar, isto é, "exilado". Ver a respeito WEIGEL, Sigrid (Hrg.). *Heine und Freud. Die Enden der Literatur und die Anfänge der Kulturwissenschaft*. Berlin: Kulturverlag Kadmos, 2010. (N.T.)

[15] O tema da "repetição do mesmo", que aparece aqui e em outras passagens mais adiante como uma das características do "duplo", remete

à relação conflituosa e ambivalente de Freud com Nietzsche, no caso, com o tema do "eterno retorno do mesmo". Essa ligação estreita entre a "compulsão à repetição" e o "eterno retorno do mesmo" continuará a ser afirmada na seção III de "Além do princípio de prazer". É evidente que Freud não pode se dar conta da complexidade da questão do "eterno retorno" em Nietzsche, reduzindo-a ao aspecto mais geral e, portanto, mais superficial da sua dita dimensão cosmológica. De todo modo, esse tema está presente em maior ou menor grau em obras de referência para a relação entre *Freud e Nietzsche* na literatura internacional, tais como em ASSOUN, Paul-Laurent. *Freud et Nietzsche*. 2ème éd. Paris: PUF, 1982. p. 275-277; e GASSER, Reinhard. *Freud und Nietzsche*. Berlin; New York: Walter de Gruyter, 1997, em especial no capítulo XII. Entretanto, na recepção brasileira, há um livro específico sobre o tema: ALMEIDA, Rogério Miranda de. *Eterno retorno e compulsão à repetição: Nietzsche e Freud*. São Paulo: Loyola, 2005. (N.T.)

[16] Mark Twain era o pseudônimo de Samuel Langhorne Clemens (1835-1910), escritor e humorista norte-americano, que viveu em Viena entre setembro de 1897 e maio de 1899. Sua obra sempre despertou em Freud um profundo interesse e uma enorme admiração. Twain ficou mundialmente conhecido por *As aventuras de Tom Sawyer* e *As aventuras de Huckleberry Finn*, além de *O príncipe e o mendigo*. Em *O chiste e suas relações com o inconsciente* (1905), Freud já se refere ao infamiliar efeito provocado pelas histórias cômicas de Twain, reforçadas pela repetição da mesma situação. Twain foi incluído por Freud na famosa lista dos seus escritores preferidos, ou melhor, como ele mesmo disse, na lista dos livros com os quais mantinha uma relação de amizade. Ver a respeito, ROUANET, Sérgio Paulo. *Os dez amigos de Freud*. São Paulo: Companhia das Letras, 2003. v. II. (N.T.)

[17] Alusão ao hábito de deixar casacos e assemelhados em chapelarias de museus, teatros, cinemas e mesmo em casas de shows e espetáculos de variedades, em especial durante o inverno europeu. (N.T.)

[18] Idade de Freud à época de redação deste ensaio (N.E.)

[19] Karl Ewald Konstantin Hering (1834-1918), fisiologista alemão que empreendeu muitas pesquisas quanto a visão em cores, percepção binocular e movimentos oculares. (N.T.)

[20] Freud se refere à versão em forma de poema, de Schiller, escrita em 1797, de uma das mais conhecidas histórias contadas por Heródoto. Polícrates – cujo nome, Πολικρατος [Polikratos], significa "o que tem muitos poderes" – é conhecido por ter qualquer desejo imediatamente realizado. Seu amigo Amásis, faraó do Egito, "estranhou" tamanha sorte, pois isso poderia provocar a inveja dos deuses, e o desafiou a se desfazer de algo muito precioso. Sem pestanejar, Polícrates lançou seu anel ao mar. Entretanto, durante um jantar para o qual Amásis tinha

sido convidado, foi servido justamente um peixe que, antes de ser pescado, havia engolido o anel lançado ao mar pelo rei grego. E, assim, o anel voltou para o seu dono. O que, para Polícrates, parecia uma confirmação de sua permanente sorte, para Amásis significou um mau presságio. A morte violenta de Polícrates confirmou a desconfiança de Amásis. O poema de Schiller termina com a rápida fuga do faraó, temeroso de que o mau presságio o atingisse, ou seja, o poema de Schiller não relata a morte de Polícrates, como na história de Heródoto. No começo desse parágrafo, Freud utiliza literalmente o primeiro verso da última estrofe do poema de Schiller: "Aqui, o convidado se volta com horror" (*Hier wendet sich der Gast mit Grausen*). O poema de Schiller foi acessado em 17 de janeiro de 2017, junto ao Projekt Gutenberg, em: <gutenberg.spiegel.de/buch/gedichte-9097/60>. (N.T.)

21 Trata-se de extensa obra, em dois volumes, com mais de 500 páginas e cujo subtítulo é muito significativo, pois mostra o tamanho de sua ambição: "Uma contribuição à história das crenças em todos os tempos e povos". (N.T.)

22 A mais conhecida proposição dos manuais de lógica costuma ser formulada assim: "todos os homens são mortais" ou simplesmente "todo homem é mortal", que traduzem o exemplo de proposição afirmativa universal de Aristóteles: Ολοι οι άνθρωποι είναι θνητοί. Freud emprega a versão tornada célebre pela cantata BWV 262 em ré maior, de J. S. Bach: "*alle Menschen müssen sterben*" [literalmente: todos os homens devem morrer]. Na verdade, Bach musicou o texto de Johann Georg Albinus ou Johann Rosenmüller, de 1652. Note-se que a frase de Aristóteles é categórica, ao passo que a versão empregada por Freud é imperativa. O provável sentido da frase seguinte sugere que a afirmativa universal categórica aristotélica, supostamente uma verdade autoevidente, não é assim tão evidente, porquanto ninguém a esclarece. (N.E.)

23 O Gettatore ou Jettatore é aquele que possui "olho gordo" ou "olho grande", sobre quem se contavam muitas histórias, em especial na Córsega e no sul da Itália. Alexandre Dumas, em *Il corricolo*, publicado em 1843 e que continha o relato de sua viagem de Roma a Nápoles, em companhia do pintor Louis Godefroy Jadin, assim o descreve: "O Jettatore é comumente magro e pálido, tem um nariz na forma de um bico curvo, olhos grandes, que têm algo de sapo e que, para dissimulá-los, recobre-os de hábito, com um par de lentes: o sapo, como se sabe, recebeu do céu o dom fatal do Jettatore: ele mata o rouxinol com o olhar" (Alexander Dumas, *Il corricolo*. Paris: Dolin. Libraire-Commissionnaire, 1843, p.42). Em seguida, Dumas relata os cuidados que se deve tomar, segundo os napolitanos, se cruzamos com um "Jettatore" na rua, uma vez que, caso sejamos atingidos por

seu "olho gordo", não poderemos evitar a desgraça. Jettatore é a forma moderna de "Gettatore", que significa, originalmente, o "lançador". Um "corricolo" era uma espécie de carruagem. (N.T.)

[24] Albrecht Schaeffer (1885-1950) foi outro dos escritores prediletos de Freud, cuja importância não corresponde ao número de citações e referências. A ele Freud escreveu sua última carta, em 19/09/1939, na qual o chamava de "Meu poeta" (*Mein Dichter*). Freud viria a falecer três dias depois. *Josef Montfort* foi publicado em 1918, e em uma segunda edição, em 1931, recebeu o título de *O coração que nunca bateu* [*Das nie bewegte Herz*]. Conta a história de Li, o servo chinês do jovem e supostamente destemido Barão Josef Montfort, que se revela, por um sem-número de peripécias, o irmão gêmeo, ou seja, o "duplo" de Josef, a quem mata a sangue-frio. Segundo os críticos, este é o livro menos romântico de Schaeffer, no tom e na linguagem. De forte influência freudiana, ele "desfamiliariza" o mundo externo, e o terrível horror se torna o símbolo de um segundo mundo sobrenatural, que se esconde no psiquismo das personagens. Seu estilo, aparentado ao de E. T. A. Hoffmann e Edgar Allan Poe, justifica ainda mais a referência feita por Freud. (N.T.)

[25] "Ela sente que certamente sou um gênio/mas, talvez, eu bem seja o diabo" (GOETHE, J. W. *Faust: der Tragödie erster und zweiter Teil, Urfaust*. München: Verlag C. H. Beck, 2007. p. 112). (N.T.)

[26] Wilhelm Hauff (1802-1827) foi um escritor e poeta alemão. Publicou em 1826 uma coletânea de "contos maravilhosos" (*Märchen*) –, reunindo várias histórias muito populares na Alemanha, muitas delas marcadas pelo clima de terror. Morreu muito jovem, aos 24 anos, de tifo. (N.T.)

[27] No texto de Freud, "*die Krone der Unheimlichkeit*", literalmente "a coroa da infamiliaridade". (N.T.)

[28] O termo composto *Muterleib* foi um importante exemplo utilizado por Bruno Bettelheim em seu livro *Freud and Men's Soul* para criticar as traduções demasiado cientificistas da *Standard Edition* inglesa. Lá o termo utilizado foi *mother's uterus*. A palavra alemã *Leib* teria sua mais adequada tradução por "corpo" ainda que não seja um perfeito sinônimo de *Körper*. Enquanto *Körper* dá conta do "corpo anatômico", *Leib* diz respeito ao "corpo vivo", pulsante, tendo parentesco etimológico com *Leben* (vida). Aqui achamos prudente especificar que a fantasia frequentemente mencionada por Freud refere-se à saudade ou ao desejo de habitar novamente o *ventre materno*. (N.T.)

[29] *The Strand Magazine*, uma revista para "os amantes do mistério", circulou entre 1890 e 1950. Voltou a ser publicada a partir de 1998. Nela, grandes nomes da literatura policial, como Agatha Christie, Georges Simenon e, principalmente, Arthur Conan Doyle, publicaram contos. (N.T.)

[30] Na emissão radiofônica de 21 de fevereiro de 1930, dedicada a E. T. A. Hoffmann e intitulada "A Berlim demoníaca", Walter Benjamin, que conhecia o texto de Freud, relata uma experiência semelhante: "[...] o efeito dessas histórias de fantasmas pode chegar mesmo a ser assombroso. Eu mesmo posso servir de exemplo [...]. Isso foi na Carmerstrasse, não se ouvia um ruído em toda a casa e, enquanto eu lia 'As minas de Falun', seres pavorosos como peixes de boca torta iam surgindo dos cantos da mesa, na escuridão à minha volta, de forma que meus olhos se fixavam nas páginas do livro como a uma tábua de salvação, exatamente as páginas de onde vinham todos aqueles seres". Logo adiante, Benjamin caracteriza os contos de Hoffmann como contendo algo "fantasmagórico", "sobrenatural" e "infamiliar" (*unheimlich*), aos quais ele acrescenta o elemento "satânico" (BENJAMIN, Walter. *Gesammelte Schriften*. Frankfurt am Main: Suhrkamp, 1982. v. VII-1. p. 88-89; *A hora das crianças: narrativas radiofônicas de Walter Benjamin*. Rio de Janeiro: Nau, 2015. p. 41). (N.T.)

[31] Freud refere-se à história de Rampsinito (ou Rampsinitos), do livro II das *Histórias*, de Heródoto denominado "Euterpe", em homenagem à musa da música, mas dedicado à história e à geografia do Egito. O rei Rampsinito, para proteger seu tesouro dos ladrões, mandou construir um aposento de pedra, do qual uma das fachadas ficava em frente ao seu palácio, e lá depositou o tesouro. O construtor, por sua vez, colocou uma pedra, com um mecanismo especial e uma espécie de segredo, que permitia abrir o aposento. Ao morrer, contou aos seus dois filhos como se poderia abrir o aposento e apossar-se do tesouro do rei. Assim o fizeram, e cada vez que o rei, o único a conhecer o segredo até então, abria o aposento, percebia que seu tesouro estava sendo cada vez mais roubado. Então, mandou preparar uma armadilha para o ladrão, sem saber que se tratava de dois ladrões. Um dos irmãos caiu na armadilha, que deixava aquele que tentasse acercar-se do tesouro com a cabeça enlaçada, quase enforcado. Então, esse irmão pediu ao outro que cortasse sua cabeça e a retirasse do corpo, de tal modo que eles não seriam reconhecidos pelo rei. Ao entrar no aposento, o rei ficou espantado ao ver um corpo sem cabeça e, ao mesmo tempo, nenhum sinal de arrombamento. Então, deduziu que havia mais de um ladrão, para quem decidiu preparar uma armadilha. Então, mandou que o corpo sem cabeça fosse colado ao muro e colocou sentinelas, com a ordem de prender quem viesse chorar ou mostrar compaixão pelo cadáver. A mãe do morto exigiu que o outro filho trouxesse o cadáver do irmão para que ele fosse sepultado, ameaçando denunciá-lo ao rei como sendo o outro ladrão do tesouro. Então, o irmão conseguiu embebedar os guardas e tirar o corpo do irmão, levando-o a sua mãe. O acontecido fez com que o rei, enfurecido, continuasse a sua busca pelo outro ladrão. Aí então, tomou uma medida drástica:

colocou sua própria filha num prostíbulo! Entretanto, esta só devia entregar-se a um pretendente se ele lhe contasse o feito mais sutil e criminoso que tivesse feito, e se um deles contasse o que ocorreu no roubo do tesouro, ela devia prendê-lo e não o deixar sair. O ladrão sobrevivente, entretanto, apresentou-se como pretendente à filha do rei, munido de um ardil: cortou o braço de um homem recém-morto e o levou escondido no mato, e depois de contar à princesa toda a história do roubo, estendeu-lhe, na obscuridade, o braço do morto. Enquanto ela o apertava e tentava prendê-lo, sem saber que era o braço de um morto, o ladrão novamente fugiu. O rei, dessa vez, ficou admirado com a inteligência do homem e enviou emissários a todas as províncias, prometendo mundos e fundos a quem se apresentasse como sendo o ladrão ardiloso. O ladrão então se apresentou, porque acreditou na palavra do rei. Rampsinito ficou tão admirado que deu sua filha como esposa ao ladrão, porque se, afinal de contas, os egípcios eram o povo mais inteligente do mundo, o ladrão, por ter escapado de todas as armadilhas, era mais inteligente que os egípcios. (N.T.)

[32] O gênero narrativo literário chamado em alemão de *Märchen* foi popularizado pela coletânea *Kinder- und Hausmärchen* dos irmãos Jakob e Wilhelm Grimm. São muitas vezes chamados de contos de fada, contos da carochinha ou outras nomenclaturas que remetem sobretudo ao infantil (*Kindermärchen*), ainda que o título da coletânea não a restringe às crianças: são também "contos domésticos" (*Hausmärchen*). Nesta edição, preferimos traduzir o termo como "conto maravilhoso", seguindo o preceito manifesto pelo germanista Marcus Mazzari no prefácio da mais recente tradução dos contos de Grimm elaborada por Christine Röhrig. (N.T.)

[33] Freud refere-se a duas histórias infantis do conhecido escritor dinamarquês Hans Christian Andersen (1805-1875), conhecidas mundialmente como "O patinho feio" e "O soldadinho de chumbo". (N.T.)

[34] Referência à história de Pigmaleão, rei de Chipre, que também era escultor. Resolvido a viver em celibato, por não concordar com a vida libertina das mulheres, esculpiu Galateia, a mulher ideal. Caso encontrasse uma mulher assemelhada à escultura, ele se casaria com ela. Como essa mulher não foi encontrada, Afrodite, apiedada de Pigmaleão, deu vida à estátua, com quem o rei efetivamente se casou e teve uma filha, Pafos, que dá nome a uma das ilhas gregas. (N.T.)

[35] Ernst Mach foi um físico e filósofo austríaco, uma espécie de patrono do Círculo de Viena, crítico inveterado das postulações metafísicas, seja na filosofia, seja na própria física. Segundo ele, na esteira de Hume, todas as proposições empíricas, incluindo as da física, resumem-se a "sensações", embora admita uma epistemologia convencionalista. Foi crítico da "nova física" de Max Planck e de Albert Einstein. (N.T.)

[36] "A profecia" [Die Weissagung], de Arthur Schnitzler, foi escrito em 1902. Trata-se de um conto que envolve uma dupla narração: a do narrador, um jovem dramaturgo que conhece um rico proprietário de terras na região de Bolzano que, por sua vez, sendo amante das artes, encomenda-lhe uma peça para ser representada no outono seguinte; e a do sobrinho desse proprietário, que deveria ser um dos atores da peça, na qual é contada a história de um "prestidigitador", um filho de judeus, que andava de cidade em cidade apresentando suas mágicas. O sobrinho conta ao narrador-dramaturgo que, quando era oficial de um regimento, Marco Polo – assim se chamava o prestidigitador – chegou a uma taverna onde estavam os oficiais e predisse que em 10 anos ele, o sobrinho, morreria. O espanto do sobrinho foi reconhecer na peça que foi escrita pelo primeiro narrador, nos seus mínimos detalhes, e na qual ele deveria ser o ator principal, um sonho que ele mesmo tivera e no qual ele morria. O infamiliar era que o dia da encenação da peça era o mesmo dia em que, 10 anos depois, ele deveria morrer, conforme a profecia. É isso o que efetivamente acontece. (N.T.)

[37] Johann Nestroy (1801-1862), antes de se tornar escritor e dramaturgo, foi um famoso cantor de ópera austríaco. Segundo Otto Maria Carpeaux, suas peças, "em vez de personagens caracterizadas, apresentavam apenas tipos da farsa popular, sempre os mesmos, agindo em enredos grosseiramente confeccionados, as mais das vezes plágios de peças ou romances conhecidos; em vez de humorismo, um *esprit* mordaz, implacável; em vez do lirismo, a sátira pungente, mortífera, mediante um talento incomparável do trocadilho, explorando todas as possibilidades da língua e do dialeto vienense; e às vezes, de maneira escondida por causa da censura, a sátira política e a acusação social" (CARPEAUX, Otto Maria. *A história concisa da literatura alemã*. Barueri: Faro Editorial, 2012). (N.T.)

[38] Em "O fantasma de Canterville", publicado em 1887, Oscar Wilde (1854-1900) "brinca" com o gênero de "terror", tão comum na época. Wilde transforma o tema em uma história infantil: *Sir* Simon de Canterville, que havia assassinado a esposa e por isso cumpre uma maldição, não consegue assustar a família que vai morar na sua mansão. Ao contrário, é a família que o assusta. Assim, fracassa no seu ofício, que, até então, ele exercera muito bem. Cinismo, sarcasmo e paródia pontuam o texto de Wilde. A situação central nos lembra um clássico da dramaturgia brasileira para crianças, de Maria Clara Machado, *Pluft, o fantasminha*. (N.T.)

[39] Clara referência ao terceiro dos seus *Três ensaios sobre a teoria sexual* (*Drei Abhandlungen zur Sexualtheorie*) publicado em 1905. (N.R.)

E. T. A. HOFFMANN SOBRE A FUNÇÃO DA CONSCIÊNCIA (1919)

No romance *Os elixires do diabo* (Parte II, Edição de Hesse, p. 210) – rico em magistrais figurações de estados mentais patológicos –, Schönfeld consola o herói de consciência momentaneamente perturbada com as seguintes palavras: "O que você acha disso? Quero dizer, dessa especial função mental chamada de consciência, que nada mais é que a execrável atividade de um maldito fiscal – oficial aduaneiro – assistente superior de controle, que subiu para seu desgraçado escritório num quartinho superior e de lá diz, quanto a todo produto que dali quer sair: 'Ei, Ei... é proibida a exportação... Vai ter que ficar no país, no país'".

Tradução de Pedro Heliodoro Tavares

SOBRE O SENTIDO ANTITÉTICO[1] DAS PALAVRAS PRIMITIVAS (1910)

Em minha *Interpretação dos sonhos* fiz uma afirmação – a partir de um resultado não compreendido do trabalho analítico – que agora repetirei para iniciar esta exposição[i]:

> Chama-nos especialmente a atenção o modo como o sonho se relaciona com a categoria da oposição e da contradição. Ela simplesmente é ignorada. O "não" parece não existir para o sonho. Oposições são preferencialmente combinadas em uma unidade ou apresentadas como uma mesma coisa. O sonho também se dá a liberdade de representar um elemento pelo seu oposto de desejo [*Wunschgegensatz*], de modo que, à primeira vista, não se sabe – de nenhum elemento que admita um oposto – se ele está contido nos pensamentos de sonho [*Traumgedanken*][2] de maneira positiva ou negativa.

Os intérpretes de sonhos da Antiguidade parecem ter feito extenso uso da suposição de que uma coisa no sonho pode significar seu contrário. Ocasionalmente, essa possibilidade também é reconhecida por modernos pesquisadores do sonho, quando atribuíram sentido e

---

[i] 2ª edição, p. 232, no capítulo VI: "O trabalho do sonho" [2. Aufl., *Ges. Werke*, S. 232, im Abschnitte VI: "Die Traumarbeit"].

possibilidade de interpretação a eles.[i] Eu também acredito não levantar nenhuma contestação, se suponho que todos aqueles que me seguiram pelo caminho de uma interpretação científica do sonho encontraram confirmação para a afirmação acima citada.

Para compreender a tendência peculiar do trabalho do sonho de prescindir da negação [*Verneinung*] e de expressar elementos opostos por meio dos mesmos recursos figurativos, deparei-me inicialmente com a leitura acidental de um trabalho do linguista [*Sprachforschers*][3] K. Abel, publicado em 1884 como folheto separado, e no ano seguinte incluído nos *Ensaios de linguagem* [*Sprachwissenschaftliche Abhandlungen*] do autor.[4] O interesse do tema justificará que eu cite aqui literalmente as passagens decisivas do ensaio de Abel (embora omitindo a maioria dos exemplos). De fato, estaremos obtendo o esclarecimento surpreendente de que a indicada prática do trabalho do sonho coincide com uma peculiaridade das mais antigas línguas conhecidas por nós.

Depois de Abel destacar a antiguidade da língua egípcia, que deve ter se desenvolvido muito tempo antes das primeiras inscrições hieroglíficas, ele continua (p. 4):

> Na língua egípcia, essa relíquia única de um mundo primitivo, encontra-se um considerável número de palavras com dois significados, dos quais um é o oposto exato do outro. Imaginemos, se é que se pode imaginar um patente absurdo como esse, que a palavra "forte" [*stark*] na língua alemã signifique tanto "forte" como "fraco" [*schwach*]; que o substantivo "luz" [*Licht*] seja usado em Berlim tanto para designar "luz" quanto

[i] Ver, por exemplo, G. H. v. Schubert, *O simbolismo do sonho*, 4. ed., 1862, Cap. 2, "A linguagem do sonho" [*Die Symbolik des Traumes*, 4. Aufl., 1862, Kap. 2. "Die Sprache des Traumes"].

> "escuridão" [*Dunkelheit*]; que um cidadão de Munique chame a cerveja de "cerveja" [*Bier*], enquanto outro usa a mesma palavra para falar de água [*Wasser*]. E assim temos a prática surpreendente que os antigos egípcios utilizavam regularmente em sua língua. Como podemos censurar alguém que diante disso balance a cabeça, incrédulo?... [exemplos].
> [*idem*, p. 7:] Em vista deste e de outros casos semelhantes de significação antitética (ver Apêndice), não pode haver nenhuma dúvida de que pelo menos em *uma* língua existiu uma abundância de palavras que designassem, ao mesmo tempo, uma coisa e o oposto dessa coisa. Por mais assombroso que pareça, estamos diante de um fato e temos de reconhecê-lo.

O autor recusa, então, a explicação desse estado de coisas a partir de coincidências homofônicas e protesta, com idêntica firmeza, contra a tentativa de remetê-las ao baixo nível de desenvolvimento intelectual dos egípcios:

> [*idem*, p. 9:] Mas o Egito não era, de modo algum, a terra do absurdo. Ao contrário, ele foi um dos mais antigos berços da razão humana [...]. Ele conheceu uma moral pura e digna, e formulou boa parte dos 10 mandamentos, enquanto os povos pertencentes à atual civilização tinham o costume de sacrificar vítimas humanas aos ídolos sedentos de sangue. Um povo que acendeu a tocha da justiça e da cultura em tempos tão obscuros não pode ter sido completamente estúpido em suas falas e seus pensamentos cotidianos [...]. Quem fabricou vidro e conseguiu erguer e movimentar blocos imensos com máquinas precisa ao menos ter tido juízo o suficiente para não considerar uma coisa por si mesma e ao mesmo tempo pelo seu contrário. Como, então, conciliar isso com o fato de os egípcios terem admitido uma linguagem tão

> singularmente contraditória? [...] que eles atribuíssem aos mais díspares pensamentos o mesmo veículo sonoro e que conseguissem conectar, numa espécie de união indissolúvel, o que reciprocamente se opõe com a máxima intensidade?

Antes de qualquer tentativa de explicação, é preciso considerar ainda uma exacerbação desse processo incompreensível da língua egípcia.

> De todas as excentricidades do léxico egípcio, talvez a mais extraordinária seja que, além das palavras que reúnem em si significados opostos, ele ainda possui palavras compostas, nas quais dois vocábulos de significação oposta formam um que possui o significado de apenas um de seus membros constitutivos. Portanto, existem nessa língua extraordinária não apenas palavras que significam tanto "forte" [*stark*] como "fraco" [*schwach*] ou tanto "ordenar" [*befehlen*] como "obedecer" [*gehorchen*]; há também compostos, tais como "velhojovem" [*altjung*], "longeperto" [*fernnah*], "ligarseparar" [*bindentrennen*], "foradentro" [*ausseninnen*] [...] que, apesar de incluírem em sua composição o que há de mais diverso entre si, significam: a primeira apenas "jovem" [*jung*], a segunda apenas "perto" [*nah*], a terceira apenas "ligar" [*verbinden*], a quarta apenas "dentro" [*innen*]. Temos, então, nessas palavras compostas, algumas contradições conceituais reunidas deliberadamente, não para criar um terceiro conceito, como ocasionalmente acontece com o chinês, mas apenas para expressar, por meio da palavra composta, o significado de uma de suas partes contraditórias que, isolada, poderia significar a mesma coisa [...].

No entanto, o enigma se resolve mais facilmente do que parece. Nossos conceitos se originam de comparações.[5]

> Se sempre estivesse claro [*hell*], não poderíamos distinguir entre claro e escuro [*dunkel*] e, portanto, não teríamos nem o conceito nem a palavra para a claridade [*Helligkeit*] [...]. É evidente que tudo neste planeta é relativo e tem existência independente, mas apenas na medida em que se diferencia em suas ligações com outras coisas [...]. Tendo em vista que todo conceito é o gêmeo de seu oposto, como ele poderia, de início, ser pensado, e como poderia ser comunicado a outras pessoas que tentavam concebê-lo, a não ser medindo-o pelo seu oposto? [...].
> [p. 15:] Já que não se podia conceber o conceito de força [*Stärke*], a não ser em oposição a fraqueza [*Schwäche*], então a palavra que significava "forte" [*stark*] continha uma lembrança simultânea de "fraco" [*schwach*], através da qual ela ganhou existência. Essa palavra, na verdade, não significava nem "forte" [*stark*] nem "fraco" [*schwach*], mas a relação entre ambas e a diferença de ambas, que as criou na mesma medida [...]. O ser humano, de fato, não pôde obter seus mais antigos e mais simples conceitos a não ser por oposição ao seu oposto,[6] e só gradualmente pôde distinguir os dois lados da antítese e aprendeu a pensar em um deles sem medi-lo conscientemente com o outro.

Como a linguagem serve não apenas para a expressão dos próprios pensamentos, mas essencialmente para comunicá-los a outros, podemos levantar a questão de como o "egípcio primevo" [*Urägypter*] dava a entender a seu próximo "a qual parte do conceito dual ele estava se referindo a cada vez". Na escrita isso acontecia com o auxílio das assim chamadas imagens "determinativas", que, colocadas atrás dos caracteres alfabéticos, indicavam o seu sentido, mesmo não sendo adequadas para a pronúncia.

> [*idem*, p. 18:] Quando a palavra egípcia *ken* devia significar "forte", atrás de seu som escrito alfabeticamente, era colocada a imagem de um homem em pé e armado; quando a mesma palavra devia expressar "fraco", às letras que figuravam o som seguia a imagem de um ser humano agachado de maneira largada. De modo semelhante, a maioria das outras palavras ambíguas era acompanhada de imagens explicativas.

Na opinião de Abel, na língua, os gestos serviam para dar o sinal desejado à palavra falada.

É nas "raízes antigas" que se observa, segundo Abel, o surgimento do duplo sentido antitético. No desenvolvimento posterior da língua desapareceu essa equivocidade e, pelo menos na língua egípcia antiga, foi possível acompanhar todas as transições até a univocidade do léxico moderno. "As palavras, originalmente, de duplo sentido, separam-se, na língua posterior, em duas com um único sentido, em um processo através do qual cada um dos sentidos opostos toma para si apenas uma "redução" (modificação) fonética da mesma raiz. Assim, já na língua hieroglífica, *ken*, "fortefraco", divide-se em *ken*, "forte", e *kan*, "fraco". "Em outras palavras, os conceitos que só podiam ser encontrados como antitéticos ocuparam o espírito humano em medida suficiente para possibilitar a cada uma de suas duas partes uma existência autônoma e para lhes encontrar um substituto fonético separado".

A prova da existência de significações primordiais contraditórias – facilmente estabelecida para a língua egípcia – estende-se também, segundo Abel, às línguas semíticas e indo-europeias. "É preciso aguardar para se saber até onde isso pode acontecer em outras famílias linguísticas; pois, embora a antítese possa estar presente originariamente nos pensadores de cada raça, não foi necessário que ela tenha sido reconhecível ou conservada nas significações em geral".

Abel destaca, a seguir, que o filósofo Bain, aparentemente sem conhecimento dos fenômenos efetivos, sustentou esse duplo sentido das palavras como uma necessidade lógica, utilizando fundamentos puramente teóricos. O trecho em questão (*Logic I*, p. 54) se inicia com as seguintes frases:

> *The essential relativity of all knowledge, thought or consciousness cannot but show itself in language. If everything that we can know is viewed as a transition from something else, every experience must have two sides; and either every name must have a double meaning, or else for every meaning there must be two names.*[7]

Do "Apêndice de exemplos de antíteses das línguas egípcia, indo-germânica e arábica" destaco alguns casos que podem causar impressão até em nós, que não somos especialistas em linguagem [*Sprachunkundigen*]: em Latim, *altus* significa alto [*hoch*] e profundo [*tief*]; *sacer*, sagrado [*heilig*] e maldito [*verflucht*]; nesses casos, portanto, subsiste a antítese completa, sem modificação no som da palavra [*Wortlautes*]. A alteração fonética para a distinção dos contrários é ilustrada com exemplos como: *clamare*, gritar [*schreien*] – *clam*, baixo [*leise*], quieto [*still*]; *sicus*, seco [*trocken*] – *succus*, suco [*Saft*]. Em alemão, *solo/chão/terra* [*Boden*] significa ainda hoje o mais alto [*das Oberste*] e o mais baixo [*das Unterste*] na casa. Ao nosso *bös* (*schlecht*) [mau] corresponde um *bass* (*gut*) [bom]; em saxão antigo temos *bat* (*gut*) [bom], contra o inglês *bad* (*schlecht*) [mau]; em inglês *to lock* (*schliessen*) [fechar], contra o alemão *Lücke*, *Loch* [lacuna, buraco]. Em alemão *kleben* [colar], e em inglês *to cleave* (*spalten*) [clivar]; em alemão *Stumm* [calado]

– *Stimme* [voz], etc. Desse modo, talvez a risível derivação *lucus a non lucendo*[8] chegaria a um bom sentido.

Em seu ensaio sobre "A origem da linguagem" (1885, p. 305), Abel chama a atenção sobre outros vestígios de antigos esforços de pensamento. Ainda hoje, para dizer "sem" [*ohne*], o inglês diz *without*, portanto "comsem" [*mitohne*], e igualmente o prussiano oriental. O próprio *with*, que hoje corresponde ao nosso *mit* [*com*], originalmente queria dizer tanto "com" [*mit*] como "sem" [*ohne*], tal como em *withdraw* [*fortgehen*] [retirar-se, ir embora] reconhecemos *withhold* [*entziehen*] [reter]. Reconhecemos essa transformação no alemão *wider* [*gegen*] [contra] e *wieder* [juntamente com].

Para a comparação com o trabalho do sonho, tem importância ainda outra peculiaridade altamente singular da língua do antigo Egito. "Em egípcio, as palavras podem – diremos, de início, aparentemente, *inverter igualmente som e sentido*. Suponhamos que a palavra alemã *gut* [bom] fosse egípcia. Ela poderia significar, além de "bom", "mau", e poderia soar, além de *gut*, *tug*. De tais inversões fonéticas, que são muito numerosas para que se possa explicá-las como ocorrência fortuita, também é possível trazer numerosos exemplos das línguas arianas e semíticas. Se nos limitarmos, em princípio, às línguas germânicas, temos: *Topf* [pote em alemão] e *pot* [pote em inglês]; *boat* – *tub* [barco e banheira em inglês]; *wait* – *täuwen* [aguardar, tardar em inglês e em alemão]; *hurry* – *Ruhe* [pressa em inglês e calma em alemão]; *care* – *reck* [cuidado e preocupação em inglês]; *Balken* – *klobe, club* [viga e cepo em alemão e em inglês]. Se passamos às outras línguas indogermânicas, o número de casos significativos aumenta correspondentemente, por exemplo: *capere* – *packen* [tomar em latim e agarrar em alemão]; *ren* – *Niere* [rim em latim e em alemão]; *leaf* [*Blatt*] – *folium* [folha em inglês e em latim]; *dum-a* [pensamento em russo], *Θυμός* [*Thymós*] [espírito e coragem em grego]; *mêdh*, *mûdha* [mente em sânscrito] – *Mut* [coragem em alemão]; *Rauchen* [fumar em alemão] – *Kur-íti* [fumar em russo]; *kreischen – to shriek* [gritar em alemão e em inglês], etc.

Abel tenta explicar o fenômeno de *inversão fonética* por uma duplicação ou reduplicação das raízes. Neste ponto encontraríamos uma dificuldade para seguir o pesquisador. Lembramo-nos de como as crianças gostam de brincar com a inversão fonética das palavras e do quanto é frequente o trabalho do sonho se servir, para diversos fins, da inversão de seu material figurativo (nesse caso não são mais letras, mas imagens, cuja série é invertida). Portanto, estaríamos mais inclinados a remeter a inversão de som a um fator de origem mais profunda.[i]

Na concordância entre a peculiaridade do trabalho do sonho destacada no início e a prática descoberta pelo pesquisador nas línguas mais antigas, podemos ver uma confirmação da nossa concepção sobre o caráter regressivo, arcaico da expressão dos pensamentos no sonho. E a nós, psiquiatras [*Psychiatern*],[9] impõe-se como uma suposição incontestável o fato de que entenderíamos melhor a linguagem do sonho e o traduziríamos com mais facilidade se soubéssemos mais sobre o desenvolvimento da linguagem.[ii]

Tradução de Maria Rita Salzano Moraes

---

[i] Sobre o fenômeno de inversão fonética (metátese), que talvez possua ligações mais estreitas com o trabalho do sonho do que a antítese [*Gegensinn*], cf. ainda W. Meyer-Rinteln em: *Kölnische Zeitung*, de 7 de março de 1909.

[ii] Também é possível supor que o originário sentido antitético das palavras represente o mecanismo prefigurado que é utilizado desde o ato falho [*Versprechen*] até o contrário [*Gegenteile*], a serviço de múltiplas tendências.

Über den Gegensinn der Urworte (1910)

1910 Primeira publicação: *Jahrbuch für Psychoanalytischen und Psychopathologische Forschung*, t. 2, n. 1, p. 178-184

1924 *Gesammelte Schriften*, t. X, p. 221-228

1943 *Gesammelte Werke*, t. VIII, p. 213-222

O título do artigo de Freud é idêntico ao do trabalho de Karl Abel publicado em 1884. Na edição original do *Jahrbuch*, há um subtítulo esclarecedor: "Resenha de um livro com o mesmo título, de Karl Abel". Embora se trate de uma resenha em sua intenção e forma, o que Freud realmente empreende é um trabalho original, sob o "pré-texto", literalmente, de Abel. Numa carta a Ferenczi, datada de 22 de outubro de 1909, Freud refere-se com entusiasmo à leitura que acabara de fazer. O trabalho de pesquisador da linguagem (*Sprachforscher*) efetuado por Abel seria uma espécie de confirmação, em um domínio do saber conexo ao da Psicanálise, da teoria dos sonhos, fornecendo o fundamento linguístico da tese de que a negação não opera no inconsciente. Uma nota sobre o tema foi introduzida na terceira edição de sua *Interpretação dos sonhos* (1911), precisamente no parágrafo em que Freud afirma que o sonho não conhece nem a oposição [*Gegensatz*] nem a contradição [*Widerspruch*].

As teses de Abel retomadas por Freud suscitaram enorme desconfiança por parte dos linguistas, como atesta, por exemplo, o célebre estudo crítico de Émile Benveniste intitulado "Remarques sur la fonction du langage dans la découverte freudienne", publicado no primeiro número da revista *La Psychanalyse*. Benveniste contesta, de maneira inapelável, os dados filológicos em que Abel baseia seu estudo. Mas isso não esgota o assunto. Um balanço sofisticado do estado da questão, que restitui o que está em jogo no debate, pode ser encontrado no texto de Jean-Claude Milner, "Sens opposés et noms indiscernables: K. Abel comme refoulé d'E.Benveniste". O leitor pode se beneficiar ainda do estudo do também linguista Michel Arrivé, "Le Sens opposé des mots primitifs... et d'autres".

Passando ao largo dos aspectos técnicos sobre a indecidibilidade própria à linguagem, pano de fundo do debate em pauta, vale ressaltar que as contribuições de Freud a esse tema situam-se em um nível que poderíamos chamar de infralinguístico. O único ponto no artigo em que Freud se distancia de Abel fornece a chave da discussão: as palavras primitivas não são apenas aquelas que o pesquisador descobre na raiz das línguas, mas também o uso assemântico que as crianças fazem quando brincam com as palavras. A tese da concordância entre processos psíquicos inconscientes e o nível infrassemântico da linguagem é uma das pedras de toque do que Jacques Lacan vai chamar de instância da letra no inconsciente e, posteriormente, de "*lalangue*", sublinhando o que há de real na língua. Por seu turno, Jean Laplanche interpreta essa tese no contexto de sua concepção do inconsciente como formado de restos dessignificados das mensagens provenientes do outro. Entre tais restos estariam incluídas palavras que não comunicam nada, palavras tomadas como coisas.

ARRIVE, M. Le Sens opposé des mots primitifs... et d'autres. In: *Langage et psychanalyse, linguistique et inconscient*. Paris: PUF, 1994. p. 189-208) • BENVENISTE, É. Remarques sur la fonction du langage dans la découverte freudienne. In: *Problèmes de linguistique générale*. Paris: Gallimard, 1966. v. 1. p. 75-87. • LACAN, J. Autres *écrits*. Paris: Seuil, 2001 (Trad. bras. *Outros escritos*. Rio de Janeiro: Jorge Zahar, 2003) • LAPLANCHE, J. Court traité de l'inconscient. In: *Entre séduction et inspiration: l'homme*. Paris: PUF, 1993 • MILNER, J.-C. Sens opposés et noms indiscernables: K. Abel comme refoulé d'E.Benveniste. In: *Le Périple structural*. Paris: Seuil, 2002. p. 65-85.

NOTAS

[1] *Gegensinn*, aqui traduzido por "sentido antitético", também significa "antítese", como pode ser conferido neste texto, na penúltima nota de Freud. (N.T.)

[2] Noção também comumente traduzida como "pensamentos oníricos". (N.R.)

[3] De um modo mais literal: pesquisador da linguagem/língua. Cabe destacar que, àquela altura, a ciência linguística como a conhecemos não estava à disposição de Freud para seus estudos. (N.R.)

[4] Karl Abel (1837-1906) era especialista em filologia comparativa. Trabalhou em Berlim e em Oxford. Seu *Dicionário de egípcio-semítico-indo-europeu* foi publicado em 1884, com mais de 400 páginas. Além disso, traduziu algumas peças de Shakespeare para o alemão. (N.E.)

[5] A crítica de uma concepção ingênua da natureza das relações entre as palavras e as coisas, particularmente no que concerne à postulação do caráter opositivo (ou diferencial) da significação das palavras, é uma das raízes das comparações entre as pesquisas freudianas acerca da linguagem e a linguística estrutural de Ferdinand de Saussure. (N.E.)

[6] Embora possa parecer redundante, são exatamente essas as palavras empregadas por Freud: "*im Gegensatz zu ihrem Gegensatz*". (N.T.)

[7] Tradução: "A relatividade essencial de todo conhecimento, pensamento ou consciência só pode se mostrar na linguagem. Se tudo o que podemos saber é visto como uma transição de alguma outra coisa, qualquer experiência deve ter dois lados; e cada nome deve ter um sentido duplo, ou ainda, para cada significado deve haver dois nomes". (N.T.)

[8] Do latim *lucus* – "pequeno bosque", que estaria relacionado ao que "não tem luz" – *non lucendo*. (N.T.)

[9] Cabe destacar que, apesar de a palavra utilizada por Freud coincidir com a especialidade médica da atualidade, seu uso e contexto era outro, tal qual na tradução de *Sprachforscher* por "linguista" no início deste texto. (N.R.)

A NEGAÇÃO (1925)

A maneira como nossos pacientes apresentam os pensamentos repentinos que lhes ocorrem [*Einfälle*] durante o trabalho analítico nos leva a fazer algumas observações interessantes. "Agora o senhor vai pensar que eu quero dizer algo ofensivo, mas, realmente, não tenho essa intenção". Entendemos que se trata da recusa [*Abweisung*] de um pensamento repentino que acaba de emergir, por projeção. Ou também: "O senhor pergunta quem pode ser essa pessoa no sonho. Minha mãe *não* é". Nós retificamos: portanto, é a mãe. Na interpretação, tomamos a liberdade de ignorar a negação e extrair o conteúdo puro da ideia que ocorreu. É como se o paciente tivesse dito: "Na verdade, foi a minha mãe que me ocorreu em relação a essa pessoa, mas não tenho a menor vontade de admitir que isso tenha me ocorrido".

Vez ou outra podemos conseguir chegar, de uma maneira muito cômoda, a um esclarecimento procurado sobre o recalcado inconsciente. Perguntamos: "O que o senhor considera mais improvável nessa situação? Em sua opinião, o que lhe estava mais distante naquela ocasião?". Se o paciente cai na armadilha e nomeia aquilo em que ele menos consegue acreditar, ele acaba, com isso, quase sempre confessando o correto. Uma bela contrapartida a essa experiência se apresenta pelo neurótico obsessivo, que já foi iniciado na compreensão de seus sintomas: "Ocorreu-me outra ideia obsessiva.[1] Imediatamente me ocorreu que ela poderia significar esta determinada coisa. Mas não, não pode ser verdade, senão ela não poderia ter me ocorrido". O que ele rejeita [*verwirft*],[2] tomando essa justificativa que ouviu com atenção no tratamento, é, naturalmente, o sentido correto da nova ideia obsessiva.

Portanto, um conteúdo de representação ou de pensamento recalcado pode abrir caminho até a consciência, sob a condição de que seja *negado*. A negação é uma maneira de tomar conhecimento do recalcado; na verdade, é já uma suspensão do recalcamento [*Verdrängung*],[3] mas evidentemente não é uma admissão do recalcado [*Verdrängten*]. Podemos ver como, nesse caso, a função intelectual se separa do processo afetivo. Com a ajuda da negação, apenas uma das consequências do processo de recalcamento é revogada, a saber, a de seu conteúdo de representação não chegar à consciência. Disso resulta uma espécie de admissão intelectual do recalcado, com manutenção do essencial quanto ao recalcamento.[i] No curso do tratamento analítico produzimos, frequentemente, outra mudança muito importante e bastante estranha da mesma situação. Conseguimos vencer também a negação e estabelecer a plena aceitação intelectual do recalcado – com isso, ainda não foi suspenso [*aufgehoben*][4] o próprio processo de recalcamento.

Como é tarefa da função intelectual de juízo afirmar ou negar conteúdos de pensamento, as observações

---

[i] O mesmo processo está na base do conhecido fenômeno da "invocação". "Que bom que faz tempo que não tenho a minha enxaqueca!". Mas esse é o primeiro prenúncio da crise, cuja iminência já se pressentiu, mas na qual ainda não se quer acreditar.

precedentes nos levaram à origem psicológica dessa função. Negar algo no juízo significa, basicamente: isso é alguma coisa que eu preferiria recalcar. A condenação[5] é o substituto intelectual do recalcamento; seu "não" é a marca característica deste, um certificado de origem, tal como o "*made in Germany*". Por meio do símbolo da negação, o pensar se liberta das limitações do recalcamento e se enriquece de conteúdos, dos quais não pode prescindir para o seu desempenho.

A função do juízo [*Urteilsfunktion*] tem, essencialmente, duas decisões a tomar. Ela deve atribuir ou desatribuir uma qualidade[6] a uma coisa, e ela deve aceitar ou contestar a existência de uma representação na realidade.[7] A qualidade, sobre a qual se deve decidir, poderia ter sido originariamente boa ou má, útil ou nociva. Na linguagem das mais antigas pulsões orais seria assim expresso: "isto eu quero comer ou quero cuspir", e em uma tradução [*Übertragung*] mais ampla: "isto eu quero introduzir em mim e isto eu quero tirar de mim". Portanto: "isto deve estar em mim ou fora de mim". O Eu-Prazer [*Lust-Ich*] originário quer, como desenvolvi em outro lugar, introjetar-se tudo o que é *bom* e jogar fora [*werfen*] tudo o que é mau. Em princípio, o que é mau, o que é alheio ao Eu e o que se encontra fora dele é-lhe idêntico.[i]

A outra das decisões da função de juízo, aquela sobre a existência real de uma coisa representada (prova de realidade), constitui um interesse do Eu-Real definitivo [*Real-Ich(s)*], que se desenvolve a partir do Eu-Prazer inicial [*Lust-Ich*]. Agora, não se trata mais de saber se algo

[i] Cf. a esse respeito as observações em "Pulsões e seus destinos" (volume X da *Gesammelte Werke*). [Cf. *As pulsões e seus destinos*, em edição bilíngue e comentada, nesta coleção. (N.E.)]

percebido (uma coisa) deve ou não ser acolhido no Eu, mas se algo presente no Eu como representação pode também ser reencontrado na percepção (realidade). Como podemos ver, trata-se, novamente, da questão do fora e do dentro. O não real, o que é meramente representado, o subjetivo, é apenas interno; o outro, o que é real, está presente também no *exterior*. Nesse desenvolvimento, a consideração ao princípio de prazer foi deixada de lado. A experiência ensinou que não é apenas importante se uma coisa (objeto de satisfação) [*Befriedigungsobjekt*] possui a "boa" qualidade, portanto, se merece ser aceita no Eu, mas também se ela está lá no mundo externo, de maneira que se possa apoderar-se dela, segundo a necessidade. Para compreendermos essa progressão, é preciso que nos lembremos de que todas as representações se originam de percepções, que são repetições daquelas. Portanto, originariamente, a existência da representação já é uma garantia para a realidade do representado. A oposição entre subjetivo e objetivo não existe desde o início. Ela só se estabelece porque o pensar possui a habilidade de tornar novamente presente – por meio da reprodução na representação – algo que foi uma vez percebido, sem que o objeto exterior precise ainda estar presente. O primeiro e mais imediato objetivo da prova de realidade não é, portanto, o de encontrar na percepção real um objeto correspondente ao representado, mas sim o de *reencontrá-lo*, de se convencer de que ele ainda está presente. Outra contribuição para a separação distintiva [*Entfremdung*] entre subjetivo e objetivo baseia-se em outra faculdade da capacidade de pensar. A reprodução da percepção na representação nem sempre é sua fiel repetição; ela pode ser modificada por omissões e ser alterada por fusões de diversos elementos. A prova de realidade deve, então, controlar até onde se estendem essas deformações. Reconhecemos, no entanto, como condição para a instalação da prova de realidade, que tenham sido perdidos os objetos que um dia trouxeram satisfação real.

O julgar é a ação intelectual que decide sobre a escolha da ação motora, que põe fim ao adiamento do pensamento[8] e que faz a passagem do pensar ao agir. Também já tratei do adiamento do pensamento em outro lugar.[9] Ele deve ser visto como uma ação experimental, um tatear motor com mínimos dispêndios de descarga. Pensemos: onde teria o Eu praticado esse tatear anteriormente; em que ponto teria aprendido a técnica que ele utiliza agora nos processos de pensamento? Isso aconteceu na extremidade sensória do aparelho psíquico, nas percepções sensoriais. Segundo nossa hipótese, a percepção não é de forma alguma um processo puramente passivo, mas o Eu envia periodicamente pequenas quantidades de investimento ao sistema perceptivo, por meio das quais ele experimenta os estímulos externos, para de novo retirar-se depois de cada um desses avanços tateantes.

O estudo do juízo nos abre, talvez pela primeira vez, a compreensão [*Einsicht*] do surgimento de uma função intelectual a partir do jogo das moções pulsionais primárias. O julgar é a continuação objetivada daquilo que originariamente é realizado de acordo com o princípio de prazer: a inclusão no Eu ou a expulsão [*Ausstoßung*] para fora do Eu. Sua polaridade parece corresponder à oposição dos dois grupos de pulsões supostos por nós. A afirmação [*Bejahung*] – como substituto da união – pertence a Eros; a negação – sucessora da expulsão – pertence à pulsão de destruição. O prazer de negar em geral, o negativismo de certos psicóticos, deve provavelmente ser entendido como um sinal de desfusão pulsional [*Triebentmischung*], através da retração dos componentes libidinais. No entanto, o desempenho da função de julgamento só se torna possível pelo fato de que a criação do símbolo da negação permitiu ao pensar um primeiro grau de independência dos efeitos do recalcamento e, portanto, também da coerção [*Zwang*] do princípio de prazer.

A essa concepção da negação se ajusta muito bem o fato de que na análise não ocorre nenhum "não" vindo do inconsciente, e de que o reconhecimento do inconsciente por parte do Eu se expressa numa fórmula negativa. Não existe prova mais contundente da bem-sucedida descoberta do inconsciente do que quando o analisando reage com a frase: "*Não foi isso que eu pensei*" ou "*Nisso eu não pensei (nunca)*".

Tradução de Maria Rita Salzano Moraes

Die Verneinung *(1925)*

1925 Primeira publicação: *Imago*, t. 11, n. 3, p. 217-221
1928 *Gesammelte Schriften*, t. X, p. 409-445
1948 *Gesammelte Werke*, t. XIV, p. 9-16

Trata-se de um texto curto, mas cuja densidade e relevância são incontestes. Foi escrito em julho de 1925 e publicado pouco mais tarde. Segundo Assoun (2009, p. 374), uma versão anterior do artigo teria por título "Die Verneinung und Verleugnung" (A negação e a recusa), mas Freud teria isolado apenas o primeiro termo, deixando o segundo para o artigo sobre o "Fetichismo".

Embora o termo *Verneinung* designe na língua alemã corrente a negação, tanto no sentido lógico e gramatical ("isto não é um cachimbo") quanto no sentido psicológico do termo ("não foi isso que eu disse"), a escola francesa preferiu ressaltar o uso especial do conceito, traduzindo-o por *dénégation*, termo que teve ampla aceitação na comunidade psicanalítica brasileira. No entanto, em sua argumentação, Freud parece fazer uso desse duplo registro – linguístico e conceitual – da negação.

No caso do "Homem dos Ratos", há uma célebre passagem em que o paciente se lembra de uma cena infantil em que fantasiara obter o amor de uma menina caso fosse vítima de uma desgraça, quando lhe ocorre pensar na morte de seu pai. Repele essa ideia imediatamente, devido ao seu conteúdo intolerável, mas nunca reconhece que essa ideia pudesse ter o estatuto de um desejo. O conteúdo do desejo recalcado só pode manifestar-se sob a forma da negação.

Quanto à repercussão deste breve artigo, destacam-se três vertentes. Numa primeira vertente, René Spitz, em seu *No and Yes: on the Genesis of Human Communication* (1957), interpreta o artigo de Freud nos quadros de uma psicologia do desenvolvimento.

Uma segunda vertente, dessa vez manifestamente crítica, com nomes como Wittgenstein e Popper na esteira de Havelock Ellis, acusa a Psicanálise de ser irrefutável, apoiando-se frequentemente em passagens como a última frase do artigo: "Não existe prova mais contundente da bem-sucedida descoberta do inconsciente do que quando o analisando reage com a frase: '*Não foi isso que eu pensei*' ou '*Nisso eu não pensei* (*nunca*)'" (neste volume, p. 310). Segundo essa crítica, tal posicionamento buscaria tornar as proposições da Psicanálise imunes à verificação, já que "cara eu ganho, coroa você perde". O próprio Freud respondeu a essa crítica em seu artigo de 1937 ("Construções em análise"), quando lembra que assim como o analista não toma o "não" do paciente por seu valor nominal, também não se contenta com o "sim" como critério de validade de uma interpretação. Apenas o próprio curso do tratamento pode fornecer "confirmações indiretas", que mostram ou não a correção da interpretação.

Last but not least, uma terceira vertente, que marcou época na história da Psicanálise, concede a esse curto texto um lugar central no que ficou conhecido como "retorno a Freud". Com efeito, Jacques Lacan lê as estruturas clínicas freudianas a partir das formas de negação e seus correlativos mecanismos psíquicos. O que diz respeito diretamente ao título deste volume (*Neurose, psicose, perversão*), já que o mecanismo de negação da *Verdrängung* estaria para a neurose assim como o da *Verwerfung* estaria para a psicose e o da *Verleugnung* para a perversão. Nos três casos estaríamos diante de diferentes modalidades do mecanismo de negação (*Verneinung*). A leitura atenta dos textos que compõem este volume mostra, no entanto, que Freud emprega tais expressões principalmente quando na forma verbal, de maneira menos homogênea, ou menos exclusiva, do que se supõe (cf. nota que fecha o artigo "A perda de realidade na neurose e na psicose").

Um importante debate acerca da *Verneinung* ocorreu entre Jean Hyppolite e Jacques Lacan. Esse debate está registrado na transcrição do *Seminário I*, sobre *Os escritos técnicos de Freud*, e na revista *La Psychanalyse*, n. 1. Devido à sua importância, Lacan publicou em seus *Escritos* não apenas sua resposta a Hyppolite, mas também o próprio comentário do filósofo, na forma de apêndice.

HYPPOLITE, J. Comentário falado sobre a "Verneinung" de Freud. In: LACAN, J. *Escritos*. Rio de Janeiro: Jorge Zahar, 1998, p. 893-902 • LACAN, J. *Écrits*. Paris: Seuil, 1966 • LACAN, J. *Autres écrits*. Paris: Seuil, 2001 (Trad. bras. *Outros escritos*. Rio de Janeiro: Jorge Zahar, 2003) • SPITZ, R. *No and Yes: on the Genesis of Human Communication*. Nova York: International Universities Press, 1957.

NOTAS

[1] *Zwangsvorstellung* – o vocábulo *Vorstellung*, quando empregado num sentido teórico, tanto na Filosofia quanto na Psicanálise, tende a ser traduzido como "representação". Entretanto, trata-se também de uma palavra de uso cotidiano, próximo do que chamaríamos em português de "ideia", ou, dependendo do contexto, "noção". Nesta edição preferimos contextualizar sempre o seu uso, ainda que dando ao leitor a informação quanto ao texto-fonte de Freud. (N.R.)

2 *verwirft*: verbo *verwerfen* na terceira pessoa do singular no indicativo. O verbo *verwerfen*, bem como o relacionado substantivo *Verwerfung*, diz respeito àquilo que leitores de Freud, tais como Jacques Lacan, associam à forma de negação (*Verneinung*) inerente à psicose. Como o próprio Lacan sugere a tradução de *Verwerfung* por *forclusion* em francês, apoiando-se no vocabulário jurídico de sua língua de expressão, difundiram-se no Brasil as traduções por "forclusão", "foraclusão" e/ou "preclusão". Apesar dos méritos inequívocos dessa perspectiva, no presente contexto preferimos traduzir de um modo mais direto, por "rejeição"/"rejeitar". Cabe destacar que o verbo *verwerfen* é derivado de *werfen*, significando o "ato de lançar ou atirar", por exemplo, uma bola ao cesto no basquete ou uma folha de papel amassada em uma lixeira, pertencendo, pois, à linguagem corrente, e não a uma linguagem especializada (como seria a tradução por "forclusão"). (N.R.)

3 *Verdrängung*: conforme vemos no substantivo que dá título a este escrito (*Verneinung*) e no mecanismo da *Verwerfung* (rejeição/forclusão), discutido na nota acima, há uma regularidade morfológica que se repete aqui no termo *Verdrängung* (recalque/recalcamento), bem como no vocábulo *Verleugnung* (recusa/desmentido): o uso do prefixo *Ver-*, que em alemão serve, entre outras coisas, para denotar transformação ou equívoco. Vale observarmos que os capítulos de *Psicopatologia da vida cotidiana* (1901) são designados por verbos marcados por esse prefixo, denotando sempre uma produção equivocada (Ex.: *Vergreifen*, *Versprechen*, *Verlesen*, etc.).

4 O verbo *aufheben* remete à noção de suspender, tanto num sentido físico [*heben* – *içar*] quanto de uma forma mais abstrata, semelhante a anular, cessar o efeito. (N.R.)

5 *Verurteilung*. O mesmo termo pode designar a *condenação*, que no sentido jurídico ou moral opõe-se à *absolvição*, e o *juízo negativo*, que no sentido lógico opõe-se a *juízo afirmativo*. Um juízo negativo é aquele que nega um predicado a um sujeito: "essa casa não é minha"; "[essa pessoa] não é minha mãe". Contudo, Jean Hyppolite, em seu célebre comentário a esse texto, enfatiza que o que está em jogo aqui é uma espécie de "julgar ao contrário", distinguindo entre uma "negação interna ao juízo" e uma "atitude de negação" (Cf. HYPPOLITE, J. Comentário falado sobre a "Verneinung" de Freud. In: LACAN, J. *Escritos*. Rio de Janeiro: Jorge Zahar, 1998, p.893-902). (N.E.)

6 *Eigenschaft*. Qualidade ou propriedade. No caso, aquilo que um juízo atribui a um sujeito. Por exemplo: "essa maçã é verde", em que "verde" é a qualidade ou a propriedade atribuída pelo juízo ao sujeito. Por isso, Freud pode falar, em seguida, numa qualidade boa ou má. (N.E.)

[7] Essa distinção corresponde à distinção entre juízo atributivo ("a justiça é cega"; "o leite é morno"; "*la donna è mobile*") e juízo existencial ("não há justiça"; "isso é um seio"; "a mulher não existe"). (N.E.)

[8] *Denkaufschub*: adiamento do pensamento, ou adiamento devido ao pensamento, no sentido do genitivo subjetivo, em que o pensamento é responsável pelo adiamento, e não que o pensamento é adiado. (N.E.)

[9] Cf. particularmente "O Eu e o Isso". Os pressupostos de toda essa passagem estão estabelecidos desde 1895, no célebre *Entwurf einer psychologie*, e foram retomados posteriormente em diversos trabalhos, principalmente naqueles mais voltados à metapsicologia em sentido estrito. (N.E.)

Ensaios

PERDER-SE EM ALGO QUE PARECE PLANO

Ernani Chaves

"O infamiliar" é, certamente, um dos textos de Freud mais lidos e comentados. Publicado em 1919, ele se encontra situado entre os textos da metapsicologia, em especial aquele sobre o narcisismo, de 1914, e *Além do princípio do prazer*, de 1920. Essa delimitação cronológica nos ajuda a compreender sua especificidade no interior do pensamento de Freud, assim como a entender um pouco melhor, talvez, a presença, nele, de determinadas temáticas, dentre as quais eu destacaria, por motivos que justificarei em seguida, a da "compulsão à repetição". Por outro lado, não podemos esquecer que esse texto passou por longa e laboriosa preparação, uma vez que as primeiras notícias que temos dele referem-se a anotações de, aproximadamente, 1914.

De um modo geral, quando se trata das relações entre psicanálise e arte, atribui-se a "O infamiliar" o papel de um texto que instaura uma espécie de cesura: nele não encontraríamos, como em outros textos de Freud, uma estrita correlação entre vida e obra dos artistas e/ou escritores estudados; com isso, menos o reflexo da neurose do autor, as expressões artísticas passariam a ganhar uma certa autonomia e poderiam, enfim, ser compreendidas a partir de parâmetros propriamente estéticos. Sabemos que apenas em parte esse tipo de posicionamento é verdadeiro, se considerarmos a nota de rodapé na qual Freud nos lembra alguns momentos da vida de E. T. A. Hoffmann, cuja obra é central em "O infamiliar". Por outro lado, não podemos deixar de concordar que esse texto se movimenta em torno de algo novo no interior das análises freudianas da arte, qual seja, uma concepção de estética que não se restringe mais a uma "doutrina do belo".

Se compararmos as primeiras linhas de "O infamiliar" com aquelas, por exemplo, dedicadas ao *Moisés*, de Michelangelo, veremos que Freud se confronta de outra maneira com os especialistas em estética. Lá, ele se desculpa, como se estivesse rendido à autoridade dos especialistas, confessando, "humildemente", pouco ou nada saber acerca de estética. Aqui, ao contrário, ele não apenas aponta uma espécie de déficit no que diz respeito ao modo como os especialistas trataram dos fenômenos aos quais, de um modo geral, designa-se como "infamiliares", como também propõe uma outra definição de estética, considerada dessa vez como a "teoria das qualidades do nosso sentir". Estamos diante, nesse caso, de um Freud já velho conhecido de seus leitores: ousado, arrojado, corajoso, destemido, nada "humilde", enfim, absolutamente ciente de que está fundando uma nova maneira de abordar um conjunto de aspectos que, embora já estivessem presentes, sobremaneira, na literatura romântica, ainda não tinham sido apreciados pelos especialistas como deveriam ser. Assim, se antes a psicanálise parecia estar se intrometendo onde não era chamada, agora ela precisa e deve se intrometer, para preencher uma significativa lacuna. Dessa maneira, podemos ver claramente que, agora, Freud procede em relação aos especialistas em estética da mesma maneira como, duas décadas antes, enfrentara o *establishment* médico-psiquiátrico, o que resultou na criação da própria psicanálise. Essa mudança de posição, a meu ver, constitui o aspecto mais importante desse texto, no que se refere ao campo da estética. Quase inteiramente indiferente à revolução que as vanguardas estéticas de sua época estavam promovendo, Freud, paradoxalmente, acabou criando um dispositivo interpretativo do qual as vanguardas puderam se aproveitar.

A definição de estética como "teoria das qualidades do nosso sentir" constitui, de fato, algo inusitado e, em certa medida, bastante original. Em primeiro lugar, porque ela se distancia da associação entre estética e teorias do belo – recusada explicitamente por Freud logo no começo do texto –, uma vez que os fenômenos dos quais ele trata em seu texto não são propriamente "belos", segundo a definição clássica, pois nada dizem sobre a proporção, a harmonia, o equilíbrio. Seus efeitos, do mesmo modo, não remetem a nenhum "bom" sentimento. Mas, também, isso não significa que podemos alinhar, pura e simplesmente, a posição de Freud às estéticas do sublime. Especialmente porque em "Das Unheimliche" não se trata do "irrepresentável" ou de sua "transcendência", por meio do qual se caracterizaram as estéticas do sublime, muito menos de uma espécie de "pequenez" do sujeito diante de determinadas manifestações do sublime, marcadas pela "grandiosidade", pela "infinitude", menos ainda de uma explícita relação de um horizonte moral metafisicamente determinado cruzando o campo da estética. Talvez por esses motivos Freud jamais tenha dedicado qualquer linha sobre o mais importante artista do romantismo alemão no campo das artes plásticas, que foi, justamente, Caspar David Friedrich. É bastante provável que Freud conhecesse a discussão sobre o sublime, se não diretamente, pois não há traços de uma leitura sua da terceira crítica de Kant, pelo menos indiretamente. Arguto leitor de Schopenhauer, essa é uma questão que não lhe escaparia. Contudo, entre o infamiliar e uma estética do sublime parece haver um hiato. Nem belos, nem sublimes, os fenômenos abordados por Freud relembram o horror, o medo, a angústia causada pelo mundo dos fantasmas, as assombrações e os duplos, nada que acene para uma espécie de destinação das "belas-artes" para encantar e apaziguar angústias e insatisfações. Não, a arte não nos traria nenhum consolo, seja imediato, seja mediato, ela não provocaria nenhuma catarse reparadora, que reduziria antagonismos, harmonizaria conflitos e, principalmente, promovesse qualquer espécie de elevação moral. Eis aqui, portanto, o papel fundamental da literatura "fantástica" do século XIX, ressaltada no texto por meio das obras de E. T. A. Hoffmann e Edgar Allan Poe: elas provocam um deslocamento fundamental, aos olhos de Freud, em relação aos padrões renascentistas, que ele tanto amou, como se preparassem o advento de outra grande obra, a de Dostoiévski, na qual os demônios não estão mais fora de nós, não chegam a nós vindos de fora, mas, ao contrário, habitam-nos. Certamente, os "duplos" do grande escritor russo descendem daqueles que povoam a literatura romântica de língua alemã, mas, ao mesmo tempo, eles invertem a sua origem, pois surgem de dentro de nós, são habitantes sorrateiros de nós mesmos e, mesmo que não nos demos conta, convivem conosco e nos são "familiares". Não por acaso, se relermos com atenção o pequeno texto escrito por Freud em 1924 "A perda de realidade na neurose e na psicose", podemos ver o quanto a descrição da "realidade" que o psicótico constrói para si como o "seu" mundo, "realidade" que – ao contrário do neurótico – ele insiste em recusar, é referida por Freud por meio de um vocabulário de profundas conotações estéticas, marcado pela ideia de um *Umbildungsprozess*, isto é, um "processo de reconfiguração", de remodelação, ou ainda, no limite, de regeneração (no sentido de "gerar de novo") do mundo.[i]

Em segundo lugar, porque ao definir estética como "teoria das qualidades do nosso sentir", Freud aproxima a sua concepção do sentido da palavra grega *aisthesis*. Tradicionalmente, no vocabulário especializado em língua alemã, *aisthesis* remetia ora a *Empfindung*, ora a *Sinnlichkeit*, palavras que podem significar "sensação" e "sensibilidade", mas, no caso de *Sinnlichkeit*, também "sensualidade". Ou seja, de algum modo, toda essa gama de sentidos diz respeito ao corpo e suas intensidades, ao corpo como um aparelho perceptivo, por meio do qual o mundo nos penetra. Entretanto, sabemos que a nossa tradição se acostumou, desde os gregos, a pensar de diversas maneiras a relação entre a "sensação" ou ainda a "sensibilidade" e as instâncias da razão, em geral, para relegar as duas primeiras ao domínio do erro, da ilusão, do falso, distanciando-as da verdade. Freud, ao contrário, evita, cuidadosamente, falar de "sensação" ou de "sensibilidade", palavras demasiado comprometidas, seja com posições do neokantismo, derivadas da definição kantiana de estética transcendental como a doutrina que estuda os dados da sensibilidade, seja com as conotações românticas, em especial no que diz respeito à palavra *Sinnlichkeit*, que acabava por remeter à ideia de um erotismo sublimado. Em vez disso, Freud fala do "sentir" (*Fühlen*), palavra que mobiliza não apenas o corpo, mas igualmente a região dos afetos, de várias formas e maneiras, isto é, constituindo, como ele diz, diferenciações ou ainda "qualidades". Desse modo, tal definição inovadora pode

---

[i] Ver Freud (2016, p. 282; 1991, p. 275).

efetivamente alargar o domínio da estética em direção a esses campos e aspectos que transbordam, que excedem a sua definição tradicional como "teoria" ou "doutrina do belo" e que, por isso, pouco interessavam aos especialistas. Novamente aqui, o exemplo do pequeno texto sobre a psicose acima referido pode também ser bastante instrutivo, pois nesse texto Freud utiliza uma palavra que marcará, definitivamente, no vocabulário estético a partir do século XX, sua separação da concepção tradicional de estética como "teoria do belo", que é justamente a palavra *Wahrnehmung*, isto é, "percepção". Como a arte e o artista que as vanguardas estéticas de sua época estão igualmente "remodelando", o psicótico não abandona inteiramente um tipo de vinculação à realidade – por meio dos rastros deixados pelas lembranças ou por certo tipo de avaliação e representações da realidade consideradas próprias da neurose –, mas delega para si a tarefa de recriar, diz Freud, tais "percepções". Essa é a palavra-chave para entendermos o deslocamento radical que o campo da estética aprofunda na virada do século XIX para o século XX, na esteira da definição de beleza (e de modernidade, por consequência) em Baudelaire, como o instantâneo e o eterno ao mesmo tempo: o artista e a arte não mais pretendem "imitar", "reproduzir" a realidade, mas sim "percebê-la", e isso implica, necessariamente, o "sentir", um "sentir" no qual o somático e o psíquico estão em permanente relação, mesmo que esta seja profundamente conflituosa e angustiante, de tal modo que a realidade – como ainda no exemplo da psicose – só produza alucinações. Sabemos o quanto o surrealismo de Dalí e Max Ernst na pintura e o cinema de Luis Buñuel levaram essa "verdade" freudiana – a de que aquilo que insistimos chamar de "realidade" é o que nos é mais "infamiliar" – ao seu extremo.

Com essa posição, Freud formula uma crítica importante aos especialistas, e, dessa vez, colocando a psicanálise em condições de preencher a lacuna deixada por eles, sai daquela posição cautelosa confessada em outros textos. Assim, ele se situa numa linhagem da qual uma primeira grande sistematização tinha sido a *Estética do feio*, de Karl Rosenkranz, publicada em 1853, uma obra que sugere ao leitor, por meio de um poema de Goethe que está na epígrafe da primeira parte, abandonar o Sol e as estrelas e dirigir-se "para baixo", rumo ao "obscuro reino" (Rosenkranz, 1853),[i] de tal modo que, para Rosenkranz, "o próprio feio se torna desafio incontornável e ameaça a primazia do belo" (Bodei, 2005, p. 147). Ao domínio designado em geral como "feio" pertencia tudo aquilo que não se enquadrava na definição de "belo" de uma determinada época, estendendo-se ao abjeto, ao asqueroso e ao aterrador.[ii] Desse modo, poder-se-ia dizer, seguindo Sarah Kofman (1973, p. 139), que os especialistas "continuam prisioneiros de preconceitos metafísicos, que opõem radicalmente o belo e o feio, o atraente e o repulsivo, o agradável e o penoso". Com isso, Freud pode também delimitar, com precisão e rigor, o domínio da estética que poderia ser aquele que não apenas interessa à psicanálise, mas também aquele para

---

[i] Já no "Prefácio", Rosenkranz chama a atenção para o fato de que "ninguém se admira quando se trata na Biologia do conceito de doença, na Ética, do de mal, no Direito, do de injustiça, na Religião, do de pecado". Com isso, ele quer assinalar a estranheza que ainda provocava pensar uma "estética do feio", para além da ideia de que o "feio" seria, simplesmente, o "negativo da beleza". Dentre a vasta bibliografia que liga Rosenkranz e Freud, cito apenas MENNINGHAUS, Winfried. *EKEL. Theorie und Geschichte einer starken Empfindung*. Frankfurt am Main: Suhrkamp, 1999, p. 291.

[ii] Ver a respeito Bodei (2005) e Eco (2007).

cuja compreensão a psicanálise poderia ser convocada como sendo a "especialista".

Em terceiro lugar, porque Freud não se coloca, prioritariamente, na posição do contemplador, daquele que, apartado do mundo, frui da obra de arte, nela mergulhando. Ele está muito mais próximo daquele que observa e, principalmente, daquele que escuta. E o que Freud escutará, na sua leitura de "O Homem da Areia" e "Os elixires do diabo", de Hoffmann, senão aquilo que escapa ao especialista formado na escola da metafísica, à qual ele oporá, se seguirmos a assertiva de Paul Ricœur, uma "escola da suspeita"?[i] A escuta permitirá a Freud passar da posição de "leitor" à de "autor", ou seja, é como se ele também operasse, em relação aos textos que lê, com os mesmos instrumentos ópticos que o século XIX acabara por inventar e que devolviam ao olho humano uma imagem do mundo que nossas limitações biológicas jamais poderiam alcançar. Não esqueçamos que o século XIX não é marcado apenas pela aceleração da tecnologia óptica, da qual os românticos e em especial Hoffmann se deram imediatamente conta, mas, principalmente, no seu começo, pela invenção da fotografia e, no seu final, pela do cinema. Estamos, portanto, diante das inquietantes relações que as novas tecnologias ópticas vão produzir entre a visão e a audição, o ver e o ouvir. Assim, o mundo dos duplos, antes restritos às aparições

[i] Que Marx, Nietzsche e Freud pertençam a uma "escola da suspeita", que tenham construído uma "hermenêutica da suspeita", é uma famosa afirmação de Ricœur em seu *Da interpretação: ensaio sobre Freud*. Ricœur, por sua vez, apenas reiterou o que Nietzsche já dizia de si mesmo, ou seja, que seus escritos pertenciam a uma "escola da suspeita", tal como podemos ler logo nas primeiras linhas do "Prefácio" de 1886 ao Primeiro Livro de *Humano, demasiado humano*.

fantasmagóricas, passará em breve a se tornar "real" pela duplicação própria às imagens fixas da fotografia e àquelas em movimento do cinema. É bom salientar, entretanto, que essa duplicação estará longe de ser uma mera "reprodução" mais fiel, mais verdadeira, portanto, do que a pintura, por exemplo. Ao contrário, se esses novos instrumentos óticos são capazes de nos devolver outra imagem da realidade, isso não quer dizer que essa devolução esteja isenta de sombras e obscuridade.[i]

---

[i] Em uma passagem bastante conhecida, mas pouco explorada na literatura secundária, no capítulo III de *O mal-estar na cultura*, Freud se refere ao papel da "câmara fotográfica" e do "disco que toca no gramofone", nessa ampliação do nosso aparelho perceptivo. Relembremos o contexto dessa referência, para entendermos melhor sua significação: trata-se de mostrar em que medida aquilo que reconhecemos, de imediato, como "cultural" diz respeito a todas as "atividades e valores" utilizadas por nós para tomar a terra a nosso dispor e nos proteger da violência das forças da natureza, incluindo-se aí, principalmente, o "uso de ferramentas, a domesticação do fogo e a construção de moradias". Numa primeira conclusão, Freud escreve: "Com todas as suas ferramentas, o homem aperfeiçoa seus órgãos – os motores e os sensoriais – ou bem alarga os limites do seu poder" (FREUD, 1996, p. 56-57). Em seguida, passa a enumerar essas "conquistas", que se situam sempre no campo das ciências e do progresso tecnológico, tais como a construção de navios e de aviões, que enfrentam a força das águas e do ar; a invenção dos óculos, que corrigem os defeitos de seus olhos; do telescópio, que elimina distâncias antes intransponíveis; do microscópio, que ultrapassa os limites da visibilidade. Nesta sequência, entretanto, a câmara fotográfica e o disco, ou seja, dispositivos técnicos a serviço das artes, possuem outra função: "Com a câmara fotográfica, o homem criou um instrumento que fixa as impressões óticas fugidias, o disco lhe permite fazer o mesmo com as impressões sonoras transitórias, ambos, no fundo, [são] materializações da faculdade que lhe foi dada, a da lembrança, ou ainda, a de sua memória" (p. 57). Trata-se portanto de invenções que visam, antes de mais nada, reter a passagem do tempo, fixar o fugidio, conferindo-lhe, portanto, uma "eternidade", bem de acordo com a definição de "modernidade" em Baudelaire. São invenções as quais, ligadas a uma ampliação da memória, lutam contra as poderosas forças do "esquecimento".

Nessa perspectiva, o movimento de leitura que Freud faz pode ser assemelhado aos dos instrumentos ópticos que ora aproximam, ora distorcem e distanciam, capturando detalhes inusitados do que chamamos "realidade" ou mesmo encobrindo outros. Não esqueçamos que em conhecida passagem de *A interpretação dos sonhos* ele já havia comparado o aparelho psíquico e seu funcionamento com a câmera fotográfica. Nesse mesmo diapasão, ele também pode produzir cortes e cesuras nos textos de Hoffmann por ele referidos, tal como um hábil montador que, numa sala especial, recria e reconstrói a multiplicidade de imagens que uma câmera de cinema captara antes. Tal aproximação entre o mundo do *infamiliar* e as formas contemporâneas de produção de imagens – hoje levadas a um extremo que Freud e seus contemporâneos não poderiam sequer imaginar – não é descabida, se pensarmos, por exemplo, na exploração *ad infinitum*, nos filmes e nas séries de televisão, das figuras dos mortos-vivos, zumbis, vampiros e fantasmas. As formas românticas do "infamiliar", longe de terem desaparecido, continuam absolutamente presentes no nosso mundo midiatizado e fascinado pelas imagens.[i]

É possível afirmar, igualmente, que a experiência da Primeira Guerra contribuiu para provocar mudanças radicais no modo de pensar de Freud. Sua formulação inicial, que caracterizava o funcionamento do aparelho psíquico a partir do princípio do prazer, começa a lhe parecer insuficiente. Assim como a psicanálise deveu seu nascimento, no fundamental, às histéricas, agora, a mudança radical,

---

[i] Ver a respeito GÜNTHER, Elisabeth. *Konfiguationen des Unheimlichen. Medien und die Verkehrung von Leben und Toten in Elfriede Jelinks Theatertexten*. Bielefeld: Transcript Verlag, 2018. O cinema de David Lynch tem sido objeto de análise do ponto de vista do *unheimlich*.

da qual *Além do princípio do prazer* vai constituir o ápice, deve-se, sobremaneira, aos combatentes que retornaram do *front* e são assolados, em sonhos, pelas lembranças da experiência mortífera da guerra. Trata-se, nos dois casos, de "reminiscências". Entretanto, se as histéricas são assombradas por reminiscências de um prazer proibido de fundo sexual, que se torna desprazer, os neuróticos de guerra, por sua vez, revivem, nos sonhos, a experiência terrível que, por princípio, deveriam esquecer. A presença do sofrimento, muito mais do que do prazer, vai mostrar, cada vez mais, a importância para a vida psíquica da "compulsão à repetição", germe e condição daquilo que Freud chamará logo em seguida de "pulsão de morte".

Essa guerra, que começara como uma guerra do século XIX, isto é, com cavalos puxando pesados armamentos, vai terminar, após quatro anos, como uma guerra do século XX, ou seja, como uma guerra de gases. A geração de Freud, que acreditara tenazmente no ideal iluminista da supremacia da razão e, em consequência, no caráter emancipatório e libertador da ciência, compreendeu, de maneira trágica, que a própria ciência poderia também estar a serviço do extermínio de populações inteiras. Ela não era apenas o fanal do progresso, que nos libertaria da filosofia e do mito, mas, ao mesmo tempo, seria também uma espécie de mensageira da morte. Entretanto, na medida em que esse ideal ruía, vinha abaixo também o poder e a glória daquilo que fora um dia o grande Império Austro-Húngaro. Desmoronava, portanto, não apenas um mundo idealizado de acordo com os princípios da ciência, mas também o mundo real, que até então parecia sólido e inquebrantável. A experiência de desenraizamento e permanente exílio que caracterizava a condição do judeu – mesmo daquele que se autodenominou "um judeu sem

Deus"[i] – e que o processo de assimilação não conseguiu extinguir se fortalecia. Tal experiência explicaria, no limite, o caráter "seco e cético" (LINDNER, 2006) desse texto.

Esse caráter "seco e cético" já constitui uma distância crítica em relação ao "*pathos* científico" que anima a perspectiva de Jentsch, ponto de partida da investigação de Freud. É com essa distância que começa a se instaurar, no texto, o deslocamento de Freud de sua posição de leitor para a de autor, qual seja, desde que Freud questiona o princípio explicativo acerca do "infamiliar", adotado por Jentsch: a "incerteza intelectual". Uma breve enquete realizada entre alemães que pertencem ao meu círculo de amizade revela o quanto a posição de Jentsch expressa, na verdade, a acepção mais comum desse sentimento, isto é, a de desorientação, a de estar perdido, por não se saber mais, justamente, qual a direção certa. Estar perdido numa floresta, à noite e no inverno, foi a situação mais comumente relatada como exemplo do "infamiliar". Uma situação menos comum é o emprego da palavra *unheimlich* para mostrar regozijo e alegria pelo feito de um amigo, considerado como "extraordinário" ou ainda como "fantástico", expressões que utilizamos também em português, na mesma situação. Entretanto, prevalece mesmo a ideia de "incerteza", que Jentsch complementa chamando-a de "intelectual". Nessa perspectiva, fica bem mais claro o quanto a explicação proposta por Freud se contrapõe tanto ao uso mais comum da palavra quanto a sua explicação "científica", para mostrar que a ambas escapa, justamente por estar inconsciente, aquilo, entretanto, que o filósofo Schelling já havia indicado: o "infamiliar" diz respeito

---

[i] Conforme carta a Oskar Pfister, em 9 de outubro de 1918, citada por Gay (2007, p. 9).

ao retorno do recalcado, daquilo que deveria permanecer escondido, mas que volta a se manifestar.[i] É esse movimento regressivo do "infamiliar", próprio à psicanálise, que Freud procura elucidar, sem, entretanto, renunciar a um princípio básico da psicanálise, qual seja, a presença insidiosa da questão sexual.

Gostaria de, por fim, assinalar duas consequências importantes que a leitura desse texto de Freud provocou: uma no âmbito da teoria da literatura e outra no das relações entre estética e política.

No campo da teoria da literatura, Burkhardt Lindner nos lembra da importância fundamental do artigo de Hélène Cixous, "La fiction et ses fantômes. Une lecture de l'Unheimliche de Freud", para quem o leitor desse texto de Freud se vê confrontado com a perspectiva de que a psicanálise deve trabalhar com a linguagem ficcional, mas, com isso, a delimitação científica entre o *Unheimlich* da ficção, o da fantasia e aquele da criação literária, delimitação tão importante para Freud, torna-se aporética.[ii] E onde esse caráter aporético se mostra? Para

---

[i] Uma crítica à leitura que Freud faz de Schelling, para mostrar que, no fundo, ao descontextualizar a afirmação de Schelling, Freud propõe uma interpretação que contradiz inteiramente o que pensava o filósofo, foi feita no Brasil, há bastante tempo, por Bernardo Carvalho, em "O Unheimlich em Freud e Schelling" (*Percurso*, n. 3, 1989).

[ii] Hélène Cixous testemunha, como poucas, o impacto provocado por esse texto de Freud nos anos 1970, como uma espécie de "retorno a Freud" no campo da teoria da literatura: "No *Das Unheimliche* há algo de 'selvagem', uma lufada, um espírito de provocação, no qual, ocasionalmente, o próprio autor se encontra despreparado, que o ultrapassa e o contém. Um fogo mútuo queima entre Freud e o objeto do seu desejo, ou seja, a verdade acerca do *Unheimliche*. Um texto da incerteza: a extensa circunscrição do conceito de *Unheimliche* por Freud, a estranheza do *Unheimliche* expõe, de perto, uma rede de repetidas conexões e soluções e constrói, de maneira singular, um sistema de intranquilidades. Nada

Lindner, tudo começa com o fato de que, segundo Freud, o centro da narrativa de Hoffmann não é a boneca Olímpia, mas o "Homem da Areia", de tal modo que é esse ponto de partida, e somente ele, que permite a interpretação psicanalítica de que a angústia provocada pelo medo de perder os olhos é substituta da angústia de castração (Lindner, 2006, p. 19-20). Com isso, Freud não precisa reconstruir com fidelidade a narrativa de Hofffmann, de tal modo que ao leitor desavisado, isto é, aquele que não leu o conto, tudo se passa como se a história contada por Freud equivalesse integralmente ao texto original.

Nessa perspectiva, a leitura de Freud se move em torno de uma "dupla paráfrase": a sua narrativa é, ao mesmo tempo, reprodução e interpretação, ou seja, eu acrescentaria, a interpretação como uma reprodução "infiel". Esse mesmo procedimento já se encontra na leitura da *Gradiva*, de Jensen, e é ele que permite que o leitor-Freud ceda lugar ao psicanalista. Essa "infidelidade", por exemplo, pode ser encontrada quando Freud deixa de lado as particularidades da forma literária e não respeita as mudanças do narrador, que ora se mistura, ora se retrai, e então novamente se dirige diretamente ao leitor, num tom entre ironia e horror. Desse modo, ao recontar "O Homem da Areia", Freud o faz como se se tratasse de uma história contada de maneira convencional. Ao deixar de lado, por sua vez, as cartas, ele não observa o claro erro do falso endereço da

---

é mais intranquilo para o leitor do que esse pedante, prudente – ou seja, manhoso e infinito – reajuste; nada é mais intranquilo do que essa investigação de 'algo', de um domínio, de um movimento emocional, de um impossível de determinar, de um conceito variável na forma, na intensidade, na qualidade e no conteúdo, nada escapa mais do que essa busca, que estende labirintos a quem procura; por toda parte, o estranho oferece seu mistério necessário" (CIXOUS, 1972, p. 199).

primeira carta ou ainda negligencia a figura de Olímpia, que é explicitamente chamada de figura "infamiliar", embora todas as denominações próprias à semântica do "infamiliar" – "abominável", "aterrador", "horrível", "feio", "fantasmagórico" – sejam atribuídas apenas ao "Homem da Areia". Além disso, Freud escreve "Nathanael", errado, isto é, "Nathaniel" e não leva em consideração que durante a briga entre Spalanzani e Coppola por Olímpia, o narrador ouve a voz de Coppelius; ou ainda que, como um raro acaso, a explosão química na casa paterna se repete na casa do estudante Nathanael; ou que, ao final, na torre, Nathanael traz consigo o binóculo de Coppola.

Entretanto, não se trata mais, para Lindner, de proceder como o "especialista" que censura Freud por suas "infidelidades", mas de mostrar que a interpretação psicanalítica é necessariamente "infiel", porque nela o leitor preocupado com o fio da narrativa e com a compreensão lógica (isto é, a que se passa no nível da consciência) quase que desaparece inteiramente para dar lugar agora a outra figura, que não é a do crítico literário, do especialista no romantismo alemão ou na obra de Hoffmann, mas sim a desse autor muito especial, que é o psicanalista.

Não é por acaso, portanto, para complementar a posição de Lindner, que Foucault, em sua célebre conferência "O que é um autor?",[i] considera Freud e Marx como tipos especiais de "autor", ou seja, aqueles que, embora ainda possam se enquadrar na caracterização mais usual de "autor", seriam de fato e para além disso autores que se encontram numa posição "transdiscursiva" (posição tão antiga quanto a ocupada por Homero e Aristóteles ou

[i] Trata-se de uma conferência proferida na Sociedade Francesa de Filosofia, em 22 de fevereiro de 1969.

ainda pelos Pais da Igreja e pela tradição hipocrática, como o diz explicitamente Foucault), mas, por outro lado, numa configuração própria do século XIX, o que ele chama de "fundadores de discursividades". Juntamente com Marx, Freud subverte a figura do autor, ao instaurar, por meio de sua interpretação, uma "proliferação de discursos", produzindo assim "a possibilidade e as regras de formação de outros discursos".

Essa possibilidade de instaurar novos discursos distinguirá esses "fundadores de discursividades" tanto dos próprios autores de romances quanto dos cientistas: à diferença dos efeitos provocados pelas obras dos escritores influentes em outros escritores, os quais só poderiam ser vistos a partir das analogias e semelhanças, e dos efeitos provocados pelo trabalho dos cientistas, está apenas comprometido com o progresso da ciência, os efeitos dos "fundadores de discursividade" vão além, uma vez que se trata, nesse caso, de uma apropriação das suas teorias, que permitem a outros levá-las adiante, continuando o trabalho da melhor de todas as fidelidades a um autor que é, justamente, o da "infidelidade". Não por acaso, igualmente, Foucault caracteriza, ao final da conferência, o "retorno a Freud" proposto por Lacan (que foi convidado para a conferência, mas chegou atrasado, quase ao final, e, mesmo assim, ainda pôde participar do debate) como só sendo possível na medida em que o próprio Freud já havia implodido a figura do "autor" como autoridade e soberano sobre sua própria obra.

No que se refere, por sua vez, ao campo das relações entre estética e política, não podemos deixar de mencionar, como nos lembra Klaus Herding, a apropriação do *infamiliar* na *Dialética do esclarecimento*, de Adorno e Horkheimer: "A tese de Freud, de que o *Unheimliche* seria o retorno do familiar recalcado, nada perdeu de sua validade. Ela constitui, o que também já foi frequentemente reconhecido, o fundamento para a teoria de Adorno e Horkheimer do retorno do mítico recalcado pela *ratio*, o qual, desde que foi domado e proscrito pela *Aufklärung*, retornou violentamente no nazismo e, menos percebido, na fase, que a ele se segue, da indústria cultural" (Herding, 2006, p. 7). Lembremos ainda que mesmo em alguns textos da década de 1960 – "O que significa elaborar o passado?" e "Educação após Auschwitz", por exemplo – Adorno continua recorrendo a Freud para falar desse "infamiliar" de nossa cultura, cujo retorno no nazismo ainda deixa cicatrizes abertas até hoje (esse "hoje" sendo não apenas o de Adorno, mas também o nosso, nesse começo do século XXI), o que, para ele, significa exigir o trabalho de "elaboração" (*Aufarbeitung*) do passado e a proposição de um novo imperativo categórico: "que Auschwitz não se repita".

Finalmente, gostaria de lembrar a referência de Anthony Vidler (1992) ao caráter "infamiliar" da arquitetura moderna. Segundo Vidler, inúmeros representantes do movimento desconstrutivista na arquitetura, tais como Bernard Tschumi, Peter Eisenman e Daniel Libeskind,[i] relacionaram-se em grande parte de seus projetos com a concepção freudiana de "infamiliar", e com isso evocaram, com frequência, um sentimento de mal-estar e opressão. Penso, em especial aqui, no *Monumento ao Holocausto*, de

---

[i] Bernard Tschumi, suíço de Lausanne, nasceu em 1944 e é o responsável pelo projeto do Parc La Villette, em Paris. Peter Eisenman é norte-americano de Nova Jersey, nascido em 1932, tendo sido bastante influenciado por Jacques Derrida. Daniel Libeskind, nascido em 1946, polonês de Lódz, mas naturalizado norte-americano, é o autor do projeto do Museu Judaico de Berlim, assim como da nova torre do World Trade Center.

Peter Eisenman, localizado às proximidades do Portão de Brandemburgo, em Berlim.

Dificilmente alguém conseguirá percorrer de uma única vez todos esses 2.711 blocos de concreto cinza-escuro, quase preto, distribuídos em fileiras paralelas sob uma superfície ondulada. Marcados por uma infamiliar sobriedade, esses blocos não contêm nenhum texto, nome ou foto. Eles têm 2,38 metros de comprimento por 0,95 metros de largura, e a altura varia de 0,2 metros até 4,8 metros. Caminha-se por eles, entre eles, e muitos desses caminhos também são ondulados, o que pode causar uma incômoda sensação de instabilidade. E parece que, de fato, essa foi a intenção do arquiteto, que no texto do projeto descreveu que os blocos foram desenhados "para produzir uma atmosfera confusa e intranquila, e toda a escultura visa representar um sistema supostamente ordenado que perdeu o contato com a razão humana".

Quando da inauguração do monumento, em maio de 2005, em uma entrevista à revista semanal *Der Spiegel*, Peter Eisenman declarou, de maneira peremptória, que sua obra não se referia a "nenhum lugar sagrado". A esse respeito, ele dirá:

> Para mim, é significativo o quanto aprendi durante esse projeto. Ontem vi pela primeira vez como as pessoas caminhavam por entre os blocos, e é espantoso como suas cabeças desapareciam – como se estivessem mergulhadas na água. Primo Levi se refere em seu livro sobre Auschwitz a uma imagem semelhante. Ele diz que os prisioneiros não viviam mais, mas também não estavam mortos. Antes, tinham submergido em uma espécie de inferno pessoal. Enquanto eu via as cabeças desaparecerem no monumento, não pude, imediatamente, deixar de pensar nessa passagem.

> Não se vê, com frequência, pessoas desaparecendo em algo que parece plano.[i]

Percorri, mais uma vez, alguns desses caminhos ondulantes em fevereiro de 2018, sob uma temperatura média de 12 graus negativos, no mesmo momento em que tentava começar a escrever este ensaio. Naquela ocasião, não pude deixar de pensar, subitamente, que Freud, o "judeu sem Deus", de algum modo sinalizou para o sentimento que atravessava meu corpo e meus pensamentos e que talvez resuma a radicalidade desse texto, cuja primeira versão da tradução eu acabara de concluir: o sentimento da mais absoluta perdição, do desamparo inominável, dessa espécie de *unheimlich* que marca o nosso tempo, a nossa época, aquele que a própria razão, que nos é tão familiar, engendra e nos revela – o da crueldade absoluta, da violência sem limites, do direito de matar em nome da suposta garantia de uma vida plena e feliz. Afinal de contas, não é frequente perceber-se a si mesmo desaparecendo em algo que parece plano.

REFERÊNCIAS

BODEI, Remo. *As formas da beleza*. Bauru: EDUSC, 2005.

CIXOUS, Hélène. *La fiction et ses fantômes. Une lecture de l'Unheimliche de Freud. Poétique*, III, 1972, p. 199-216.

ECO, Umberto. *História da feiura*. Rio de Janeiro: Record, 2007.

FOUCAULT, Michel . Qu'est-ce qu'-un auteur?. In: *Dits et écrits*. Paris: Gallimard, 1994. v. I, Texto n. 69.

---

[i] Es ist kein heiliger Ort. Interview mit Mahnmal-Architekt Peter Eisenman. *Spiegel Online*, 10 Mai 2005. Disponível em: <www.spiegel.de>. Acesso em: 21 fev. 2018.

FREUD, Sigmund. A perda de realidade na neurose e na psicose. In: *Neurose, psicose, perversão*. Belo Horizonte: Autêntica, 2016. (Obras Incompletas de Sigmund Freud).

FREUD, Sigmund. *Das Unbegahen in der Kultur*. Frankfurt am Main: Fischer, 1996.

FREUD, Sigmund. Der Realitätsverlust bei Neurose und Psychose. In: *Schriften zur Krankheitslehre der Psychoanalyse*. Frankfurt am Main: Fischer, 1991.

GAY, Peter. *Um judeu sem Deus: Freud, ateísmo e a construção da psicanálise*. Rio de Janeiro: Imago, 2007.

HERDING, Klaus. Einleitung. In: HERDING, Klaus; GEHRIG, Gerlinde (Hg.). *Orte des Unheimlichen. Die Faszination verborgenen Grauens in Literatur und bildende Kunst*. Göttingen: Vandenhoeck & Ruprecht Verlag, 2006.

KOFMAN, Sarah. *Quatre romans analytiques*. Paris: Galilée, 1973.

LINDNER, Burkhardt. Freud liest *Sandmann*. In: HERDING, Klaus; GEHRIG, Gerlinde (Hg.). *Ort des Unheimlichen. Die Faszination verborgenen Grauens in Literatur und bildende Kunst*. Göttingen: Vandenhoeck & Ruprecht, 2006.

ROSENKRANZ, Karl. Ästhetik des Hässlichen. Königsberg: Verlag der Gebrüder Bornträger, 1853. Disponível em: <https://bit.ly/2RD0hM8>. Acesso em: 27 fev. 2018.

VILDER, Anthony. *The Architectural Uncanny. Essays in the Modern Unhomely*. Cambridge: MIT Press, 1992.

O INFAMILIAR, MAIS ALÉM DO SUBLIME

Guilherme Massara Rocha
Gilson Iannini

Em "Considerações contemporâneas sobre a guerra e a morte", que Freud escreve logo após a deflagração da Primeira Guerra Mundial, a ideia de uma marcha autorrealizadora e triunfante do espírito racional, herdada da filosofia das Luzes e reiterada pelas experiências do progresso mercantil e das conquistas técnico-científicas sobre a natureza, tomba vitimada de um ferimento fatal. Uma guerra de proporções continentais, alimentada por máquinas de destruição em massa, e indiferente aos acordos multilaterais de preservação da sobrevivência e dignidade de populações civis, prisioneiros de guerra, equipes médicas e assistenciais e tratados de cessar-fogo, tudo isso por si só ataca em seu fundamento aquilo que poderia restar de qualquer convicção antropológica de uma soberania da razão sobre os instintos, da cultura sobre a barbárie e, no limite, da vida sobre a morte. O que a guerra devasta, pondera o inventor da psicanálise, é a confiança na prevalência das disposições morais, expondo seu avesso perverso, totalitário, fanático. Com Freud, e ainda na aurora do século passado, o polimorfismo perverso da disposição pulsional humana é algo que se poderia demonstrar antes mesmo de se afirmar. Sob o viés político, argumenta ele, a desilusão provocada por uma guerra é ainda mais plena, uma vez que os Estados beligerantes evidenciam coibir nos indivíduos a prática da injustiça e do mal não porque desejem aboli-la, "mas porque querem monopolizá-la" (Freud, 1999 [1915], p. 329). O Estado Austro-Húngaro, desmantelado ao fim e ao cabo do conflito, traz consigo outra desilusão, não menos real, a da miséria.

De acordo com o recenseamento de Peter Gay, o ano 1919, celebrado como aquele em que a obra freudiana promove os primeiros movimentos de sua viragem rumo a uma segunda tópica, é também o ano em que "uma série de tratados ratificou oficialmente o fim dos impérios centro-europeus" (Gay, 1988, p. 349). Em outubro de 1918, Freud escreve a Abraham recordando os "belos dias de Budapeste" (Gay, 1988, p. 345). Após quatro anos sem se encontrarem, em virtude do caos decorrente da guerra, os dois amigos se reúnem aos quase 40 demais participantes do congresso internacional de psicanalistas, realizado em Budapeste, nos dias 28 e 29 de setembro daquele ano. As instalações luxuosas do Hotel Gellért, os lautos jantares, tudo contrastara com a absoluta precariedade das condições materiais em que Freud e sua família viviam desde os primeiros tempos do conflito bélico. A "verdadeira dieta de fome", escreve Freud em seu diário, coexistia com a falta de aquecimento, iluminação e serviços urbanos elementares e com o recrudescimento das epidemias, tais como a gripe espanhola, que vitimaria sua filha Sophie, em janeiro de 1920.

Por seu caráter efêmero, os sabores daqueles dias em Budapeste revelar-se-iam ainda mais acentuados, temperando com pitadas de esperança o porvir da psicanálise, cuja sobrevivência ao mais bárbaro dos episódios que os tempos modernos até então conheceram fora ali também celebrada. Pouco mais de 10 anos depois, em correspondência a Einstein, Freud reafirmaria sua convicção de que a paz e a permanência da cultura são o que há de mais solidário: o edifício da sociedade humana se sustenta em identificações, em "interesses" e "sentimentos comuns", traduzidos nas formas de expressão do compartilhamento de seu trabalho e na prevalência dos bens resultantes, na bela expressão de Goethe, de suas afinidades eletivas. A psicanálise, ali partilhada por pouco mais de 40 discípulos de quatro nacionalidades diferentes, tornara-se uma obra de resistência. Predicado do qual ela jamais se livraria, conforme apontado diversas vezes pela tonalidade própria da argumentação freudiana, e que os tempos presentes ainda reafirmam.[i] Depois de 1919, a doutrina freudiana incorpora aos seus pressupostos a potência da morte, e entrevê discernir-lhe, para além de sua radical opacidade, certos contornos.

A pulsão de morte freudiana, da qual o presente artigo é uma espécie de prelúdio, foi objeto de extensas reelaborações que usualmente buscaram desdobrar seu impacto para a clínica da psicanálise, bem como para a modulação das contribuições analíticas para investigações acerca do campo social. Mas o fato é que naquilo em que esse conceito se forja a partir de um certo trabalho do negativo – a presença na metapsicologia daquilo que não

---

[i] Numa conferência em inglês, em 1938, à rede BBC, Freud novamente recorre à metáfora da guerra para fazer referência às resistências à psicanálise e à resistência da própria psicanálise. Afirma ele, com a voz exausta de um sobrevivente: "[...] in the end, I succeeded. But the struggle is not yet over". Sobre o tema das resistências à psicanálise no mundo contemporâneo, ver ROCHA, Guilherme Massara. Psicanálise descafeinada (In: BATISTA, Glauco; DECAT, Marisa; BORGES, Simone (Org.). *Psicanálise e hospital 5: a responsabilidade da psicanálise diante da ciência médica.* Rio de Janeiro: Wak, 2010), cujo título fora inspirado por uma observação de Slavoj Žižek , acerca do fenômeno contemporâneo de livrar a experiência e o pensamento de tudo que lhe for excessivo e "perigoso", ainda que isso custe desprovê-los de sua substância própria. Ver ZIZEK, Slavoj. *Arriscar o impossível.* São Paulo: Martins Fontes, 2006.

se faz representar diretamente, que desfaz ligações, que resiste a toda apreensão formal, aquilo, em suma, que se apresenta em seu caráter francamente antitético –, "Das Unheimliche" talvez seja o texto que nos coloca diante de certas vicissitudes estéticas da pulsão de morte. O que nos coloca diante da difícil questão das relações entre o *Unheimlich* e a sublimação. É sabido por todos que o prometido artigo metapsicológico sobre a sublimação nunca veio a lume. Dos 12 artigos metapsicológicos planejados no início da guerra, apenas cinco foram concluídos e publicados. Nesse sentido, "O infamiliar" foi redigido no vácuo deixado pelo inexistente artigo sobre sublimação.[i]

Essa questão levanta outra, ainda mais delicada, acerca das relações de continuidade e descontinuidade, concordância e discordância, entre o *Unheimlich* e o sublime. Essa questão divide a literatura especializada em dois polos. De um lado, a crítica literária norte-americana, capitaneada por Harold Bloom, lê o *uncanny* como "a teoria freudiana do sublime" (Bloom, 1981, p. 20), ou ainda como "[a] única contribuição maior que o século XX fez para a estética do sublime" (Bloom, 1981, p. 21).

> O texto "The Uncanny" é o limite para a fase principal do cânone freudiano, que começa no ano seguinte com o *Além do Princípio do Prazer.* Mas, para além de seu lugar crucial nos escritos de Freud, o ensaio é de enorme importância para a crítica literária, porque é a única grande contribuição que o século XX fez para a estética do Sublime. Pode parecer curioso ver Freud como a culminação de uma tradição literária e filosófica que não tinha nenhum interesse particular para ele, mas eu corrigiria essa minha própria declaração, e diria:

---

[i] Conforme observa com precisão Alessandra Martins Parente (2017).

> nenhum interesse consciente para ele. O Sublime, como leio Freud, é uma das suas maiores preocupações reprimidas, e essa sua repressão literária é uma pista para o que eu considero ser uma lacuna em sua teoria da repressão (Bloom, 1981, p. 21).

Um dos pressupostos maiores de Bloom é que o sublime literário é sempre um sublime negativo (Bloom, 1981, p. 31). De outro lado da contenda, estetas e filósofos da arte, mais preocupados em mostrar as descontinuidades e discordâncias entre a perspectiva freudiana do *Unheimlich* e a tradição do sublime. Em favor dessa perspectiva, podem ser arrolados diversos argumentos, mas, principalmente, que a própria a ambientação estética escolhida por Freud, ao eleger Hoffmann como interlocutor e o *Unheimlich* como tema, engendraria uma estética *para além* do belo e do sublime. Não apenas porque Hoffmann representa uma espécie de "romantismo sombrio", que de certa forma antecipa certos aspectos estéticos do realismo, mas também porque, se Freud quisesse falar da "apresentação negativa do infinito no finito", ou seja, do sublime, ele poderia ter tomado um texto de Schiller, Tieck ou Novalis, que representariam melhor essa tradição. Isso porque o sublime, tanto em sua versão kantiana como em sua versão romântica, é ainda *mais metafísico do que o belo*, por pressupor uma metafísica cristã, transcendente, dimensão claramente ausente no texto de Freud. No escopo do presente ensaio, não podemos fazer mais do que descrever o impasse, remetendo o leitor para a literatura especializada.[i]

---

[i] Para uma visão mais detalhada da questão, ver ROCHA, Guilherme Massara. *O estético e o ético na psicanálise: Freud, o sublime e a sublimação*. 2010. 322 f. Tese (Doutorado em Filosofia) – Faculdade de Filosofia, Letras e Ciências Humanas, Universidade de São Paulo, São Paulo, 2010.

***

A tradição do idealismo alemão – cujos objetos transcendentais Freud buscou contornar e cuja *démarche* de separação radical entre razão e natureza a psicanálise jamais pôde subscrever diretamente – tomou, contudo, para si a tarefa de problematizar uma certa dimensão de estranhamento que decorreria de modos particulares da experiência estética e que revelaria, ao menos para alguns filósofos (Kant e Schiller, particularmente), uma abertura para o sentimento ético. Kant afirma que o sublime angustia, ao passo que o belo comove. E a angústia sublime se põe como aquilo que dá evidências de uma incomensurabilidade entre as faculdades do intelecto e do entendimento diante do impacto sensível de algo que as ultrapassa. Contudo, para Kant, mas não para Freud, a angústia no sublime é *superada* pela descoberta do fundamento suprassensível do sujeito.

A proposição de que o sublime angustia (cuja formulação original já se encontra esboçada na obra de Edmund Burke) seria reeditada, com sutis modificações, por autores tais como Schopenhauer e Schiller. Aquilo que suscita angústia e horror – como expressa Freud nos parágrafos iniciais do texto – é o tema por excelência da tradição filosófica do sublime moderno, e que se apresenta claramente em obras que o criador da psicanálise certamente não desconhecia, mas que ali ele parece novamente preferir não abordar. E não por acaso. Afinal, Freud afirma interessar-se justamente por aquilo que teria sido "deixado de lado, negligenciado pela literatura especializada" (neste volume, p. 29).

Qualquer leitor dos capítulos sobre a analítica do belo e do sublime na terceira crítica kantiana, ou da parte relativa à metafísica do belo em *O mundo como vontade e representação*, de Schopenhauer, e que venha a ler

"O infamiliar" não terá dificuldades em constatar como Freud desbrava, solitariamente e com os utensílios de sua metapsicologia, os mesmos territórios, ou, pelo menos, seus *fueros*. Em "Das Unheimliche", Freud busca liminarmente discernir, a partir de temas clínicos ou estéticos, um regime de afecções que cingem o sujeito com a tarefa de nomear, designar ou elaborar algo que nele não se faz representar positivamente, a despeito do fato de sobre ele recair com o peso da repetição, essa inquietante modalidade de determinação, passível de contornos performativos estéticos e que só poderia evocar uma ética na vertente do desamparo... "Das Unheimliche" é um pequeno tratado que visa também, por meio das alquimias metapsicológicas, divisar a enigmática amálgama do devir ético do sujeito a partir de suas modalidades de expressão estética. Os desdobramentos do interesse freudiano por aquilo que ele designa como núcleo do angustiante passam a exigir um solo "empírico" de tratamento. A fim de delimitar com maior precisão a especificidade do fenômeno ali abordado, Freud elege um interlocutor singular. E o recurso ao conto de E. T. A. Hoffmann, "O Homem da Areia", talvez tenha surpreendido os leitores de Freud mais habituados às suas predileções clássicas em matéria de arte. A literatura fantástica engendra, conforme Todorov, um efeito de vacilação no plano do sentido causal da narrativa, que a ela impõe uma ação pendular entre os planos da causalidade natural e outra ordem fenomenal (Todorov, 1985, p. 16). Isso que irrompe e que segmenta o ordenamento processual dos elementos narrados é de uma ordem "sobrenatural", e daí decorre seu efeito estético de produzir no leitor o sentimento do infamiliar. Esse outro plano de ocorrências – que na literatura fantástica não necessariamente se dá como plano de sentido – é engenhosamente apropriado por Freud como aquilo que dá expressão à causalidade inconsciente. Roger Caillois diria que o fantástico rompe uma ordem reconhecida e introduz algo "inadmissível no seio da inalterável legalidade cotidiana" (Caillois, 1965, p. 161). A fratura induzida no plano do reconhecimento se estenderia, conforme a interpretação freudiana de "O Homem da Areia', também para o plano das identidades, revelando outras perspectivas de leitura para os fundamentos dos conflitos vividos pelo personagem Nathanael. Todorov critica um certo psicologismo presente na leitura freudiana de Hoffmann, que se traduziria em de certa forma deduzir o conteúdo narrativo a partir de motivos inconscientes do autor. "A literatura se acha então reduzida à fila de simples sintoma, e o autor se transforma no verdadeiro objeto de estudos" (Todorov, 1985, p. 79). Contrariamente, entretanto, ao estudo freudiano sobre Leonardo da Vinci, prenhe de considerações psicobiográficas, em "O infamiliar", a alusão aos motivos do autor é breve e não impacta a abordagem do texto. Nesse sentido, trata-se de um exercício metapsicológico mais próximo daquele que Freud empreende em seu estudo sobre a *Gradiva*, de W. Jensen, em que a arquitetura interna da narrativa é o objeto da investigação. Ao contrário, ainda, da inclinação de Todorov para reconhecer na leitura de Freud um exercício de interpretação que "deve se dar na língua das imagens" (Todorov, 1985, p. 79), cabe ao leitor perceber em que medida os elementos significantes são aqueles que determinam a direção dos principais apontamentos de Freud. Rastreando efeitos de deslizamento significante no texto de Hoffmann, que interconectam nomes próprios, objetos e ofícios, Freud evidencia em que medida as operações da linguagem são aquelas por meio das quais o "sobrenatural" se traduz em formações do inconsciente, cuja gramática é preciso saber decifrar. A preponderância do elemento sexual na determinação dos conflitos do protagonista de "O Homem da Areia" é também frisada, e Freud não economiza em fazê-la remontar, num ponto preciso, às bases de sua teoria do complexo de Édipo. No limite, é a dimensão do irrepresentável – que a estética fantástica performa com a roupagem do sobrenatural – aquela que Freud quer tornar objeto de uma ciência particular, a ciência do inconsciente.

Em "O infamiliar", o leitor de Freud, acostumado a ser conduzido, quase pela mão, por um labirinto de proposições e argumentos com os quais seu guia exibe incomparável familiaridade, e brindado, durante o trajeto, com as mais nítidas paisagens, que lhe são generosamente apontadas, ali se surpreende, numa palavra, desamparado. Freud ali percorre um trajeto sinuoso, no interior do qual, todavia, ele parece algo desorientado. Um vasto material é abordado, detalhadamente inclusive, mas sem o tratamento que, de costume, recupera e expõe detalhadamente os argumentos e conteúdos a serem debatidos, hierarquizando-os, reformulando-os e deles extraindo, um a um, os elementos que usualmente se reúnem em proposições claras e bem definidas. De forma curiosamente inquietante, "O infamiliar" é um texto fraturado, reiteradas vezes interrompido bruscamente, e que parece sonegar ao leitor um norte, um fio condutor ou mesmo um apoio acerca de seus propósitos fundamentais, produzindo no leitor o efeito que ele próprio descreve.

"O psicanalista apenas raramente se sente estimulado a investigações estéticas", escreve Freud no início de seu texto,

> mesmo que ele não restrinja a estética à doutrina do belo, mas a descreva como a doutrina das qualidades do nosso sentir. Ele trabalha com outras camadas da

> vida anímica e tem pouco a fazer com as emoções inibidas quanto à meta, sufocadas, dependentes de um grande número de constelações concomitantes, as quais, em geral, constituem a matéria da estética (neste volume, p. 29).

Se há uma estética freudiana, portanto – ou uma doutrina das qualidades do sentir –, o fato é que ela não poderia nutrir-se apenas dos conteúdos que advêm da função do belo nem recuar de se debruçar sobre algo que se descortina mais além dessa função, e no âmbito, se não dos fundamentos do gosto, particularmente daquele das moções pulsionais sublimadas, inibidas em seu objetivo. "O infamiliar", tal como Freud designa o ponto em que se insere sua investigação estética, provém do "aterrorizante", ou do que "suscita angústia e o horror" (p. 29). A angústia aqui se revela dotada de um "núcleo" estético, algo "que permite diferenciar, no interior do angustiante, algo "infamiliar" (p. 29). Dois aspectos se destacam ainda na passagem acima. A correlação que Freud entrevê entre os destinos dos objetos pulsionais sublimados e a trama sobredeterminada ("constelações concomitantes") de motivos em que eles se inserem, que certamente não poderia ser esgotada pela análise. De um só golpe, entretanto, Freud parece quase nomear a função estética que lhe interessa, ao afirmar:

> A esse respeito, nada encontramos nas meticulosas exposições da estética, as quais, em geral, ocupam-se de preferência dos sentimentos belos, grandiosos, atraentes, ou seja, dos sentimentos positivos, de suas condições e dos objetos que eles evocam, em vez dos contraditórios, repugnantes, penosos (p. 31).

Ao cabo de uma minuciosa discussão etimológica, que atravessa várias línguas e diversas eras da história da língua alemã, Freud faz convergir para um mesmo horizonte uma constatação linguística e uma proposição psicanalítica. *Unheimliche*, o infamiliar núcleo do angustiante, é um predicado diversas vezes confundido com aquele que decorre da palavra que deveria servir-lhe de antônimo: *heimlich*, o familiar, o já conhecido. *Heimlich*, tal como Freud constata em sua investigação terminológica, é um adjetivo derivado do substantivo *Heimlichkeit* – familiaridade –, mas que não raramente é empregado em sentido oposto, como sinônimo de *unheimlich*. Visivelmente instruído por suas ideias acerca do tratamento metapsicológico da angústia – cuja relação com o estranhamento e com o enigmático recobre frequentemente a ação do recalque, da subtração à consciência de um incômodo pensamento ou desejo –, Freud ali articula o sentimento de estranheza e de inquietude própria ao infamiliar como um sintomático avesso do familiar esquecido.

> De todo modo, lembremos que essa palavra *heimlich* não é clara, pois diz respeito a dois círculos de representações, os quais, sem serem opostos, são, de fato, alheios um ao outro, ao do que é confiável, confortável e ao que é encoberto, o que permanece oculto (p. 45).

O sentimento do infamiliar, cujos contornos metapsicológicos Freud se desdobraria em fornecer, superpõe-se a uma experiência de difícil apreensão na esfera do conceito, cuja marca fundadora é mesmo a do paradoxo de uma polaridade, uma "ambivalência",[i] uma clivagem sem

---

[i] "Em suma, familiar (*heimlich*)", escreve Freud ao final da primeira seção de seu artigo, "é uma palavra cujo significado se desenvolveu segundo uma ambivalência, até se fundir, enfim, com seu oposto, o infamiliar (Unheimlich)" (p. 47-49).

oposição. Tal paradoxo faz mesmo evocar não apenas aquele do ânimo do sublime, em que os elementos contrários coexistem estranhamente – o prazer e a dor; o fracasso da imaginação e o triunfo da razão; os sentimentos de pequenez, insignificância e morte; mas ainda aquilo que estaria *para além* do sublime. Como nota, aliás, Jean-Luc Nancy, a incorporação do sublime à beleza, própria à arte contemporânea do século XX, refere-se ao que sua imagem produz de impressão de inconformidade a si própria.[i] Esta fusão do belo e do sublime, nunca realizada "sem restos", remete a uma ruptura na própria história da estética, de que o conto de Hoffmann e o comentário de Freud são testemunhas.[ii]

Com efeito, Freud encontra na novela de E. T. A. Hoffman, "O Homem da Areia", uma plêiade de situações nas quais o infamiliar se manifesta, mormente associadas ao fantástico, ao sinistro e ao "âmbito do duplo" que "em todas as suas gradações e formações" concerne ao "aparecimento de pessoas que, por causa da mesma

---

[i] Para mais detalhes, ver IANNINI, Gilson; SOUSA, Vinicius B. C. De uma subjetivação forçada: a fusão do belo e do sublime na sublimação lacaniana. *Artefilosofia*, n. 23, p. 192-217, 2017.

[ii] Conforme nota Alenka Zupancic, "na história da estética – ou bem na história do julgamento estético – o sublime tomou o lugar do belo, de modo que hoje se emprega a palavra 'belo', no sentido enfático do termo, precisamente para as coisas sublimes, ao passo que o outro sentido da palavra 'belo' (uma forma harmoniosa) perdeu seu valor de julgamento estético, caindo na categoria do que Kant chama agradável. Nesse último caso, o belo se torna o equivalente do 'gracioso': agradável para ver, calmo para os olhos ou para o espírito, sem mais. A grande 'descoberta' do sublime no curso da segunda metade do século XVIII não seria então simplesmente a descoberta de outra coisa além do belo, mas bem no índice de uma revolução que a própria noção de belo sofreu, tanto quanto a nossa sensibilidade 'estética' (ZUPANCIC, 2002, p. 15).

aparência, devem ser consideradas como idênticas" (p. 69). O fantástico é o elemento que, na qualidade de ferramenta literária, promove uma descontinuidade no encadeamento lógico-causal de uma narrativa, e se vê representado sobremaneira por um evento que não se pode deduzir do cenário ou contexto em que se produz. O fantástico é ainda um recurso por meio do qual um elemento "mágico", suprassensível, é introduzido na experiência, e dele decorre a sensação do infamiliar. O infamiliar, analogamente, é a atmosfera, o véu com o qual o escritor apresenta e esconde o horrível, o abjeto, o imoral, ou o imponderável. O infamiliar, portanto, parece coincidir com algo que já se sabe e que, a despeito de ser desagradável admitir, nalgum momento será revelado, ou melhor, reiterado.

O duplo, por sua vez, parece aos olhos de Freud um fenômeno mais complexo e ligado, por um lado, "[à] identificação com uma outra pessoa, de modo que esta perde o domínio de seu Eu ou transporta o Eu alheio para o lugar do seu próprio" (p. 69), resultando em circunstâncias de "duplicação do Eu, divisão do Eu, confusão do Eu (p. 69)". O duplo, assim como o infamiliar que lhe é correlativo, refere-se justamente à expressão do não idêntico no seio da identidade, fazendo desmoronar a unidade ali imaginariamente suposta e mantida. O duplo é o efeito por meio do qual, sugere Freud, o sujeito é levado, no limite, a se reconhecer estranho a si próprio.[i] O "motivo do duplo", ao qual seu discípulo Otto Rank

---

[i] Nesse mesmo artigo, Freud explicitaria uma de suas mais conhecidas alegorias acerca do duplo, que advém quando, durante uma viagem de trem, ele reconhece perplexo, num espelho da cabine, sua própria imagem refletida, mas não sem antes tê-la confundido com a presença estranha e inquietante de um passageiro que, por engano, teria irrompido no interior de seu habitáculo (p. 103).

teria consagrado um livro, Freud o faz remontar a uma origem metapsicológica precisa. Escreve ele:

> Na origem, o duplo era uma garantia contra o declínio do Eu, um "enérgico desmentido do poder da morte" (O. Rank), e, provavelmente, a alma "imortal" foi o primeiro duplo do corpo (p. 69).

Nesse sentido, Freud articula o duplo à angústia de castração representada pelo real da morte – cujas figuras promovem, na literatura, a sensação do infamiliar –, e seu aparecimento é interpretado à luz de seu conhecido argumento, referente à gênese narcísica do Eu. Nesses tempos míticos, de plenitude narcísica, cada fragmento da realidade era compreendido como um desdobramento da onipresença do Eu, e a angústia de castração, que advém num dado momento da organização psicossexual, é tributária do reconhecimento da alteridade. Originariamente assimilado ao próprio, o outro, ao se diferenciar, parece manter com o eu uma inquietante e paradoxal relação, na qual identidade e não identidade devem coexistir num mesmo sujeito. Todavia, argumenta Freud,

> essas representações surgiram no campo do ilimitado amor por si mesmo, o narcisismo primário, que domina a vida anímica das crianças assim como a dos primitivos, e, com a superação dessa fase, os presságios do duplo se modificam, e de uma segurança quanto à continuidade da vida, ele se torna o *infamiliar* mensageiro da morte (p. 71).

Esse aspecto é crucial e deve ser cuidadosamente retido. Pois, no contexto das qualidades do sentir em sua acepção freudiana, seu núcleo (des)organizador é justamente aquele que advém através de uma experiência de não identidade, de resistência de um elemento à sua subsunção na esfera do mesmo, representada pelas qualidades do Eu. No cânone da literatura fantástica, exemplarmente, tal representação do duplo é a que se dá aos moldes de um *Dr. Jekyll & Mr. Hyde*, em que a irrupção de uma forma de gozo irredutível aos preceitos de uma identidade individual faz signo do pavor, do infamiliar, e ainda, liminarmente, daquilo que há de fictício no estabelecimento mesmo da figura de uma identidade individual.[i] Nesse mesmo contexto, vale lembrar, a figura da aberração ou, como lembrara Freud, do "repulsivo" é aquela que fere a forma tangível do belo e, não poucas vezes, também a do bem. Ali, a perversão e a degeneração patológica são o que se esgueira sob o véu de uma moralidade inatacável, muitas vezes exemplar e acima de quaisquer suspeitas. O duplo torna-se signo sensível da lembrança da vontade, da tensão inalienável entre *pathos* e *ethos*. Ou ainda, como lembra Alenka Zupancic, signo da satisfação pulsional, "do lugar êxtimo e forçosamente *unheimlich* do gozo do sujeito" (ZUPANCIC, 2002, p. 54).

Outro curioso exemplo do qual Freud se serve em sua análise do sentimento do infamiliar é aquele que ele mesmo designa – numa alusão provável a Nietzsche – de

---

[i] Num interessante recenseamento acerca das confrontações terminológicas e conceituais prevalentes no âmbito do debate sobre o sublime contemporâneo, Simon Morley brevemente discute o modo de apropriação do infamiliar (*Uncanny*). Escreve ele: "*The Uncanny picks up on aspects of the terror-sublime, emphasizing the conditions whereby in addressing the experience we are also confronting a strange and often unsettling otherness*" (O Infamiliar cisca em aspectos do sublime-terror, enfatizando as condições através das quais, ao abordarmos a experiência, estamos também confrontando uma estranha e frequentemente inquietante alteridade) (MORLEY, Simon. The Contemporary Sublime. In: MORLEY, Simon (Org.). *The Sublime: Documents of Contemporary Art*. London: Whitechapel Gallery; Cambridge, MA: The MIT Press, 2010. p. 20).

"eterno retorno do mesmo" (neste volume, p. 69; ver também p. 119-120, nota 15). Novamente intervém em sua *démarche* a narrativa de uma experiência individual, desta feita vivida na Itália, o paraíso dos sublimes enlevos do criador da psicanálise. No curso de uma caminhada pelo centro de uma pequena vila italiana, possivelmente durante uma viagem de férias, Freud, que andava a esmo, subitamente se depara com uma rua estreita cujas casas eram dotadas de janelas facilmente devassáveis pelo olhar curioso do turista. Estranhamente, nestas, só o que se podiam ver eram "mulheres maquiadas", e, tomado de pavor, Freud se apressa em deixar essa ruazinha no primeiro cruzamento. Escreve ele:

> Mas, depois de um tempo em que vaguei sem direção, encontrei-me, subitamente, de novo na mesma rua, onde, então, levantei os olhos e chamou-me a atenção que meu apressado afastamento teve como consequência ter tomado, pela terceira vez, um novo desvio. Contudo, então, experimentei um sentimento que eu poderia apenas caracterizar como sendo da ordem do *infamiliar*; fiquei feliz por ter renunciado a fazer outras descobertas nessa viagem quando, rapidamente, já estava de volta à *piazza* de onde havia saído (p. 75).

O elemento a ser destacado aqui não é outro senão aquele de ser submetido a uma compulsão à repetição de uma experiência de caráter, se não propriamente desprazeroso, ao menos ambivalente. Esse movimento, que Freud não hesita em chamar de "demoníaco", reaparece como elemento clínico de destaque na análise das psiconeuroses, particularmente sob a forma de pensamentos e/ou sentimentos de cunho obsessivo, que parasitam a consciência e o ânimo dos sujeitos com conteúdos incompreensíveis e inquietantes, e cuja origem lhes parece absurda. O exemplo mobilizado por Freud conduz a outra nuance do infamiliar, expressa pelas figuras femininas maquiadas, cuja imprevisibilidade e imponderabilidade contrastam, em parte, ao menos, com a irrupção do elemento sexual. Não por acaso, a alusão bastante explícita ao fato de ter se deparado com um reduto local de prostituição – e principalmente do efeito de angústia gerado pela estranha sensação de aproximação contínua daquilo de que, conscientemente, deseja-se distanciar-se – não impede, todavia, que tais mulheres representem, no âmbito geral dos argumentos do artigo, um elemento de não identidade, veiculando a ruptura com a "legalidade cotidiana" (da consciência, dos esforços de unidade identitária promovido pelo arranjo identificatório do Eu) que Freud aproxima, via literatura fantástica, da irrupção do desejo inconsciente. Não custa lembrar que, apenas um ano antes, ao examinar o tabu da virgindade, Freud afirmaria que "talvez esse horror [à mulher] esteja justificado pelo fato de a mulher ser diferente do homem, eternamente incompreensível e misteriosa, estranha (*fremdartig*), e por isso parecer hostil" (Freud, 2018, p. 163). Esse passo do desconhecido ao hostil é aqui essencial e decorre do fato de que a disposição para a angústia mostra-se mais intensa em situações inabituais, "que tragam consigo algo novo, inesperado, incompreensível, infamiliar [*Unheimliches*]" (Freud, 2018, p. 162).

Dessa aventura italiana Freud recolheria ainda o signo do desamparo. Um "sentimento de desamparo" e de "infamiliaridade" (neste volume, p. 75), que decorre da desconfortável sensação de estar sob o jugo de um destino inexorável, e aparentado ainda, talvez, com as vicissitudes do sublime dinâmico, relativo à incomensurabilidade do real e de sua insondável perfídia, cuja clava recai sobre a existência com o peso da necessidade ou, no limite, da fatalidade. Nada mais estranho e aversivo à onipotência do eu, constrangido ao reconhecimento de sua fragmentação interna e de seu rebaixamento no âmbito do domínio da realidade. O golpe ao narcisismo humano é um golpe que na verdade se desdobra em dois: um que tem por alvo a explicitação da finitude, do limite ao gozo pleno, e outro que, neutralizando as pretensões de uma coerência identitária, confronta o sujeito com o desamparo, com a contingência à qual sua existência é livrada. Aqui a figura da morte é também aquela que se desdobra sob as formas da anulação do eu e da supressão da vida. O que, liminarmente, reabre para essa discussão de teor estético o horizonte ético para o qual ela ruma, a saber, aquele dos motivos morais, que se impõe a partir da constatação do desamparo.

Nesse momento de seu texto, a despeito dos longos circunlóquios e dos vaivéns de sua argumentação, Freud é capaz de reafirmar o fundamento do sentimento do infamiliar como aquele que recobre, "sob uma fina coberta", nossa relação com a morte. Para ele, o peso da proposição segundo a qual "todos os homens devem morrer" torna-se o gatilho para a mais nuclear das angústias, e motivo das elucubrações científicas acerca da perpetuação da vida biológica, assim como das preocupações políticas e religiosas relativas à sustentação da "ordem moral entre os seres vivos". A psicanálise, que pouco pode contribuir para a elucidação científica das fronteiras biológicas da vida, teria, todavia, muito a oferecer acerca do debate deflagrado pelos efeitos, sobre a experiência do desejo e da vida moral, das imposições das "flechas do destino" e das vicissitudes imperiosas da natureza sensível humana, aqui transfiguradas no bojo das exigências pulsionais. Como fazer-se sujeito, poder-se-ia perguntar, num cenário trágico, de flagrante assujeitamento ao não idêntico que parasita a constituição individual e de horror frente à angústia de morte? Como alcançar a liberdade num oceano cuja trágica necessidade é mimetizada pelas vagas dos imperativos de gozo que fraturam a forma reconciliadora do caráter individual, pelas tormentas de uma vitalidade que se extingue a cada dia, e pela violência com que o destino afaga o conjunto das almas, as nobres não menos que as torpes? (O crítico de arte norte-americano Thomas McEvilley argumenta, acerca desse ponto, nele incidir "o súbito e arrepiante [*hair-raising*] terror do sublime, que vai além de todo humor de autocongratulação". Aqui, o sublime avança na direção do delineamento do informe. Todavia, insiste o autor, "focando no infamiliar [*uncanny*] mais do que no sublime, você inverte a direção. Mais do que abordar o mais-além informe, você propõe mostrar aquela forma da qual a vida acaba de partir, ou talvez esteja por um triz de partir, no interior desse hipotético mais-além. Então você está mostrando a pequena realidade formal dentro da qual o sublime está ingressando" (McEvilley, 1992, p. 203). Nesse sentido se pode dizer que o infamiliar talvez seja mesmo a resultante dos modos de incidência do real no âmbito de uma realidade simbolicamente cartografada, ou o conceito que visa apreender, no interior mesmo da experiência, as fraturas de sua representabilidade, de sua aptidão narrativa, liminarmente, de sua figurabilidade.[i]

Antes ainda de seus parágrafos finais, em que o horizonte ético do debate é novamente aludido, Freud observa, sob a perspectiva estética, que o infamiliar parece decorrer

---

[i] Procurei tratar detidamente desse tema em ROCHA, Guilherme Massara. Representabilidade e processos miméticos no inconsciente freudiano: entre o estético e o ético. In: POLI, Maria Cristina; MOSCHEN, Simone; LO BIANCO, Anna Carolina. *Psicanálise: política e cultura*. Campinas: Mercado das Letras, 2014. p. 73-82.

de imagens grotescas, tais como aquelas de fragmentação do corpo humano – "membros cortados, uma cabeça decepada, uma mão separada do braço [...], pés que dançam sozinhos" (p. 93). Tudo isso é "extremamente *infamiliar*" e remete ao horror diante do "complexo de castração".[i]

***

Naquela que se transformaria na mais célebre de suas pinturas, Pablo Picasso retrata os horrores da guerra, aqui deflagrados pelo episódio do bombardeio de Guernica, pequena cidade espanhola, pela força aérea de Hitler, em abril de 1937. Hitler, que apoiava as forças revolucionárias daquele que viria a se tornar o maior ditador da história da Espanha, o general Francisco Franco, promove um massacre na pequena vila catalã, cujas fotos, publicadas na revista francesa *Ce Soir*, chegam às mãos de Picasso um mês após os acontecimentos que as suscitaram. Na ocasião, o pintor espanhol, que vivia na capital francesa, acolhe o convite para expor uma obra no pavilhão da Espanha na Exposição Internacional de Paris como "uma tentativa de forçar o apoio das potências democráticas em favor da República" (Picasso, 2007, p. 81), frente às ameaças representadas pela aliança entre o Eixo e o general Franco. Sobre essa tela de enormes proporções (351 cm × 782,5 cm), Picasso afirma não ter sido feita "para decorar as moradias. É um instrumento de guerra ofensiva e defensiva contra o inimigo" (p. 25). Ou, ainda de forma mais enfática, "um

[i] Noutro de seus conhecidos argumentos, Freud já havia remetido a natureza desconfortável da visão de partes do corpo apresentadas separadamente ao tema da angústia de castração, dessa feita em sua acepção mais elementar, relativa ao medo da perda do pênis.

grito na parede" (p. 82). Seus contornos monocromáticos são referidos às fontes fotográficas que lhe serviram de base, e mesmo àqueles utilizados por Goya, em *Os desastres da guerra*.

A combinação de motivos cubistas com elementos surrealistas confere à obra seus contornos estéticos principais, para além dos quais a *Guernica* engendra ainda seu "sentido atemporal" e constitutivo de uma "alegoria universal contra a guerra" (p. 82). O caráter tenso e claustrofóbico da tela, saturada de elementos dentre os quais se destacam os que decorrem da mutilação – o estranho sentimento, como lembrara Freud, derivado da percepção da morte que se esgueira por trás da imagem do corpo desfigurado –, coexiste, todavia, com aspectos da representação do trágico, tal como aquele da expressão de profunda agonia da mulher que carrega o filho morto no colo. Os olhos que se confundem com lágrimas e a força mimética do grito voltado para os céus fazem-se ouvir como figurações do desamparo, ou de um horror infamiliar, do qual a obra não retém senão o rastro. Essa imagem, uma "Piedade dolorosa" (p. 83) e de profunda ressonância com a iconografia cristã, parece, no limite, aludir à própria desrazão do destino, desprovido de quaisquer garantias transcendentes de soberania do bem, da paz, da vida. Picasso mesmo reconhece, em entrevista a um jornalista norte-americano, que o touro alude às trevas e à brutalidade, assim como o cavalo, expressão selvagem e visceral do sofrimento e do desamparo humanos. As pálidas imagens luminosas – o lustre e o candeeiro – não parecem oferecer consolo, esperança ou reconciliação com o desastre que ali se esboça.

A observação de Freud, que alude ao estranhamento diante do corpo fragmentado, poderia ser ainda remetida à experiência pulsional. Sob a égide da organização libidinal e dos arranjos identificatórios, o curso do desenvolvimento psicossexual promove o acesso individual a uma imagem articulada do corpo próprio. Lacan, em seu artigo capital "O estádio do espelho como formador da função do Eu", assinala que o processo identificatório é aquele que produz no sujeito uma "transformação", na medida em que ele "assume uma imagem" (Lacan, 1998 [1949], p. 97). Pois, como Freud havia lembrado em seus estudos sobre a sexualidade infantil, a criança usufrui de uma satisfação pulsional perversa e polimorfa, que toma por objeto diferentes regiões e superfícies de um corpo esquadrinhado em zonas erógenas. Nesse sentido, a assunção da imagem de si e o ordenamento da satisfação pulsional sob a égide dos órgãos genitais é uma importante conquista da cultura, como ele afirmaria em *Além do princípio de prazer.* Lacan, por seu turno, observa que

> a forma total do corpo pela qual o sujeito antecipa numa miragem a maturação de sua potência só lhe é dada como *Gestalt*, isto é, numa exterioridade em que decerto essa forma é mais constituinte do que constituída, mas em que, acima de tudo, ela lhe aparece num relevo de estatura que a congela e numa simetria que a inverte, em oposição à turbulência de movimentos com que ele experimenta animá-la (Lacan, 1998 [1949], p. 98).

A miragem, essa imagem que retorna do espelho, é alcançada, em sua função plena, sob a forma de uma exterioridade. A imagem que o eu reconhece como própria, e que integra a organicidade e a dinâmica corporal que, nos primórdios, é vivida como fragmentária, é uma imagem do eu apreendido como objeto. Curioso notar como Lacan insiste no caráter constituinte da forma – cujos fragmentos são os pedaços do corpo com os quais a libido infantil entrevê sua satisfação – e que é "congelada" pela ação da linguagem, que ordena, nomeando-o, o corpo como unidade passível de uma apreensão simétrica. Mas, para a criança, essa imagem, conforme observa Tania Rivera, "não é exatamente o que o espelho lhe mostra: ela está além e surge, como sujeito, em um lugar incerto e móvel" (Rivera, 2007, p. 20). A turbulência de seus movimentos, todavia, é a tensão pulsional que permanece subjacente à coerência identificatória, e cuja ação parcial, fragmentária, descontínua, subsiste no inconsciente. Noutro trabalho, Rivera, ao comentar essa passagem do artigo freudiano, salienta que

> a imagem convoca a imagem corporal, constitutiva do sujeito, que é ao mesmo tempo narcísica e mortífera, pois reinsere de maneira insidiosa a castração, remetendo ao que não é visível, pois é exatamente o que falta à imagem, ao mesmo tempo em que a sustenta (Rivera, 2006, p. 321).

O retorno da fragmentação corporal sob a forma da imagem exterior é revivido como angústia de castração, assinala Freud. Talvez por remeter à perda da "potência", como lembra Lacan, ou à finitude do gozo e à inexorabilidade da morte. Mas dificilmente se pode deixar de pensar na angústia como relativa à perda da conquista simbólica sobre o desregramento da pulsão e do imaginário, ou no horror, na inquietação diante de um vislumbre do objeto da pulsão parcial, do caráter polimorfo da satisfação pulsional que o recalque procura deter. Reaparece ali, como assinala Stéphane Huchet a propósito de Picasso, o índice da "desconstrução do corpo" (Rivera; Safatle, 2006, p. 113). Pode-se suspeitar que, nessa anotação, Freud quase deixa entrever, por oposição à inquietude da dispersão pulsional e da fragmentação do corpo, uma apreensão latente do belo, compreendida classicamente, como captura da unidade da forma. A forma de arte que ele mais apreciava era, de certa maneira, especular, figurativa. O fragmento que não se integra na *Gestalt* de uma imagem humana traz à tona a inquietante assimetria de sua dispersão pulsional, informe, não identitária. Caso tivesse insistido um pouco mais nos desdobramentos estéticos dessa sua intuição, Freud talvez tivesse afinal compreendido por que era tido como "santo padroeiro" pelos surrealistas,[i] esses artífices de uma estética que ele se dizia incapaz de entender.

A tese central, arduamente esboçada, de que o *unheimlich* provém do *heimlich* recalcado é mantida até o final do artigo. Mas Freud reconhecia que, a partir do momento em que a investigação se aprofundasse no âmbito da teoria estética, essa tese seria susceptível de ter sua validade interpelada. De fato, como se procurou aqui argumentar, o infamiliar não parece ser passível de uma redução plena ao já sabido, ao pensamento inconsciente e recalcado, pois que ele se refere também ao impensável, ao paradoxo, e à ambivalência do afeto que decorre da natureza disruptiva das pulsões. A solidão, o silêncio e a obscuridade, os três elementos com os quais Freud arremata seu recenseamento a propósito do infamiliar, aparecem, no apagar das luzes do texto, como aqueles que fazem reaparecer a dimensão do desamparo. Reacendendo, ainda, a questão ética, relativa à exigência de um posicionamento diante da morte, do desamparo e do estrangeiro.

---

[i] Ver comentário de Freud a Stefan Zweig, a propósito da visita que lhe prestara o "jovem espanhol", Salvador Dali, em FREUD, Sigmund; ZWEIG, Stefan. *Correspondance*. Paris: Rivages, 1991, p. 128.

Nesse artigo multifacetado, ética, estética, clínica e metapsicologia se interpolam e se dissociam, na justa proporção de uma *démarche* que talvez não fosse exagerado designar como dialética. Confrontado permanentemente com os planos tensionados de seu dualismo, vida e morte, unidade e dispersão, determinismo e indeterminação seriam apenas alguns dos planos antitéticos sobre os quais se joga o insofismável jogo das pulsões. Cumpre lembrar como a atividade pulsional, tão fartamente explorada nesse artigo, conjuga em proporções sempre singulares o excesso informe que condiciona sua fonte inesgotável e as formas ou formações (estilísticas, psicopatológicas, sociais) por meio das quais algumas parcelas de seu movimento se fazem representar.

REFERÊNCIAS

BLOOM, Harold. Freud and the Poetic Sublime. A Catastrophe Theory of Creativity. In: MEISEL, Perry (Ed.). *Freud: A Collection of Critical Essays*, 2014.

CAILLOIS, Roger. *Au cœur du fantastique*. Paris: Gallimard, 1965.

FREUD, Sigmund. (1915). Zeitmässes über Krig und Tod. In: *Gesammelte Werke – Chronologisch geordnet*, v. X. Frankfurt am Main: Fischer Verlag, 1999.

FREUD, Sigmund. (1987 [1908-1938*]). Correspondance Sigmund Freud - Stefan Zweig.* Trad. G. Hauer e D. Plassard. Éd. H. U. Lindken. Paris : Rivages, 1991.

FREUD, Sigmund. *Amor, sexualidade, feminilidade*. Belo Horizonte: Autêntica, 2018.

GAY, Peter. *Freud: uma vida para nosso tempo*. Tradução de Denise Bottmann. São Paulo: Companhia das Letras, 1988.

HUCHET, Stéphane. O friso do inconsciente – "jaculações" contemporâneas. In: RIVERA, Tânia; SAFATLE, Vladimir. *Sobre arte e psicanálise*. São Paulo: Escuta. 2006.

LACAN, Jacques. O estádio do espelho. In. *Escritos*. Rio de Janeiro: Jorge Zahar, 1998.

McEVILLEY, Thomas; KELLEY, Mike. Conversation (1992). In: MORLEY, Simon (Org.). *The Sublime: Documents of Contemporary Art*. London: Whitechapel Gallery; Cambridge, MA: The MIT Press, 2010.

MORLEY, Simon (Org.). *The Sublime: Documents of Contemporary Art*. London: Whitechapel Gallery; Cambridge, MA: The MIT Press, 2010.

NANCY, Jean-Luc. The Sublime Offering. In: COURTINE, Jean-François *et al*. *Of the Sublime: Presence in Question*. New York: State of University New York Press, Albans; 1993.

PARENTE, Alessandra Martins. *Sublimação e Unheimliche*. São Paulo: Casa do Psicólogo, 2017.

PICASSO, Pablo. *Coleção Folha Grandes Mestres da Pintura*. Coordenação e edição de *Folha de São Paulo*. Tradução de Martin Ernesto Russo. Barueri: Editorial Sol, 2007.

RIVERA, Tânia. Ensaio sobre a sublimação. *Discurso – Revista do Departamento de filosofia da USP*, São Paulo, n. 36, p. 313-326, 2006.

RIVERA, Tania. O sujeito na psicanálise e na arte contemporânea. *Psicol. clin.*, Rio de Janeiro , v. 19, n. 1, p. 13-24, 2007. Disponível em: <https://bit.ly/2WIgzTS>. Acesso em: 26 out., 2018.

ANIMISMO E INDETERMINAÇÃO EM "DAS UNHEIMLICHE"

Christian Ingo Lenz Dunker

"Das Unheimliche", o pequeno artigo de 1919 que agora o leitor tem em mãos, em versão bilíngue, pode ser considerado uma verdadeira encruzilhada de três caminhos no interior da obra freudiana. Ele retoma e ajusta contas com a antropologia expressa em *Totem e tabu*, cujo problema central é o papel do totemismo e do animismo. Ele também antecipa a nova teoria das pulsões, marcada pela acentuação do papel da repetição e da angústia, que virá à luz, um ano depois, em *Além do princípio do prazer*. Finalmente, ele é um ancestral metodológico do texto sobre "A negação", de 1925, no qual Freud faz a análise discursiva das negações e dos tipos de juízo existencial e valorativo.

Em carta a Ferenczi, de 12 de maio de 1919, Freud relata que retomou um antigo manuscrito do fundo do baú. De fato, uma nota de rodapé de "O infamiliar" indica que o problema do *unheimlich* já fazia parte das intelecções freudianas antes mesmo da redação de *Totem e tabu*, entre 1911 e 1914. O tema sintetiza literariamente a ampla gama de fenômenos mágicos, místicos, semirreligiosos e sobrenaturais que ocupou parte decisiva da colaboração e da dissensão com Jung. O infamiliar é assim um reexame do paradigma do "modo animista em geral de pensar", mas também uma interrogação sobre o estatuto da verdade e da realidade em psicanálise, bem como um exemplo maior do exercício da análise lógica das negações. O sentimento de infamiliaridade indicaria a persistência da onipotência de pensamentos, uma espécie de déficit de simbolização que remanesce na crença de que o pensamento possui poder causal sobre fatos do mundo.

A primeira parte de "O infamiliar" remete ao problema linguístico e antropológico representado por esse sentimento. A segunda parte, provavelmente escrita em 1919, envolve a análise do conto "O Homem da Areia", de E. T. A. Hoffmann. A terceira parte, com foco no papel da realidade e nas operações de retorno do recalcado, parece ter sido escrita em concomitância com as preocupações de *Além do princípio do prazer.*

A força e a graça desse ensaio são inseparáveis de seu imanente problema de tradução. A impossibilidade de estabelecer, descritiva e conceitualmente, o que significa *Unheimliche*, bem como suas condições subjetivas de verificação, faz convergir a estratégia expositiva do texto com seu problema metapsicológico. Por isso, a escolha feita por Pedro Heliodoro Tavares e Ernani Chaves de se manter na tradução mais literal possível, ou seja, "in-", prefixo de negação, para *un-* em alemão, e "familiar" como *heimlich* em alemão, respeita a dupla indeterminação, de sentido e de conceito, que constitui a base e a fórmula expressiva do ensaio. *Unheimliche* nos remete a uma experiência linguística, antropológica e talvez ontológica de indeterminação. Em vez de forçar a comensurabilidade semântica do termo, como se fez nas traduções inglesa (*uncanny*), espanhola (*ominoso*) ou nas traduções brasileiras anteriores (estranho/inquietante), desta vez se optou por manter o problema. Se as soluções anteriores sempre pediam por um esclarecimento complementar e corretivo, como em "estranheza inquietante", essa nova decisão tradutória deixa o problema às claras ainda que ao preço de um neologismo. Com isso somos levados a reconhecer, de saída, que há diferentes maneiras de negar a familiaridade e que essa dificuldade faz parte do conceito examinado. Outro ganho dessa decisão consiste em nos aproximar do gênero neutro da palavra *Unheimliche*. Lembremos que em alemão palavras terminadas em *-e*, em geral, referem-se a substantivos femininos. Contudo *das Unheimliche* é uma palavra que não é nem masculina nem feminina, mas neutra. Vale lembrar do artigo *das*, cujo pronome correlato é o *es*, que em algumas traduções brasileiras de Freud fixaram-se com a forma latina do "Id". O substantivo "infamiliar" é masculino, mas o adjetivo "infamiliaridade" é feminino.

"O infamiliar" é um exemplo maior desse gênero expositivo no qual Freud mostrou sua excelência como escritor: o ensaio. Tentando apreender um fenômeno segundo um certo ponto de vista da totalidade, fazendo variar perspectivas, oscilando entre diferentes discursos, ele pratica o que Adorno (2003) chamou de pensamento por constelação. A forma ensaio envolve um conjunto de redeterminações sucessivas do conceito, nas quais seus movimentos formativos não se separam de suas formulações expressivas. No caso desse ensaio, temos então o primeiro movimento linguístico literário, no qual se apresenta o *Unheimliche* pelos usos da língua e pelo paradigma do conto de Hoffmann, o segundo movimento, no qual se reexamina a conexão entre narcisismo e animismo, variando e generalizando os exemplos literários, e o terceiro movimento, no qual se introduz o problema clínico da realidade e da angústia.

Lembremos aqui que Freud está investigando a gênese e a pragmática de uma qualidade de sentimento (*Gefühlsqualität*), e não apenas de um afeto (*Affekt*) ou de uma impressão sensível (*Empfindlichkeit*). O *Unheimliche* é um sentimento e como tal depende de uma espécie de partilha social dos afetos, distinção que aparece da seguinte maneira:

> todo afeto de uma moção de sentimento, de qualquer espécie, transforma-se em angústia por meio do recalque, entre os casos que provocam angústia deve haver então um grupo no qual se mostra que esse angustiante é algo recalcado que retorna (p. 85).

A disciplina que primeiro dedicou-se a esse problema não foi a psicologia, mas a estética enquanto doutrina de nossas qualidades de sentir (*Fühlen*). Um sentimento difere de uma reação emocional, como o terror (*Schreckhaft*), e da individualização expressa pelos afetos, como a angústia (*Angst*). Um sentimento não é uma disposição para a ação ou para a reação como o humor, por exemplo, de tipo maníaco ou depressivo (*Grauenerregenden*). Um sentimento aproxima-se mais de uma forma de abertura, receptividade ou espera (*Erwartung*). Se a infamiliaridade é antes de tudo um sentimento, ele pertence ao mesmo circuito do sentimento de realidade e do sentimento de si, também chamado de autoestima (*Selbstgefühl*). Se entendemos os sentimentos como uma experiência intersubjetiva ou social de reconhecimento compartilhado de afetos, pulsões ou estímulos, a familiaridade constitui um paradigma dos sentimentos em geral.

*

O texto de Freud começa pelo estudo comparativo dos termos *heimlich* e *unheimlich*, levando em conta a recorrência de usos e sentidos em diferentes línguas e etimologias. Se *heimlich* nos conduz a "casa" ou "lar" (*Heim*), o seu contrário é diverso e indeterminado. Seu campo semântico heterogêneo envolve: "suspeito" (latim), "estrangeiro" (grego), "sinistro" (inglês), "lúgubre" (francês), "desconfiado" (espanhol). Aqui se agrupam três gramáticas diferentes: a relação de apropriação com o lugar, a dimensão de proximidade ou distância com outro e o modo de estar ou pertencer ao mundo. Destas decorrem, respectivamente, relações de hospitalidade e reconhecimento, dimensões de segredo e ocultamento, e, finalmente, o modo de interpenetração entre público e privado.

Unheimlich pertence a esse pequeno círculo de palavras fundadoras da psicanálise, que tem por característica o prefixo negativo (*Un*), como *Unbewusst* (inconsciente) e *Unbehagen* (mal-estar). São elas que nos mostram como a negação de um conceito determinado, como consciência (*bewusst*) ou bem-estar (*behagen*), cria sentidos completamente diferentes do que se espera pela mera oposição inversora. Nesses casos não estamos diante apenas de negações determinadas, como entre antônimos, nem de negação indeterminada, na qual a oposição não tem valor correlacional. Uma decorrência disso é a indeterminação relativa entre o sentido adjetivo, de propriedade ou efeito de algo (*unheimlich*), e sua condição substantiva ou sistêmica (*Das Unheimliche*). É por isso que a negação da familiaridade (*heimlich*) não corresponde nem ao estrangeiro, como negação positiva do familiar, nem ao estranho, como alheio ou indiferente, correspondente ao caso da negação indeterminada. Para Freud, o *Unheimliche* "diz respeito a dois círculos de representações, os quais, sem serem opostos, são de fato alheios uns aos outros" (neste volume, p. 45), ou seja, trata-se de uma oposição parcial, e não de toda "alheiedade".

Tomemos a série de oposições:

Familiar (*Heimlich*)	**Infamiliar (*Unheimlich*)**
Casa (intimidade ou privacidade)	Floresta ou Rua (estrangeiro ou público)
Confiança (manter próximo)	Desconfiança (manter à distância)
Oculto (pertence a alguns)	Revelado (pertence a todos)
Vivo, Animado, Humano	Morto, Inanimado (Coisa), Inumano

Os cruzamentos examinados por Freud mostram que não conseguimos verificar o efeito de *unheimlich* sem que pelo menos um elemento de cada uma das séries em oposição atravesse para o lado oposto, indeterminando assim a negação. A solução pragmática encontrada por Freud para esse empecilho definicional apoia-se em Schelling, que designa o *Unheimliche* por meio do movimento envolvendo a transformação: "o que deveria permanecer oculto, mas veio à tona" (p. 87). Esse efeito surpresa, desconcerto ou iluminação já fora descrito como traço linguístico do chiste (Freud, 1905). Aqui ele reaparece invertido em sombreamento, incredulidade e ocultação, mas ainda assim decorrente da divergência entre sentido esperado e sentido encontrado.

No começo do ensaio, o *Unheimliche* parece ser um sentimento substantivo, definido pela relação a um estado de coisas da realidade, mas, à medida que o texto progride, ganha força a ideia de que se trata de um efeito da transformação da realidade como processo. Ao final emerge a noção de sentido comum, definido pela partilha de certos pressupostos, também chamado de "chão da realidade comum" (*Boden der gemeinen Realität*[i]). É preciso a experiência de comunidade discursiva ou partilha de linguagem para que algo surja como revelação, fracasso ou enigma de reconhecimento.

A experiência de infamiliaridade depende assim de três indeterminações. A primeira estabelece um nexo entre novidade (*Neuartigen*) e estranheza. A segunda expressa incerteza intelectual ou conflito judicativo. A terceira envolve desorientação, perda do sentimento de pertencimento ou de crença na realidade. Especialmente no início do

[i] A expressão empregada por Freud "*Boden der gemeinen Realität*" pode ser vertida literalmente por "chão da realidade comum" ou, menos literalmente por "no interior da realidade comum" (neste volume, p. 108-109). (N.E.)

ensaio a suscetibilidade ao sentimento de infamiliaridade parece constituir um indicador psicopatológico, uma vez que "quanto mais uma pessoa se orienta por aquilo que se encontra a sua volta, menos é atingida pela impressão de *infamiliaridade*" (p. 33).

Essas três indeterminações possuem uma hierarquia clara. Elas caminham do infantil para o adulto, do neurótico para a superação do animismo narcísico e do familiar para o infamiliar. Essa orientação parece replicar a tese que Freud importa do filólogo Abel, em "O sentido antitético das palavras primitivas", segundo a qual significações contrárias se unem para formar um composto que tem a significação de um apenas de seus dois termos: "velho-jovem", "longe-perto", "ligar-cortar", "fora-dentro", apesar da diferença, significam somente "jovem", "perto", "ligar" e "dentro", respectivamente. Assim como na história das línguas o sentido original e positivo de uma palavra passa por uma espécie de negação continuada, que inverte seu sentido, na história da criança o sentido inicial da familiaridade verte-se gradualmente em infamiliaridade:

> familiar [*heimlich*] é uma palavra cujo significado se desenvolveu segundo uma ambivalência, até se fundir, enfim, com seu oposto, o infamiliar [*unheimlich*]. Infamiliar é, de certa forma, um tipo de *familiar* (p. 47-49).

Por que *heimlich* seria o caso original e genérico, e *unheimlich*, o caso específico e derivado, e não o contrário? Isso parece óbvio se olhamos para as coisas do ponto de vista de que o familiar é originário, conforme o prefixo *ur-*, presente em conceitos como *Urvater* (pai primitivo), *Urverdrängung* (recalque originário) e *Urphantasie* (fantasia primária). Ao final do ensaio, Freud metaforiza esse caráter originário da familiaridade por referência ao corpo materno. O órgão genital feminino é infamiliar para os homens, pois ele é a "porta de entrada para o antigo lar", assim como o "amor é saudade do lar (*Heimweh*)" (p. 95). Assim como o infamiliar é o outro, o estrangeiro, a morte ou o lugar para onde vamos, o originário é a identidade, o lugar de origem e de onde viemos. O "nós" antecede o "eles". Para o totemismo, ao contrário do animismo, sempre sabemos quem somos nós.

Contudo, algo novo pode estar acontecendo em "O infamiliar". *Totem e tabu* apresenta um tratamento bastante dissimétrico entre duas estruturas antropológicas que são respectivamente o totemismo e o animismo. Enquanto o totemismo é uma espécie de matriz arcaica da socialização humana, responsável pela exogamia, pelo surgimento da lei e dos rituais, o animismo é uma forma provisória e menor de pensamento infantil, que será superada quando nos desvencilharmos de crenças narcísicas. O totemismo sobrevive no neurótico, ainda que superado (*Aufhebung*), resolvido (*Lösung*) ou em declínio (*Untergang*). Junto com o complexo paterno ele integra nossas estruturas de reconhecimento social. O animismo, ao contrário, deve ser inteiramente abandonado e substituído pela crença na realidade desencantada, tal como a visão científica de mundo nos propõe. Enquanto o totemismo regula nossas interdições sociais, no limite derivadas da proibição do incesto, o animismo se resolveria por uma apreensão deflacionada das crenças na realidade. A hierarquia entre totemismo e animismo se vê referendada pelo esquema de progresso da razão, de extração comteana, que estabelece fases evolutivas do pensamento humano: primeiro o animismo mágico, depois as religiões monoteístas, finalmente a ciência. Como o ideal de organização científica da sociedade é um mito rigorosamente afastado por Freud, resta que o totemismo funciona ainda como um organizador social, e o animismo, não.

> Quem, ao contrário, conseguiu se livrar absoluta e definitivamente dessas crenças animistas não

> experimenta esse tipo de *infamiliar*. A mais clara concordância entre desejo e satisfação, a mais enigmática repetição das mesmas vivências no mesmo lugar ou na mesma data, as mais ilusórias percepções visuais, os mais suspeitos ruídos não o enganarão, não lhe provocarão nenhum medo que pudéssemos caracterizar como medo do *infamiliar* (neste volume, p. 103).

Enquanto a referência ao totemismo integra um sistema de transmissão da lei simbólica, ao animismo resta a relação deficitária e pré-simbólica entre pensamento, realidade e mundo. É sob esse fundo que se formará a série problemática que liga o pensamento mágico da criança com as manifestações da psicose e com o funcionamento mental dos povos primitivos.

A primazia do totemismo encontra em "O infamiliar" alguns motivos para ser ao menos relativizada. Isso ocorre porque a solidez da experiência identitária, baseada na familiaridade e na convicção de quem somos "nós", é abalada pela problemática do *unheimlich*. Como alguns antropólogos contemporâneos (Castro, 2002) têm assinalado, a diferença entre totemismo e animismo não pode ser reduzida ao fato de que o segundo seria um capítulo do primeiro, uma vez que ambos propõem modelos de laço social e dinâmicas de sacrifício e restituição, que podem coabitar de forma não complementar em uma mesma sociedade. Se o totemismo se caracteriza por manter a ontologia fixa e a epistemologia variável, implicando um sistema de nomeações e renomeações simbólicas que replica os sistemas de parentesco, filiação e genealogia, o animismo, especialmente em sua forma perspectivista, baseia-se em um sistema de ontologias móveis ou também chamado de múltiplas naturezas. Dessa forma, o animismo não seria apenas um déficit cognitivo, uma forma fetichista ou metonímica de lidar com a relação entre palavras e coisas, valores de uso e valores de troca, mas outra maneira de usar a função nomeadora da linguagem. Por exemplo, quando Freud argumenta, em *O homem Moisés e a religião monoteísta*, que Moisés era egípcio, ele também admite, indiretamente, que o estrangeiro e infamiliar pode preceder e determinar a noção de familiaridade, nesse caso constitutiva do povo de Israel.

*

A análise do conto de E. T. A. Hoffmann "O Homem da Areia" organiza séries clássicas freudianas, a cena de infância e sua repetição no adulto. Na primeira cena, o vilão Coppelius enfrenta o pai sob o fundo do mito do homem que vem jogar areia nos olhos das crianças que não querem dormir. Na cena adulta, o fabricante de lunetas e o construtor de autômatos se desentendem, tendo ao fundo o mito de Olímpia, a boneca por quem o protagonista se apaixona. Nessa fusão de mundos e interpenetração de narrativas, o passado se repete e de certa forma elucida-se pelo futuro. A angústia e a explosão da infância são reeditadas pelos estados confusionais e delirantes da cena da torre do relógio. O tema do duplo, a relação entre narcisismo e Supereu, bem como o desenvolvimento do sentimento de si a partir do desamparo e da repetição de angústias infantis, seriam o caso óbvio para a reedição das teses freudianas contidas em *Totem e tabu*, notadamente a ideia de um retorno do totemismo infantil como matriz do complexo paterno.

Ernst Theodor Amadeus Wilhelm Hoffmann (1776-1882) foi um jurista, escritor, teatrólogo e aluno de Kant em Königsberg. Ele tinha como uma de suas assinaturas literárias contos nos quais o autor aparece como personagem. Ele tinha como inspiração, mas também como rival, o norte-americano Nathaniel Hawthorne (1804-1864), que se notabilizou por textos que exploram a poética da morada, como "Musgos do velho solar" (1846) ou *A casa das sete torres* (1851). Talvez isso estivesse presente na escolha do nome do protagonista de "O Homem da Areia", ao qual ele teria introduzido uma pequena modificação substituindo o "i" por "a", cujo resultado é *Nathanael* (com "a"). Ocorre que Freud, como que a corrigir a hipotética deformação introduzida por Hoffmann, cita incorretamente o personagem como se ele se chamasse, de fato, *Nathaniel* (com "i"), exatamente como o duplo literário de Hoffmann. Além disso, modificou seu nome próprio, aliás, como Freud, introduzindo, em homenagem a Mozart, o prenome *Amadeus*, ou seja, a mesma vogal deformada e contradeformada por Freud de Nathan*i*el para Nathan*a*el. Considerando que a literatura é um discurso que está em exterioridade ao mundo do qual ela fala e do qual ela é uma expressão, a intrusão calculada do autor como personagem coloca um problema diegético, ou seja, do tipo de realidade criada ou exigida por um determinado discurso, que não é indiferente, como veremos, ao problema de Freud em torno do sentimento de familiar-estranheza.

Freud define o narcisismo como um animismo, ou seja, um dispositivo de crenças em espíritos humanos, supervalorização de si, onipotência de pensamentos, técnica mágica, inversão coisas-pessoas e pessoas-coisas, além da criação de realidades paralelas ou alternativas. O animismo envolve uma série de temas envolvendo a morte, o corpo e o lugar, bem como uma teoria da causalidade determinada pelo pensamento ou pelos desejos. O animismo narcísico seria especialmente refratário a admitir a realidade simbólica de certos eventos tais como a comunalidade e a mortalidade das pessoas:

> A proposição "todos os homens devem morrer" é parafraseada, de fato, nos livros didáticos de lógica como

> modelo de uma afirmação universal, mas ninguém a esclarece, e nosso inconsciente tem agora tão pouco espaço como antes para a representação da própria mortalidade (p. 87).

Aqui ocorre um caso raro no qual não se consegue decidir de imediato se a crença é uma expressão do retorno narcísico do animismo ou se ela é uma incompletude provisória do saber científico:

> Nossa biologia ainda não pode decidir se a morte é o destino necessário de todo ser vivo ou apenas um incidente regular, talvez um evitável acaso no interior da vida (p. 87).

Novamente a introdução do fator tempo torna o assunto indecidível, confundindo o critério de separação entre animismo e realismo em uma esfera de indeterminação que compreende os dois casos como possíveis. A persistência do animismo seria o equivalente neurótico da permanência de crenças infantis, envolvendo, por exemplo, a experiência do próprio corpo. O problema teórico representado por um narcisismo originário (*Urnarzissmus*) torna-se assim dependente de uma explicação sobre a gênese do animismo, que se aprofunda no texto em questão, como uma investigação sobre a origem do duplo:

> representação do duplo não declina, necessariamente, junto com esse protonarcisismo dos primórdios, pois, a partir de um desenvolvimento posterior do Eu, ele pode ganhar novo conteúdo (p. 71).

Assim como o retorno do totemismo na infância origina fobias infantis e acentua o complexo paterno como um complexo de castração, o retorno do animismo na infância desenvolve a consciência moral, a autocrítica e o sentido de auto-observação. A gênese do Supereu parece depender, nesse sentido, do cruzamento entre o legado totemista e a superação do narcisismo animista. Esse duplo retorno explica, em última instância, as duas variedades do infamiliar: o retorno do recalcado como saber sobre a castração e o retorno do recalcado como cancelamento da crença na realidade.

Quando o infamiliar da fantasia-ficção professa abertamente a suposição das crenças animistas, isso não nos afeta da mesma maneira como a infamiliaridade vivida na realidade material ou na realidade comum. Freud percebe assim que o animismo não pode ser pensado apenas como um problema de crenças verdadeiras ou falsas, referidas a uma realidade inerte. A vivência de realidade exige uma reflexão sobre a natureza de nossa experiência de mundo, real ou irreal. Para isso Freud examina uma variedade de casos nos quais o fenômeno do infamiliar é comparativamente abordado. Podemos agrupar essa pequena casuística do *Unheimlich* em quatro grupos:

O primeiro grupo de infamiliaridades resulta da negação da realidade da mortalidade ou da finitude. Ela se mostra por meio de acessos de convulsão, loucura ou delírio de Nathanael. "O duplo foi na origem uma segurança contra o sepultamento do Eu, um enérgico desmentido (*Dementierung*) do poder da morte" (p. 69).

Há uma perda de realidade decorrente da alienação da consciência, perda entendida como não inclusão de algo na fantasia. Há uma divisão do eu (*Ich-Teilung*) na qual se repete uma ruptura da identidade entre "sentir e vivenciar". Isso se mostra narrativamente pela negação da inversão ao contrário entre vida e morte, tal como ocorre na figura do morto-vivo, do zumbi ou do enterrado vivo. Nesse caso predomina o alheamento e o sentimento de mundo que nos é revelado nas síndromes melancólicas, nos delírios de Cotard ou pelos estados de desamparo depressivos.

A segunda série de infamiliaridades define-se pela negação da oposição entre animado e inanimado, entre coisas e pessoas, como no caso da mesa em forma de crocodilo que ganha vida. A mesa não estava nem viva nem morta, mas apenas representava uma criatura viva na forma da madeira. Esse é o caso das figuras inertes de cera, das bonecas e dos autômatos como Olímpia. A fantasia nega a realidade por multiplicação, como no texto de Freud sobre "A cabeça de Medusa" ou como na narrativa repetitiva do roubo dos olhos, no conto "O Homem da Areia". O Eu funciona por duplicação (*Ich-Verdopplung*), daí a "aparição de pessoas que por seu aspecto idêntico devem-se considerar iguais", induzindo um efeito alternado de terror e indiferença, como em *Josef Montfort*, de Albrecht Schaeffer. Há uma fragmentação do corpo, como na história da mão decepada, de Hauff, ou no encontro inusitado de Freud com sua própria imagem não reconhecida no espelho do trem:

> o invasor era a minha própria imagem refletida no espelho [...] sei ainda que essa aparição me deixou, no fundo, descontente. Mas, em vez de ficarmos atemorizados com o duplo, ambos – Mach e eu – não o haviam, simplesmente, reconhecido (p. 105).

A perda do sentimento de unidade do mundo, das unidades simbólicas às quais se pertence ou até mesmo do corpo próprio incide como fracasso do reconhecimento ou como perturbação da síntese de representações, não como déficit de integração simbólica. Poderíamos aproximar esse grupo das síndromes esquizoides, do autismo e das patologias do reconhecimento do mesmo, como a Síndrome de Capgras.

O terceiro tipo de infamiliaridade descrito por Freud caracteriza-se por uma espécie de violação do pacto entre realidade e fantasia, cujo afeto fundamental é o horror. Seus limites são borrados como na compulsão à repetição, por um mesmo destino que atravessa gerações, ou pela iteração de atos, como em *O anel de Polícrates*. O retorno do mesmo (*Wiederkehr des Gleichen*) é exemplificado por Freud quando, em seu passeio por Nápoles ele recorrentemente volta à mesma zona de prostituição, sem que isso constituísse uma intenção premeditada. No conto de Hoffmann, essa violação está representada pelas crianças que não querem dormir na hora. No caso do Homem dos Ratos, é o tema do "olho gordo e a superstição em torno da inveja". Mais genericamente entre os neuróticos, o tema da "casa povoada por fantasmas" e das dívidas ou da justiça que eles tendem a voltar a fim de resgatar.

O quarto grupo de exemplos aborda o infamiliar pela incerteza e pelo medo quanto à natureza de um objeto, como em *Os elixires do diabo* e como no caso do amigo de Freud, Ewald Hering. Aqui o animismo opera por permutação do eu (*Ich-Vertauschung*). Há o "transporte de aspectos de uma pessoa para outra", tal como se exemplifica nas inúmeras correlações entre os personagens infantis e os personagens da cena na torre do relógio, do conto de Hoffmann. Nesse caos o estranho invade o familiar, como um vampiro, e rapta ou seduz crianças desobedientes. Incluem-se aí os casos de adivinhação do futuro descritos, por exemplo, pelo Homem dos Ratos, mais exatamente pelo pensamento: "oxalá ele tenha um ataque" (realmente acontecido 14 dias depois). Pode-se incluir aqui as síndromes superegoicas, como a paranoia de autopunição e a neurose de destino.

Este rápido agrupamento dos inúmeros exemplos trazidos no ensaio de Freud mostra que, no fenômeno da infamiliaridade, o totemismo paterno e o animismo narcisista atuam de modo combinado. Eles podem envolver tanto a perda da unidade simbólica do mundo ou do corpo como a perda da experiência de si e a alienação da identidade. Eles podem se associar com a violação de leis simbólicas ou com a intrusão de objetos que perturbam a relação de inclusão e congruência entre realidade e fantasia.

*

Tanto pela introdução do devir como condição lógica para o reconhecimento da infamiliaridade quanto pela revisão do animismo como retorno do narcisismo, Freud parece enriquecer seu entendimento sobre a realidade. Esta não é mais definida pela paridade entre consciência e percepção, pela comensurabilidade do presente ao passado ou pelo ajuste entre coisa e representação, mas pela produção, pois o *Unheimliche* acontece:

> quando as fronteiras entre fantasia e realidade são apagadas, quando algo real, considerado como fantástico, surge diante de nós, quando um símbolo assume a plena realização e o significado do simbolizado e coisas semelhantes (p. 93).

Temos então três tempos da produção do infamiliar. Primeiro tempo: a fronteira entre fantasia e realidade (*Wirklichkeit*) é apagada. Segundo tempo: a ambivalência ou indeterminação produzida entre familiaridade e infamiliaridade faz com que algo novo surja ou se revele. Isso é chamado de real (*Real vor uns hintritt*). O real aparece quando algo que deveria permanecer oculto como um segredo vem à luz e se torna sabido. No terceiro tempo, o símbolo assume sua realização (*Leistung*) e significa (*bedeutet*) o simbolizado (*symbolisiert*). Esses três tempos retomam as modalidades de negação antes apresentadas. Apagar as fronteiras é negar a separação determinada por esta, confundindo fantasia e realidade. Temos aqui uma indeterminação que é falta de determinação, ou seja, déficit de fronteira. Desse apagamento tomado como ambivalência (*Ambivalenz*) decorre o surgimento de alguma coisa, ou seja, uma indeterminação que produz um novo efeito, efeito real. Finalmente, no terceiro tipo de negação o símbolo determina e realiza o simbolizado, e quando ele o faz ele nega o simbolizado ao compreendê-lo em uma nova forma.

Temos então essa ideia de que um símbolo pode ser realizado ou irrealizado, assim como o que ele significa pode ser simbolizado de modo verdadeiro ou falso. O real, em contraste com a realidade, possui essa característica de ser não crível, ou seja, desafiar a nossa crença por meio de um conflito de juízos. Ele emerge de uma contradição e não apenas de um déficit de nossa percepção ou de nossa faculdade representativa. Convém insistir que se o infamiliar é um efeito de emergência do Real, isso depende de um certo plano de consideração sobre a realidade (*Wirklichkeit*) como processo, e não do mundo considerado como uma coleção de objetos constituídos ou de leis predeterminadas.

Se o infamiliar é o retorno do recalcado e "como escolha do material", nem todo retorno do recalcado gera infamiliaridade. Fórmula que antecipa a ideia de que se o retorno do recalcado é inconsciente, nem todo inconsciente é recalcado. Essa parece ser a senha para o exame da diferença entre a realidade vivida e a realidade ficcional-literária. Os contos maravilhosos jogam com mundos possíveis, mas não causam nenhuma infamiliaridade. A distinção entre o vivido e o representado, assim como os signos distintivos do silêncio, da solidão e da escuridão passam a integrar a semiologia do infamiliar.

A prova de realidade, como verificação da realidade material, aplica-se tanto ao animismo narcísico das crenças infantis quanto ao retorno do totemismo paterno. Elas se aproveitam de vivências reais infrequentes e do retorno do recalcado para manter a não superação da crença na realidade, criando assim "uma separação entre conteúdo representativo e crença na realidade". Mas esse caso teria de ser diferenciado do infamiliar derivado da experiência com a ficção, na criação literária e a fantasia.

> *na criação literária não* é infamiliar muito daquilo que o seria se ocorresse na vida e que na criação literária existem muitas possibilidades de atingir efeitos do infamiliar que não se aplicam à vida (p. 107).

Isso renova o conceito de animismo, não mais restrito à realização de desejos, forças misteriosas, onipotência de pensamento ou vivificação dos inanimados, mas dependente de uma nova condição necessária ao fenômeno do infamiliar: o conflito de julgamentos. Tudo se passa como se Freud estivesse admitindo a existência de ontologias variáveis, entre a ficção e o documentário, entre o mundo possível e o mundo necessário, sem fixar este último no critério ontológico da ciência. Isso ocorre pela introdução da chave temporal, que inclui o futuro como condição possível para definir um determinado mundo. Essa indeterminação perspectiva envolve a comparação entre gêneros narrativos, com o conto maravilhoso, a literatura romântica de horror, mas também a realidade, material ou psíquica.

A superação completa das crenças animistas, como ultrapassagem do retorno do narcisismo, não se confunde, assim, com a incerteza própria da limitação de nossos saberes sobre o mundo e seu porvir. Confirma-se aqui a ideia de que o infamiliar ocorre quando surge algo que não se esperava. Por isso também o infamiliar desaparece quando "atingimos os pressupostos dessa realidade poética" (p. 109). Se a superação do animismo infantil depende da aceitação da maturidade da razão, a entrada no animismo perspectivo implica a realização simbólica e subjetiva da realidade poética. Esse segundo tipo de infamiliar depende de uma condição semelhante à que encontramos no umbigo do sonho, ou seja, o desconhecimento (*unbekannt*). É esse desconhecimento dos pressupostos que nos faz experimentar o infamiliar em tragédias como *Júlio César*, *Macbeth* ou *Hamlet*. Nelas o escritor se coloca no interior da realidade comum, o que as situaria no plano do que hoje chamaríamos de documentário. Uma vez estabelecida essa realidade comum, entre o leitor e o discurso do texto, pode acontecer a transição para o fantástico. Assim, animismo narcísico superado e animismo perspectivo não superado convivem na experiência subjetiva do leitor, como o desejo de acordar e o desejo de dormir convivem no sonhador.

O texto se encerra com o reconhecimento desse elemento obscuro, a fonte e raiz que liga o infamiliar à repetição de experiências e à busca dessas mesmas experiências. Um trabalho de negação criativa que antecipa a formulação da pulsão de morte no ano seguinte e que se expressa aqui pelo reconhecimento de fontes que não são nem totemistas nem animistas para a angústia:

> Sobre a solidão, o silêncio e a escuridão, nada mais podemos dizer a não ser que esses são realmente os fatores ligados à angústia infantil, que não desaparece por completo na maioria das pessoas (p. 115).

Abre-se aqui o espaço para um tipo de angústia que não responde à gramática do retorno (*Wiederkehr*), seja ele totêmico ou animista, mas corresponde ao caso maior e mais fundamental da repetição (*Wiederholung*). Por isso seria preciso acrescentar aos fenômenos que justificam a introdução do conceito de pulsão de morte em psicanálise, além da repetição traumática e da reação terapêutica negativa, a infamiliaridade. Fusão e desfusão das pulsões de vida e da pulsão de morte, problema central de *Além do princípio do prazer*, aparecem, assim, como casos combinados da lógica da indeterminação que Freud descreveu para o *Unheimliche*.

REFERÊNCIAS

ADORNO, Theodor W. O ensaio como forma. In: *Notas de Literatura I*. Tradução de Jorge de Almeida. São Paulo: Editora 34, 2003. (Espírito Crítico).

CASTRO, Eduardo Viveiros de. *A inconstância da alma selvagem*. São Paulo: Cosac Naify, 2002.

FREUD, Sigmund. A significação antitética das palavras primitivas. In: *Neurose, psicose, perversão*. Tradução de Maria Rita Salzano Moraes. Belo Horizonte: Autêntica, 2016. p. 59-71. Republicado no presente volume, p. xxxx.

FREUD, Sigmund. Das Unheimliche. In: *Sigmund Freud Studienausgabe*, v. IV. Frankfurt am Main: Fischer, 1919.

FREUD, Sigmund. *Der Mann Moses und die monotheistische Religion. Sigmund Freud Studienausgabe*, v. IV. Frankfurt am Main: Fischer, 1938.

FREUD, Sigmund. *Der Witz und seine Beziehung zum Unbewussten. Sigmund Freud Studienausgabe*, V. II. Frankfurt am Main: Fischer, 1905.

FREUD, Sigmund. (1925) *Die Verneinung. Sigmund Freud Studienausgabe* V. III. Frankfurt am Main: Fischer, 1973. Republicado no presente volume, p. Xxxx.

FREUD, Sigmund. (1920) *Jenseits des Lustprinzips. Sigmund Freud Studienausgabe* V. VII. Frankfurt am Main: Fischer, 1973.

FREUD, Sigmund. (1913) *Totem und Tabu. Sigmund Freud Studienausgabe* V. V. Frankfurt am Main: Fischer, 1973.

O homem da areia

(1815)

E. T. A. HOFFMANN

TRADUÇÃO: Romero Freitas

Der Sandmann – Ilustração de E. T. A. Hoffmann (1815)

NATHANAEL A LOTHAR

Certamente vocês estão todos muito apreensivos porque eu não escrevo há tanto – tanto tempo. Mamãe deve estar furiosa, e Clara deve achar que vivo aqui no bem-bom e que esqueço por completo a minha encantadora imagem angelical, tão profundamente gravada no meu coração e no meu pensamento. Mas não é nada disso; todo dia e a toda hora eu penso em vocês todos, e a figura amável de minha encantadora Clarinha aparece em doces sonhos e me sorri com seus olhos claros tão graciosamente como ela costumava sorrir quando eu voltava até vocês. Ah, mas como eu poderia escrever-lhes com a disposição de espírito que constantemente me perturba todos os pensamentos! – Uma coisa terrível aconteceu na minha vida! – Pressentimentos sombrios de um destino horroroso e ameaçador se espalham sobre mim como sombras de nuvens negras, impenetráveis a qualquer aprazível raio de sol. – Agora eu devo contar-lhe o que me aconteceu. Preciso fazer isso, eu vejo, mas só de pensá-lo explode em mim um riso enlouquecido. Ah, meu estimado Lothar! Como posso fazer com que você sinta, pelo menos de alguma forma, que aquilo que me sucedeu há alguns dias pôde destruir a minha vida de modo tão funesto! Se ao menos você estivesse aqui, poderia ver por si próprio; mas agora decerto você me toma por um disparatado que vê fantasmas. – Em suma, essa coisa terrível que me aconteceu, cuja impressão mortal eu me esforço, sem sucesso, por evitar consiste apenas no fato de que, há alguns dias, precisamente no dia 30 de outubro, ao meio-dia, um vendedor de barômetros entrou no meu quarto e me ofereceu a sua mercadoria. Não comprei nada, e ameacei atirá-lo escada abaixo, de modo que ele então saiu por conta própria. –

Você deve imaginar que somente circunstâncias muito particulares, profundamente marcantes na minha vida, são capazes de explicar esse incidente, e que, sim, justamente a pessoa desse funesto mascate possa ter um efeito tão hostil sobre mim. Controlo-me com todas as forças para lhe narrar tranquila e pacientemente muitas coisas da minha idade mais tenra, de modo que tudo possa lhe surgir claramente ao vívido espírito, em imagens reluzentes. Quando pretendo começar, já ouço você rir e Clara dizer: Isso é pura criancice! – Riam de mim, eu lhes peço, riam de mim a valer! – Eu lhes imploro! – Mas Deus do Céu! Meus cabelos se arrepiam, e é como se eu lhes suplicasse num desespero louco para rirem de mim, como Franz Moor suplicava a Daniel.[1] – Agora, vamos aos fatos!

Com a exceção da hora do almoço, eu e os meus irmãos víamos pouco o nosso pai durante o dia. Ele devia estar muito ocupado com seus afazeres. Depois do jantar, que era servido já às 7 horas, segundo o costume antigo, nós íamos todos juntos, minha mãe também, ao gabinete de meu pai, e nos sentávamos em volta de uma mesa redonda. Meu pai fumava tabaco, acompanhado de um grande copo de cerveja. Frequentemente ele nos contava muitas histórias maravilhosas, e se entusiasmava tanto com isso que o cachimbo sempre apagava, cabendo a mim acendê-lo de novo, segurando um pedaço de papel em chamas, o que para mim era o maior divertimento. Mas muitas vezes ele nos dava livros ilustrados, sentava-se imóvel, em silêncio, em sua poltrona e soprava fortes nuvens de fumaça, de forma que nós ficávamos como que envoltos pela névoa. Em noites como essas minha mãe ficava muito triste, e, mal soavam as nove horas, ela nos dizia: "Agora, crianças! – Para a cama! Para a cama! O Homem da Areia vem vindo, eu já sinto". De fato, eu sempre ouvia então passos pesados e lentos subindo a escada; devia ser o Homem da Areia. Uma vez, aquele passo abafado me pareceu especialmente assustador; eu perguntei à minha mãe, enquanto ela nos levava: "Ei, mamãe! Quem é esse malvado Homem da Areia, que sempre nos separa de papai? – Como ele é?". "Não existe nenhum Homem da Areia, meu querido filho", respondeu a minha mãe. "Quando eu digo que o Homem da Areia vem vindo, quero apenas dizer que vocês estão com sono e não conseguem manter os olhos abertos, como se alguém tivesse jogado areia neles." – A resposta da minha mãe não me satisfez; em meu ânimo infantil, desenvolveu-se claramente a ideia de que minha mãe negava a existência do Homem da Areia apenas para que nós não o temêssemos; eu o ouvia sempre subindo a escada. Cheio de curiosidade para saber mais sobre esse Homem da Areia e sua relação conosco, as crianças, eu finalmente perguntei à velha senhora que cuidava da minha irmã menor: "Que tipo de homem era esse, o Homem da Areia?". "Ah, Thanelzinho", ela respondeu, "você ainda não sabe? É um homem mau que se aproxima das crianças quando elas não querem ir para a cama, e lança uns punhados de areia nos olhos delas, e assim seus olhos saltam da cabeça, ensanguentados, e ele então os lança num saco e os leva até a meia-lua para dar de comer aos seus filhotes; eles ficam lá, no ninho, e têm bicos curvos, como as corujas, e com eles bicam os olhos das criancinhas levadas." – Então se formou terrivelmente em meu interior a imagem do cruel Homem da Areia; assim, quando à noite ele subia as escadas, eu tremia de medo e pavor. Minha mãe nada obtinha de mim, senão o grito balbuciante: O Homem da Areia! O Homem da Areia! Eu corria então para o quarto, e a aparição temível do Homem da Areia me atormentava a noite inteira. – Eu já tinha idade suficiente para perceber que essa coisa do Homem da Areia e de seu ninho de crianças na meia-lua, tal como me contara a babá, não poderia ser muito correta; mas o Homem da Areia continuava sendo para mim um temível espectro, e o horror – o pavor se apossava de mim quando eu o ouvia não apenas subir as escadas, mas também abrir violentamente a porta do gabinete de meu pai e adentrá-lo. Às vezes ele ficava um longo tempo sem vir; depois vinha várias vezes seguidas. Isso durou anos, e eu não pude me acostumar à infamiliar[2] assombração; a imagem aterrorizante do Homem da Areia não esmaeceu dentro de mim. Seu trato com o meu pai começou a ocupar cada vez mais a minha imaginação; um medo insuperável me impedia de perguntar-lhe sobre isso, mas, com o passar dos anos, crescia em mim cada vez mais a vontade de ver o fabuloso Homem da Areia, de investigar eu mesmo o segredo. O Homem da Areia me conduzira à senda do maravilhoso, do aventuroso, que por si só já se aninha facilmente no ânimo infantil. Nada para mim era melhor do que ouvir ou ler histórias aterrorizantes de duendes, bruxas, anões etc., mas acima de tudo estava sempre o Homem da Areia, que eu desenhava com giz ou carvão por toda parte em mesas, armários e paredes, nas formas mais bizarras e abomináveis. Quando completei dez anos, minha mãe me tirou do quarto das crianças e me colocou num quartinho que ficava no corredor, não muito longe do gabinete do meu pai. Nós ainda tínhamos de sair rapidamente quando, ao soarem as nove horas, aquele desconhecido se fazia ouvir na casa. No meu quartinho eu percebia quando ele entrava no escritório do meu pai, e, logo depois, eu tinha a impressão de que um vapor sutil, com cheiro singular, espalhava-se pela casa. Cada vez mais crescia, junto com a curiosidade, a coragem de travar conhecimento com o Homem da Areia de alguma forma. Várias vezes eu me esgueirava rapidamente do meu quartinho até o corredor, depois que a minha mãe havia passado, mas eu não conseguia escutar nada, pois o Homem da Areia sempre já havia entrado quando eu chegava ao lugar onde ele seria visível para mim. Por fim, movido por uma ânsia irresistível, decidi me esconder no gabinete do meu pai e esperar o Homem da Areia.

Pelo silêncio do meu pai, pela tristeza da minha mãe, percebi uma noite que o Homem da Areia viria; tomei como pretexto um grande cansaço, deixei o aposento já antes das nove horas e me escondi bem ao lado da porta, em um cantinho. A porta da casa rangeu, passos lentos, pesados e sonoros atravessaram o corredor em direção à escada. Minha mãe passou por mim apressadamente com meus irmãos. Suavemente, bem suavemente, abri a porta do gabinete do meu pai. Como de costume, ele estava sentado, calado e parado, de costas para a porta; ele não me notou; rapidamente entrei e me escondi atrás da cortina puxada diante de um armário aberto que ficava ao lado da porta, onde as roupas do meu pai estavam penduradas. – Perto, cada vez mais perto soavam os passos – ele tossia, pigarreava e resmungava de modo insólito. Meu coração tremia de angústia e expectativa. – Perto, bem perto da porta, um passo mais claro – um golpe violento no puxador, a porta se abre ruidosamente! – Forçando-me a ser corajoso, eu olho cuidadosamente para fora. O Homem da Areia está no meio do cômodo, em frente ao meu pai; o brilho claro das velas queimava-lhe o rosto! – O Homem da Areia, o terrível Homem da Areia, é o velho advogado Coppelius, que às vezes almoça conosco! –

A mais horrível das figuras, porém, não teria provocado um pavor mais profundo do que esse Coppelius. – Imagine um homem alto de ombros largos, com uma cabeça disformemente grande, rosto amarelo terroso, sobrancelhas espessas e cinzentas sob as quais faiscava um par de penetrantes olhos felinos esverdeados, um nariz grande, forte, curvado sobre o lábio superior. A bocarra torta se deformava com frequência num riso maldoso; nas bochechas se viam então algumas manchas vermelho-escuras, e um chiado bizarro passava através dos dentes cerrados. Coppelius aparecia sempre com um sobretudo cinzento de corte antiquado, com calça e colete tal e qual, mas ao mesmo tempo com meias pretas e sapatos com pequenas fivelas de pedrarias. A pequena peruca mal era suficiente para lhe cobrir a parte de trás da cabeça, os cachos postiços estavam bem acima das grandes orelhas vermelhas e um coque volumoso afastava-se da nuca de forma que se via a fivela de prata que fechava o colarinho pregueado. A figura como um todo era simplesmente desagradável e repugnante; mas para nós, crianças, o pior eram suas mãos repulsivas, grandes, ossudas, peludas, de forma que nós não desejaríamos mais comer o que quer que ele tivesse tocado. Ele percebera isso; e se alegrava então em tocar, sob este ou aquele pretexto, um pedaço de bolo ou uma fruta adocicada que a bondosa mãe havia colocado furtivamente em nosso prato, de modo tal que nós rejeitávamos, com lágrimas nos olhos, com nojo e aversão, as guloseimas que deveriam nos alegrar. Ele fazia a mesma coisa nos dias de festa, quando meu pai nos presenteava com um pequeno cálice de vinho doce. Ele então passava a mão rapidamente pelas bordas do copo, ou mesmo levava-o até os lábios azulados, e ria de maneira verdadeiramente diabólica enquanto nós só podíamos manifestar o nosso desgosto soluçando baixinho. Ele costumava nos chamar apenas de "pequenas bestas"; nós não podíamos emitir nenhum som em sua presença e amaldiçoávamos esse homem feio, hostil, que estragava nossas ínfimas alegrias de modo calculado e intencional. Minha mãe parecia, como nós, odiar igualmente o repugnante Coppelius; pois assim que ele aparecia a sua disposição alegre, a sua natureza jovial e despreocupada se transformavam numa seriedade triste e sombria. Meu pai se comportava diante dele como se ele fosse uma criatura superior, cujas maldades devessem ser toleradas e com quem o bom humor devia ser conservado. Ele podia apenas sugerir algo, discretamente, e pratos prediletos eram preparados e vinhos raros eram oferecidos.

Quando eu vi esse Coppelius, percebi apavorado e terrificado em minha alma que ninguém senão ele poderia ser o Homem da Areia; mas o Homem da Areia já não era para mim aquele espantalho das histórias da carochinha, que pega olhos de crianças para dar de comer no ninho de coruja na meia-lua – não! – era um monstro fantasmagórico e feio que por onde quer que passasse traria aflição – miséria – perdição temporal e eterna.

Eu estava enfeitiçado e paralisado. Correndo o risco de ser descoberto e, como eu pensava claramente, duramente punido, permaneci em pé, com a cabeça esticada para fora da cortina, escutando. Meu pai recebeu Coppelius com toda cerimônia. "Mãos à obra! Ao trabalho!", exclamou este último com voz rouca e estridente, e lançou de lado o sobretudo. Meu pai tirou o seu roupão, quieto e lúgubre, e os dois vestiram longas túnicas pretas. De onde eles *as* tiraram eu não vi. Meu pai abriu a porta lateral de um armário de parede; porém, aquilo que eu pensava por tanto tempo ser um armário, vi que era antes uma cavidade profunda, na qual havia um pequeno fogão. Coppelius aproximou-se, e uma chama azul crepitou acima do fogão.

Em volta havia toda sorte de aparelhos insólitos. Ó Deus! – na forma como o meu velho pai se inclinava para o fogo, ele parecia alguém completamente diferente. Uma dor horrível e convulsiva parecia ter distorcido os seus traços suaves e honestos numa feia e repulsiva imagem diabólica. Ele se parecia com o Coppelius. Este empunhava tenazes vermelhas incandescentes e com elas retirava da espessa fumaça massas claras e brilhantes, que ele então martelava laboriosamente. Para mim, era como se em volta disso rostos humanos se tornassem visíveis, mas sem olhos – no lugar deles, covas profundas, negras, horríveis. "Dê-me os olhos, dê-me os olhos!", exclamou Coppelius com voz abafada e ameaçadora. Eu soltei de súbito um grito agudo, tomado violentamente por um pavor selvagem, e caí no chão, deixando meu esconderijo. Então Coppelius me agarrou, "Pequena besta! – Pequena besta!", berrou ele, mostrando os dentes – ele me puxou para cima e me atirou sobre o fogão, de modo que as chamas começaram a chamuscar o meu cabelo: "Agora nós temos olhos – olhos – um belo par de olhos de crianças". Assim murmurou Coppelius, e agarrou das chamas, com as mãos, brasas vermelhas incandescentes, que ele queria lançar-me nos olhos. Então meu pai levantou as mãos suplicando e gritou: "Mestre! Mestre! Deixe os olhos do meu Nathanael – deixe os olhos dele!". Coppelius soltou uma risada estridente e exclamou: "Que o menino então conserve os seus olhos e choramingue a sua cota de choro no mundo; mas agora vamos observar bem o mecanismo das mãos e dos pés". E com isso pegou-me com violência, fazendo minhas articulações estalarem e girando as minhas mãos e os meus pés, recolocando-os ora aqui, ora ali. "Não fica bem em lugar nenhum! Fica melhor como estava! O velho sabia o que fazia!" Coppelius silvava e ciciava assim; mas tudo ao meu redor ficou escuro e sombrio; um súbito espasmo contraiu os meus nervos e ossos – eu não sentia mais nada. Um hálito suave e quente passou pelo meu rosto, eu despertei como que do sono da morte; minha mãe havia se curvado sobre mim. "O Homem da Areia ainda está aí?", balbuciei. "Não, meu filho querido, ele já foi há muito, muito tempo, ele não vai te fazer mal!" Assim falou minha mãe, beijando e acariciando o seu recuperado filho querido. –

Mas por que eu deveria cansar-lhe, meu estimado Lothar? Por que eu deveria contar tantos detalhes, se tanta coisa fica por dizer? Basta! – Eu fui descoberto enquanto espiava, e fui maltratado por Coppelius. Angústia e pavor me causaram uma febre ardente, da qual padeci por várias semanas. "O Homem da Areia ainda está aí?" – Essas foram minhas primeiras palavras quando me restabeleci; o sinal da minha cura, da minha salvação. – Eu ainda posso lhe contar apenas o momento mais terrível da minha infância; assim você estará convencido de que não é uma fraqueza dos meus olhos se agora tudo me parece sem cor, mas que realmente uma obscura fatalidade estendeu sobre a minha vida um túrgido véu de nuvens, que eu talvez só possa rasgar ao morrer. –

Coppelius nunca mais foi visto, dizia-se que ele havia deixado a cidade.

Devia ter passado um ano até que certa noite nós estávamos sentados em volta da mesa redonda, seguindo o velho e inalterado costume. Meu pai estava muito alegre e jovial e contava muitas coisas engraçadas sobre as viagens que ele fizera na sua juventude. Subitamente, então, ao soarem as nove horas, ouvimos rangerem os gonzos da porta de casa, e passos lentos, pesados como ferro, estremeceram ao subirem a escada no corredor. "É o Coppelius", disse a minha mãe, empalidecendo. "Sim! – é o Coppelius", repetiu o meu pai, com uma voz fraca e entrecortada. As lágrimas irromperam dos olhos de minha mãe. "Mas pai, pai!", ela exclamou, "precisa ser assim?" "Pela última vez!", ele retrucou, "pela última vez ele vem até mim, eu lhe prometo isso. Apenas vá, vá com as crianças! – Vão – vão para a cama! Boa noite!"

Era como se eu estivesse sendo comprimido por uma pedra pesada e fria – minha respiração emperrou! – Minha mãe me pegou pelo braço enquanto eu permanecia imóvel: "Venha, Nathanael, venha!" – Deixei que me levassem, entrei no meu quarto. "Fique calmo, fique calmo, deite-se! – durma – durma", exclamou minha mãe; mas, torturado por angústia e apreensão interiores indescritíveis, eu não podia fechar os olhos. O odiado e repugnante Coppelius estava em pé na minha frente, com olhos faiscantes, e sorria-me com sarcasmo; em vão eu procurava livrar-me de sua imagem. Já deveria ser pelo menos meia-noite quando houve um estrondo terrível, como se uma peça de artilharia tivesse sido disparada. A casa inteira estremeceu, junto à minha porta passaram rumores e ruídos, a porta da frente bateu com estrondo. "É Coppelius", gritei aterrorizado e saltei da cama. Então se ouviu um lamento cortante e inconsolável; precipitei-me para o gabinete do meu pai, a porta estava aberta, uma fumaça sufocante veio em minha direção, a criada gritava: "Ah, o patrão! – o patrão!" – No chão, em frente ao fogão enfumaçado, estava o meu pai, morto, com o rosto preto, queimado, terrivelmente desfigurado; em volta dele minhas irmãs choravam e gemiam – ao lado, minha mãe, desmaiada! – "Coppelius, maldito Satã, você matou o meu pai!" – Assim gritei; perdi os sentidos. Quando, dois dias depois, meu pai foi posto no caixão, seus traços se tornaram de novo suaves e doces, como eles eram em vida. Minha alma consolou-se, pois a sua ligação com o diabólico Coppelius não poderia então tê-lo precipitado na danação eterna. –

A explosão acordou os vizinhos; o evento tornou-se conhecido e chegou até as autoridades, que queriam intimar Coppelius como responsável. Mas ele desapareceu do lugar sem deixar rastros.

Se agora eu lhe digo, meu caro amigo, que aquele vendedor de barômetros era justamente o maldito Coppelius, você não reprovará o fato de que eu interprete a hostil aparição como portadora de grave desgraça. Ele estava vestido de forma diferente, mas a figura e os traços de Coppelius estão por demais gravados no meu íntimo para que possa haver aí um erro. Além disso, Coppelius nem sequer mudou o seu nome. Pelo que ouvi dizer, ele se faz passar aqui por um mecânico piemontês, e diz que seu nome é Giuseppe Coppola.

Estou decidido a enfrentá-lo e vingar a morte de meu pai, aconteça o que acontecer.

Não diga nada à minha mãe sobre a aparição desse monstro horrível – dê lembranças à minha querida e encantadora Clara, eu escreverei a ela quando estiver mais tranquilo. Tudo de bom etc. etc.

CLARA A NATHANAEL

É verdade que você já não me escreve há muito tempo, mas mesmo assim acredito que você me tenha no coração e no pensamento. Pois com certeza você estava vividamente pensando em mim quando quis enviar a sua última carta ao meu irmão Lothar, mas a endereçou a mim em vez de a ele. Abri o envelope com felicidade e só percebi o erro ao ler as palavras: Ah, meu estimado Lothar! – Não deveria ter continuado a ler, mas sim dado a carta ao meu irmão.

Mas, se algumas vezes você brincou comigo, dizendo que eu tinha um ânimo tão tranquilo, tão femininamente ponderado, como aquela mulher que, antes de fugir correndo de uma casa que ameaçava desabar, alisaria uma prega amassada na cortina da janela, então eu posso lhe assegurar que o início da sua carta me abalou profundamente. Eu mal pude respirar, a minha vista turvou-se. – Ah, meu queridíssimo Nathanael! Que coisa mais horrível poderia ter acontecido na sua vida? Separar-me de você, nunca mais vê-lo, esse pensamento atravessou o meu peito como uma ardente punhalada. – Li e continuei a ler! – Sua descrição do repugnante Coppelius é terrível. Só agora fiquei sabendo que o seu bom e velho pai teve uma morte tão horrível, tão violenta. Meu irmão Lothar, a quem entreguei o que lhe pertencia, tentou me acalmar, mas não teve muito êxito. O fatídico vendedor de barômetros Giuseppe Coppola me perseguia constantemente, e eu praticamente tenho vergonha de confessar que ele conseguia mesmo perturbar o meu sono saudável, geralmente tão tranquilo, com toda sorte de sonhos extravagantes. Mas logo no outro dia eu já via as coisas de outro modo. Por isso, não me leve a mal, meu querido, se Lothar lhe disser que eu estou tão serena e despreocupada como sempre, apesar do seu singular pressentimento de que Coppelius lhe fará algo de mal.

Quero confessar-lhe apenas, com toda franqueza, que na minha opinião todas as coisas horríveis e assustadoras de que você fala aconteceram apenas em seu íntimo, tendo o verdadeiro mundo exterior, real, pouco a ver com isso tudo. O velho Coppelius pode ter sido suficientemente repugnante, mas o fato de que ele odiava crianças é que produziu em vocês verdadeira aversão contra ele.

Naturalmente, o terrível Homem da Areia dos contos da carochinha associou-se no seu ânimo infantil ao velho

Coppelius, que continuou sendo para você um monstro fantasmagórico, perigoso, principalmente para as crianças, mesmo que você não acredite mais no Homem da Areia. As infamiliares atividades junto a seu pai à noite não eram outra coisa senão experimentos alquímicos secretos com os quais a sua mãe não poderia estar de acordo, pois certamente muito dinheiro era desperdiçado inutilmente, e, além disso, como parece acontecer sempre com esses experimentadores, o ânimo de seu pai se absorvia totalmente no desejo enganoso de uma sabedoria superior, ficando a família de lado. Seu pai certamente provocou a sua própria morte por uma imprudência, e Coppelius não tem culpa nisso: acredita que eu ontem perguntei ao experimentado farmacêutico da vizinhança se uma explosão letal repentina de tal ordem seria possível em experimentos químicos? Ele me disse: "Ah, com certeza", e me descreveu de modo detalhado e cerimonioso como isso poderia acontecer, e citou tantos nomes que soam esquisitos que eu nem pude retê-los. – Agora você certamente ficará chateado com a sua Clara, e dirá: Nesse ânimo frio não penetra nenhum raio do elemento misterioso que frequentemente envolve os humanos com braços invisíveis; ela vê apenas a superfície colorida do mundo e alegra-se como uma criança tola com o fruto brilhante e dourado em cujo interior se esconde um veneno mortal.

Ah, meu queridíssimo Nathanael! Você não acredita que mesmo os temperamentos serenos e relaxados – despreocupados – podem albergar o pressentimento de um poder obscuro, que luta para nos arruinar em nosso próprio ser, como um inimigo? – Mas me perdoe se eu, moça simplória, atrevo-me a insinuar de alguma forma o que de fato penso sobre esse tipo de luta interior. – No fim das contas, pode ser que eu não encontre as palavras certas e você ria de mim, não porque eu pense coisas tolas, mas porque as diga de forma tão desajeitada.

Se existe um poder obscuro, realmente hostil e traiçoeiro, que em nosso íntimo tece um fio com o qual nos prende e puxa por um caminho ruinoso e cheio de perigos que nós geralmente não tomaríamos – se esse poder existe, então ele deve tornar-se em nós o nosso próprio ser, como nós mesmos o formamos, pois somente *assim* acreditaremos nele e lhe daremos o espaço de que precisa para realizar aquela obra secreta. Se tivéssemos um espírito fortalecido por uma vida serena, firme o suficiente para sempre reconhecermos essa influência alheia e hostil enquanto tal, e para seguirmos com passo tranquilo o caminho para o qual a inclinação e a vocação nos impelem, assim provavelmente aquele infamiliar poder sucumbiria na luta vã para a formação daquilo que a nossa própria imagem no espelho deveria ser. "Também é certo", acrescenta Lothar, "que o obscuro poder psíquico, se nós mesmos nos entregamos a ele, frequentemente envolve em nosso interior as figuras insólitas que o mundo exterior nos lança pelo caminho, de modo que apenas nós mesmos atiçamos o espírito que fala naquela figura, na qual acreditamos, numa espantosa ilusão. É o fantasma de nosso próprio ser, cujo íntimo parentesco e cuja profunda influência em nosso ânimo nos lança ao inferno, ou nos eleva até o céu." – Você percebe, meu querido Nathanael!, que eu e o meu irmão Lothar falamos bastante sobre o assunto dos poderes e forças obscuros, o que agora me parece algo bem profundo, depois de ter escrito o principal, não sem esforço. As últimas palavras de Lothar eu não entendo inteiramente; apenas intuo o que ele quer dizer; no entanto, para mim é como se tudo fosse muito verdadeiro. Eu te peço: tire totalmente da cabeça o horrendo advogado Coppelius e o homem dos barômetros,

Giuseppe Copolla. Fique certo de que essas figuras bizarras não podem nada contra você; somente a sua crença no seu poder hostil pode fazer com que elas de fato sejam hostis a você. Se cada linha da sua carta não falasse da profunda agitação do seu ânimo, se o seu estado não me doesse no mais íntimo da alma, eu poderia verdadeiramente gracejar sobre o advogado Homem da Areia e o vendedor de barômetros Coppelius. Fique tranquilo – tranquilo! – Decidi aparecer para você como um espírito protetor, e espantar com uma risada alta o horrendo Coppola, se ele se atrever a te incomodar nos seus sonhos. Não o temo de forma alguma, nem as suas mãos nojentas; ele não vai me estragar uma guloseima, como advogado, nem os olhos, como Homem da Areia.

Eternamente, meu bem-amado Nathanael etc. etc. etc.

NATHANAEL A LOTHAR

Foi-me muito desagradável que Clara tenha aberto por engano e lido a sua carta, recentemente, por causa de uma distração minha. Ela me escreveu uma carta muito profunda e filosófica, na qual prova detalhadamente que Coppelius e Coppola existem apenas no meu interior e que eles são fantasmas do meu eu que virarão pó, instantaneamente, se eu os reconhecer como tais. Na verdade, mal se pode crer que o espírito que brilha frequentemente, como um sonho doce e amável, naqueles claros, encantadores e sorridentes olhos pueris possa fazer distinções tão sensatas, tão magistrais. Ela se refere a você. Vocês falaram sobre mim. Você deve ter lhe ministrado aulas de lógica, de forma que ela possa ordenar e separar tudo tão bem. – Pare com isso! – Aliás, é quase certo que o vendedor de barômetros Giuseppe Coppola não seja de modo algum o velho advogado Coppelius. Eu frequento as aulas do professor de física recém-chegado, chamado Spalanzani, como aquele famoso naturalista, e que é de origem italiana. Ele conhece o Copolla há muitos anos, e, além disso, ao ouvir o seu sotaque, percebe-se que ele é de fato piemontês. Coppelius era alemão, embora me pareça que não verdadeiramente. Não estou de todo tranquilo. Você e Clara ainda podem ter-me por um sonhador sombrio, mas eu não posso me livrar da impressão que o maldito rosto de Coppelius produz sobre mim. Estou feliz que ele tenha deixado a cidade, conforme me disse Spalanzani. Esse professor é um tipo esquisito. Um homem pequeno e rechonchudo, com maçãs do rosto salientes, nariz fino e delicado, lábios carnudos, olhos pequenos e penetrantes. Mas, melhor do em qualquer descrição, você o verá se olhar o Cagliostro feito por Chodowiecki,[3] num almanaque berlinense qualquer. – Essa é a aparência de Spalanzani – Recentemente, ao subir as escadas, percebi que a cortina de uma porta de vidro, que usualmente fica bem fechada, deixava uma pequena fresta de um lado. Eu mesmo não sei como cheguei a espiar com curiosidade por ali. Uma mulher alta, muito magra, formada na mais pura simetria, esplendidamente vestida, sentava-se em frente a uma pequena mesa sobre a qual ela estendia os braços, com as mãos cruzadas. Sentava-se de frente para a porta, de forma que eu apreendia totalmente o seu belo rosto angelical. Ela parecia não me perceber, e os seus olhos tinham mesmo algo de fixo, eu quase diria sem visão, como se ela dormisse com os olhos abertos. Senti algo muito infamiliar e por isso saí dali esgueirando-me silenciosamente para o auditório que havia ao lado. Depois descobri que a figura que eu havia visto era Olímpia, a filha de Spalanzani, que ele mantinha aprisionada de uma maneira maldosa e excêntrica, de modo que ninguém dela pudesse se aproximar. – No final das contas, pode haver algo de especial com ela, talvez ela seja aparvalhada ou algo assim. – Mas por que eu estou lhe escrevendo isso tudo? Eu poderia lhe contar isso de um modo melhor e mais detalhadamente em pessoa. Pois saiba que eu estarei com vocês dentro de catorze dias. Preciso rever minha doce e querida figura angelical, minha Clara. Então se dissipará o aborrecimento que (devo confessar) quis apoderar-se de mim depois da carta fatídica e sensata. Por isso eu também não lhe escreverei hoje.

Mil lembranças etc. etc. etc.

★★★

Não se poderia inventar nada de mais insólito e esquisito do que aquilo que aconteceu com o meu pobre amigo, o jovem estudante Nathanael, e que eu decidi contar-lhe, excelente leitor! Você vivenciou alguma vez, benevolente leitor, algo que preenchesse totalmente o seu peito, sentidos e pensamentos, deixando tudo o mais de fora? Algo que fervesse e fermentasse dentro de você, o sangue em brasa saltando nas veias, avermelhando mais e mais as suas faces. Seu olhar seria tão insólito como se quisesse captar figuras no espaço vazio, que não são visíveis a nenhum olho, e a fala se desfaria em lúgubres suspiros. Então os amigos lhe perguntariam: "Como você está, prezado? – O que você tem, estimado amigo?". E assim você procuraria exprimir a forma interior com todas as cores ardentes, todas as sombras e luzes, e já estaria exausto ao buscar as palavras para começar. Mas seria como se você tivesse de resumir logo na primeira palavra tudo aquilo de maravilhoso, incrível, terrível, divertido e sombrio que aconteceu, de modo que atingisse a todos, como numa descarga elétrica. Mas cada palavra, tudo aquilo de que a fala é capaz, parecer-lhe-ia incolor e gélido e morto. Você iria procurar e procurar, e gaguejar e balbuciar, e as sóbrias palavras dos seus amigos fustigariam o seu íntimo ardor, como um vento gelado, até extingui-lo. Mas se você fizesse um esboço da sua imagem interna, como um ousado pintor, com alguns corajosos traços, então facilmente você carregaria nas cores, tornando-as cada vez mais brilhantes, e o vivo tumulto das variadas figuras arrebataria seus amigos e eles veriam a si mesmos, juntos contigo, no meio da imagem que brotou do seu ânimo! – Eu tenho de lhe confessar, benevolente leitor!, que na verdade ninguém me pediu para contar a história do jovem Nathanael; mas você sabe muito bem que eu pertenço àquele gênero singular de autores que, quando trazem dentro de si algo como isso que acabo de descrever, caem num estado de espírito em que todos os que se aproximam, e também ao mesmo tempo o mundo inteiro, parecem perguntar: "O que houve? Conte-me, meu caro!" – Desse modo, senti-me violentamente impelido a falar da malfadada vida de Nathanael. O maravilhoso, o bizarro nela preenche toda a minha alma, mas justamente por isso, e porque eu precisava incliná-lo, ó meu leitor, a suportar o extraordinário, o que não é pouca coisa, esforcei-me por começar a história de Nathanael de modo significativo – original, tocante: "Era uma vez" – o mais belo começo para qualquer história, sóbrio demais! – "Na pequena cidade do interior, S., vivia" – um pouco melhor, detalhista, preparando um clímax. – Ou logo *medias in res*: "'Vá para o diabo', gritou o estudante Nathanael, com fúria e pavor no olhar selvagem, quando o vendedor de barômetros Giuseppe Coppola" – Isso na verdade eu já havia escrito, quando pensava ver no olhar selvagem do estudante Nathanael algo de cômico; mas a história não é nada divertida. Não me ocorreu nenhum discurso que parecesse espelhar por pouco que seja o brilho colorido da imagem interior. Decidi simplesmente não começar. Tome as três cartas que o amigo Lothar me confiou da forma mais bondosa, benevolente leitor, como o esboço do objeto que eu agora me esforçarei para colorir cada vez mais ao narrar. Talvez eu consiga captar alguma configuração, como um bom pintor de retratos, de modo que você encontre semelhanças sem conhecer o original, sim, como se você tivesse visto a pessoa várias vezes, com os próprios olhos. Talvez então você acredite, ó meu leitor, que nada é mais extraordinário e louco do que a vida real, e que o poeta só poderia captá-la como num reflexo escuro de um espelho fosco.

Para que fique mais claro o que é preciso saber logo de início, ainda deve-se acrescentar àquelas cartas que, logo após a morte do pai de Nathanael, Clara e Lothar, filhos de um parente distante que acabara de morrer e os deixara órfãos, foram acolhidos pela mãe de Nathanael. Clara e Nathanael tinham uma forte ligação, contra a qual nenhum homem sobre a Terra tinha algo a objetar; por isso, eles eram noivos quando Nathanael deixou a localidade para prosseguir com os estudos em G. Ele está lá agora em sua última carta e frequenta os cursos do famoso professor de história natural, Spalanzani.

Agora eu poderia continuar tranquilamente com a narração; mas, no momento, a imagem de Clara está tão viva diante dos meus olhos que não consigo desviar o olhar, como sempre me ocorria quando ela me olhava sorrindo encantadoramente. – De forma alguma Clara poderia ser considerada bela; isso diziam todos que por profissão entendiam de beleza. No entanto, os arquitetos louvavam as relações puras do seu porte, os pintores achavam quase castas demais as formas da sua nuca, ombros e colo, mas se apaixonavam todos pelo maravilhoso cabelo de Madalena e falavam em geral muitos disparates sobre o colorismo batônico.[4] Um deles, um verdadeiro fantasista, comparou muito singularmente os olhos de Clara com um lago de Ruisdael[5] no qual se refletiria o puro azul claro do céu sem nuvens, o bosque e o campo florido, toda a vida serena, multicolorida da rica paisagem. Mas poetas e mestres iam muito além e diziam: "Como assim lago? – como assim espelho? – Podemos, por acaso, olhar a moça sem que do seu olhar irradiem cantos e sons celestes e maravilhosos que penetram em nosso íntimo mais profundo, tornando tudo vivo e animado? Se nós mesmos não cantamos nada verdadeiramente inteligente, então não há muita coisa em nós, e isso nós também lemos claramente no fino sorriso que paira em torno dos lábios de Clara quando nos atrevemos a lhe trinar algo que deveria passar por canto, mas que não passa de sons isolados que se confundem uns com os outros". Era assim mesmo. Clara tinha a fantasia vigorosa da criança despreocupada e serena, um ânimo femininamente doce e profundo, um entendimento agudamente claro e lúcido. Alienados e fantasistas não tinham chance com ela; pois, sem falar muito, algo que em geral não pertencia a sua natureza silenciosa, o olhar claro lhes dizia, com aquele sorriso irônico e sutil: Caros amigos! Como querem exigir de mim que eu tome por figuras verdadeiras, com vida e calor, as suas sombras esfumaçadas? – Por isso, Clara era criticada por muitos como fria, insensível, prosaica; mas outros, que captavam a vida em clara profundidade, gostavam muitíssimo da moça calorosa, sensata, pueril, mas ninguém tanto quanto Nathanael, que se movia com vigor e serenidade na ciência e na arte. Clara ligava-se ao amado com toda a sua alma; as primeiras sombras atravessaram a sua vida quando ele dela se separou. Com que arrebatamento lançou-se aos seus braços quando ele realmente entrou na sala da sua mãe em sua cidade natal, tal como havia anunciado na última carta a Lothar. Aconteceu como Nathanael acreditava; pois, no momento em que ele reviu Clara, não pensou nem no advogado Coppelius nem na sensata carta dela; todo aborrecimento desapareceu.

Entretanto, Nathanael tinha razão ao escrever ao seu amigo Lothar dizendo que a figura do repulsivo vendedor de barômetros Coppola entrara em sua vida de forma hostil. Todos sentiram isso, já que Nathanael logo nos primeiros dias mostrou-se inteiramente transformado em toda a sua essência. Ele mergulhou em sombrios devaneios e logo agia de maneira bizarra, como nunca lhe tinha sido típico. Tudo, a vida inteira tornara-se para ele sonho e pressentimento; falava sempre que todo ser humano, julgando-se livre, servia apenas às forças obscuras de um jogo cruel contra as quais era vão revoltar-se; era preciso submeter-se humildemente àquilo que o destino havia imposto. Ele chegou a afirmar que era tolice acreditar que criamos a partir do arbítrio na arte e na ciência; pois o entusiasmo indispensável para criar não vem do próprio interior, mas antes é o efeito de um algum princípio superior situado fora de nós.

Para a sensata Clara, essa exaltação mística era desagradável no mais alto grau; refutá-la, porém, parecia algo inútil. Somente quando Nathanael demonstrava que Coppelius era o princípio do mal que o havia apanhado enquanto ele escutava atrás da cortina e que esse *demônio* repugnante iria perturbar terrivelmente a felicidade deles no amor, somente aí é que Clara ficava muito séria e dizia: "Sim, Nathanael! Você tem razão, Coppelius é um princípio maligno, hostil, ele pode provocar coisas terríveis como um poder demoníaco que visivelmente penetrou na vida, mas isso apenas se você não o banir de sua mente e de seus pensamentos. Enquanto você acreditar nele, ele *existirá* e agirá; apenas a sua crença é o poder dele". – Nathanael, furioso por Clara assentar a existência do *demônio* apenas em seu próprio interior, quis então discorrer sobre toda a doutrina mística do diabo e dos poderes pavorosos, mas Clara cortou a conversa, aborrecida, ao introduzir algum assunto irrelevante, deixando Nathanael muito irritado. *Ele* acreditava que espíritos frios e nada receptíveis não se abrem a tais mistérios profundos, sem estar claramente consciente de que ele considerava Clara justamente uma dessas naturezas inferiores; por isso, não deixava de tentar iniciá-la naqueles mistérios. De manhã cedo, quando Clara ajudava a preparar o café da manhã, ele se colocava ao seu lado e lia para ela trechos de toda sorte de livros místicos, até Clara lhe pedir: "Mas, querido Nathanael, e se eu ralhasse e dissesse que *você* é o princípio do mal que tem efeitos hostis sobre o meu café? – Pois se eu deixasse tudo de lado e olhasse nos seus olhos enquanto você lê, como você quer, o café queimaria e vocês ficariam sem a refeição!" – Nathanael fechou o livro violentamente e correu indignado para seu quarto. Geralmente ele tinha uma aptidão especial para escrever narrativas vivas, graciosas, que Clara ouvia com o mais íntimo prazer; agora, os seus poemas eram sombrios, incompreensíveis, sem forma, de modo que, se Clara não dizia, para poupá-lo, o quão pouco eles lhe interessavam, mesmo assim ele o sentia. Nada era mais mortal para Clara do que o tédio; ela exprimia então, no olhar e na fala, a sua invencível sonolência mental. De fato, os poemas de Nathanael eram muito entediantes. Seu desgosto perante o ânimo frio e prosaico de Clara cresceu; Clara não conseguia superar a sua irritação com o misticismo sombrio, obscuro e entediante de Nathanael; e assim ambos se afastavam cada vez mais um do outro, no seu íntimo, sem perceber. A figura do medonho Coppelius empalidecera em sua imaginação, como o próprio Nathanael tinha de admitir a si mesmo, e muitas vezes ele tinha de fazer um esforço para lhe dar cores vivas nos seus poemas, onde ele aparecia como um terrível e funesto espantalho. Finalmente ocorreu-lhe transformar em tema de um poema o sombrio pressentimento de que Coppelius iria perturbar a sua felicidade no amor. Ele representou a si mesmo e Clara unidos por um amor fiel, mas de vez em quando era como se um punho negro se envolvesse em suas vidas e lhes arrancasse qualquer alegria que lhes tivesse surgido. Finalmente, quando eles já estão diante do altar, o terrível Coppelius aparece e toca os doces olhos de Clara: *estes* pulam no peito de Nathanael como faíscas sangrentas, chamuscando e queimando; Coppelius agarra-o e lança-o num círculo de fogo flamejante que gira com a velocidade da tempestade e o leva dali, zunindo e mugindo. É um rugido, como quando o furacão chicoteia ferozmente as espumantes ondas do mar, que se erguem como gigantes negros, de cabeça branca, numa luta furiosa. Mas em meio a esse rugir selvagem ele ouve a voz de Clara: "Será que você não pode me ver? Coppelius enganou você, não foram os meus olhos que queimaram em seu peito, foram gotas ardentes do sangue do seu próprio coração – eu tenho meus olhos, olhe para mim!" – Nathanael pensa: essa é Clara, e eu serei dela eternamente. – Parece que o pensamento penetra violentamente no círculo de fogo, fazendo-o parar, e o estrondo se esvai, abafado, no abismo negro. Nathanael olha nos olhos de Clara; mas é a morte que o contempla gentilmente com os olhos dela.

Enquanto escrevia isso, Nathanael estava bem calmo e ponderado; ele burilava e melhorava cada linha, e, como se submetera ao rigor da métrica, não descansou até que tudo soasse bem e se encaixasse de modo puro. Porém, quando ele finalmente terminou e leu o poema para si mesmo em voz alta, foi tomado pelo horror e por um terror selvagem e gritou: "De quem é essa voz horrenda?" – Logo, porém, o todo lhe pareceu de novo apenas um poema muito bem-sucedido, e ele acreditou que poderia arrebatar assim o frio ânimo de Clara, embora não visse claramente por que arrebatá-la e por que deveria afinal amedrontá-la com imagens horrendas profetizando um destino terrível que destruiria o seu amor. Eles, Nathanael e Clara, estavam sentados no pequeno jardim na casa materna; Clara estava muito serena, pois Nathanael há três dias, nos quais compunha aquele poema, já não a torturava com os seus sonhos e pressentimentos. Nathanael também, alegre e cheio de vida, como de costume, falava de coisas divertidas, de modo que Clara disse: "Só agora eu tenho você de volta, por inteiro; viu como nós expulsamos o medonho Coppelius?". Apenas então Nathanael lembrou-se de que ele trazia no bolso o poema que gostaria de declamar. Puxou imediatamente as folhas e começou a ler: Clara, supondo algo entediante como de costume e resignando-se a isso, começou a tricotar tranquilamente. Mas à medida que as nuvens sombrias se erguiam cada vez mais negras, ela baixou a meia de tricô e olhou fixamente nos olhos de Nathanael. *Este* continuou o seu poema ininterruptamente; o fogo interior coloriu as suas bochechas de um vermelho intenso; lágrimas jorraram dos seus olhos. – Finalmente ele terminou, gemendo de profundo cansaço – ele pegou a mão de Clara e suspirou como se estivesse tomado por um desgosto inconsolável: "Ah! – Clara – Clara" – Clara apertou-o docemente contra o seio e disse em voz baixa, mas séria e lentamente: "Nathanael – meu caríssimo Nathanael! – jogue ao fogo esse conto louco – absurdo – delirante". Então Nathanael levantou-se indignado, abruptamente, e gritou repelindo

Clara: "Maldito autômato, sem vida!". Ele saiu correndo; Clara, profundamente ferida, verteu lágrimas amargas: "Ah, ele nunca me amou, pois ele não me entende", disse em voz alta, soluçando. – Lothar entrou no caramanchão; Clara teve de lhe contar o que aconteceu; ele amava a irmã com toda a sua alma; cada palavra de sua queixa caía-lhe como uma fagulha no seu interior, de forma que a mágoa que ele trazia no coração há muito tempo contra o sonhador Nathanael inflamou-se e transformou-se numa fúria selvagem. Ele correu até Nathanael; repreendeu-o, com duras palavras, pelo comportamento absurdo em relação à sua amada irmã, no que o esquentado Nathanael revidou da mesma forma. Um "bufão insano, fantasista" foi revidado por um "simplório miserável, vulgar". O duelo era inevitável. Decidiram enfrentar-se na manhã seguinte atrás do jardim, com floretes bem afiados, de acordo com o costume acadêmico local. Andavam para lá e para cá, sombrios e mudos; Clara havia escutado a discussão violenta e visto que o mestre de esgrima trouxe os floretes ao nascer do sol. Ela pressentiu o que deveria acontecer. Ao chegarem sombrios e silenciosos ao local do duelo, Lothar e Nathanael tiraram os sobretudos; com os olhos ardendo de anseio belicoso e sede de sangue, queriam lançar-se um contra o outro quando Clara precipitou-se pelo portão do jardim. Ela gritou entre soluços: "Seus homens terríveis e selvagens! – matem-me logo, antes de se atacarem; pois como eu poderei continuar vivendo neste mundo, se meu amado matou meu irmão, ou se meu irmão, meu amado?" – Lothar abaixou a arma e olhou para o chão em silêncio; mas no íntimo de Nathanael irrompeu de novo com lancinante melancolia todo o amor, como ele o sentira pela encantadora Clara nos dias mais belos de sua esplêndida juventude. A arma assassina caiu de sua mão, ele lançou-se aos pés de Clara. "Será que um dia você poderá me perdoar, minha única, minha amada Clara? – Você pode me perdoar, meu caríssimo irmão Lothar?" – Lothar foi tocado pela profunda dor do amigo; os três se abraçaram, reconciliados, entre mil lágrimas, e juraram não se separar e viver sempre no amor e na fidelidade.

Nathanael teve a sensação de que um peso que o empurrava para baixo fora retirado de seus ombros, sim, como se tivesse redimido todo o seu ser, ameaçado de aniquilação, ao resistir ao poder tenebroso que o havia dominado. Ele passou ainda três dias felizes com os seus queridos, depois voltou para G., onde pensava ficar por mais um ano, antes de voltar definitivamente a sua cidade natal.

Tudo o que se referia a Coppelius foi omitido à sua mãe; pois se sabia que ela não podia pensar nele sem horror, uma vez que ela, como Nathanael, culpava-o pela morte do marido.

★★★

Qual não foi a surpresa de Nathanael quando quis entrar em seu apartamento e viu que o prédio inteiro havia sido queimado, de modo que apenas os muros enegrecidos e nus erguiam-se a partir dos escombros. Embora o fogo tenha irrompido no laboratório do farmacêutico que morava no andar de baixo e, por isso, a casa tenha sido queimada de baixo para cima, os corajosos e audazes amigos conseguiram entrar em tempo no quarto de Nathanael, no andar de cima, salvando livros, manuscritos e instrumentos. Eles haviam levado tudo intacto para outra casa e reservaram-lhe ali um quarto, que Nathanael logo ocupou. Ele não viu nada de mais no fato de que o professor Spalanzani morava em frente, e tampouco lhe pareceu algo especial quando percebeu que da sua janela via diretamente o quarto onde com frequência Olímpia sentava-se solitária, de modo que podia reconhecer claramente a sua figura, embora os traços do seu rosto permanecessem indistintos e confusos. Por fim, percebeu que Olímpia sentava-se frequentemente por horas a fio junto a uma mesa pequena, sem qualquer ocupação, na mesma posição em que ele antes a descobrira através da sua porta de vidro, e também que aparentemente ela o fitava sem mover o olhar; tinha também de confessar a si mesmo que jamais havia visto uma silhueta mais bela; entretanto, tendo Clara em seu coração, ele permanecia inteiramente indiferente à rígida, inerte Olímpia, e apenas esporadicamente olhava distraído sobre seu manual que estava lendo na direção da bela estátua, e isso era tudo. – Estava justamente escrevendo a Clara quando alguém bateu à porta suavemente; ela se abriu após a sua permissão, e o rosto repulsivo de Coppelius espiou para dentro do quarto. Nathanael sentiu-se estremecer no mais íntimo; ao se lembrar do que Spalanzani lhe havia dito sobre o seu conterrâneo Coppola e do que ele havia prometido fervorosamente à amada em relação ao Homem da Areia Coppelius, ele teve vergonha de seu medo infantil de fantasmas, controlou-se com toda força e disse tão suave e serenamente como possível: "Não vou comprar nenhum barômetro, meu caro amigo! Vá embora!". Mas Coppola entrou completamente no quarto e disse num tom rouco, enquanto contorcia a boca grande num sorriso horrível, os olhos pequenos faiscando penetrantes sob os cílios longos e grisalhos: "Ah, barômetro *no*, barômetro *no*! – mas tenho também *bellis occhios – bellis occhios*!" – Nathanael gritou horrorizado: "Homem louco, como você pode ter olhos? – olhos – olhos?". Mas nesse instante Coppola havia posto seus barômetros de lado; ele punha a mão nos grandes bolsos do sobretudo e tirava óculos e lornhões que punha sobre a mesa. – "Sim – sim – óculo – óculo par colocare no nariz, isso ser meus *occhios – bellis occhios*!" – E assim tirava cada vez mais e mais óculos, de modo que eles começaram a brilhar e faiscar insolitamente por toda a mesa. Milhares de olhos olhavam e piscavam convulsivamente e encaravam Nathanael; mas ele não conseguia desviar o olhar da mesa, e Coppola punha ali cada vez mais óculos, e olhares flamejantes cada vez mais selvagens saltavam para lá e para cá e atiravam seus raios cor de sangue ao peito de Nathanael. Dominado por um terror louco, gritou: "Pare com isso! Pare com isso, homem terrível!". – Agarrou o braço de Coppola, no exato no momento em que ele enfiava a mão no bolso para retirar mais óculos, embora toda a mesa já estivesse coberta, mas Coppola se desvencilhou suavemente e disse com um riso rouco e hostil: "Ah! – nada para o senhor – mas aqui *bellis* lentes" – recolhera todos os óculos, guardara-os e retirara do bolso lateral do sobretudo um monte de monóculos pequenos e grandes. Assim que os óculos foram retirados, Nathanael ficou bem calmo e, pensando em Clara, percebeu que o fantasma terrível surgia unicamente do seu interior, e que Coppola deveria ser um mecânico e ótico altamente respeitável e de forma alguma o amaldiçoado duplo e espectro de Coppelius. Além disso, todas as lentes que Coppola punha agora sobre a mesa careciam de algo especial, pelo menos não tinham nada de fantasmagórico, como os óculos, e assim, para remediar tudo aquilo, Nathanael decidiu comprar alguma coisa de Coppola. Ele pegou um pequeno monóculo de bolso, finamente trabalhado, e olhou pela janela para testá-lo. Nunca na sua vida ele havia visto uma lente que aproximasse os objetos dos olhos de modo tão puro, claro e nítido. Sem querer, olhou para o aposento de Spalanzani; como de hábito, Olímpia sentava-se diante da mesa pequena, com os braços estendidos e as mãos cruzadas. – Somente agora

Nathanael via o rosto maravilhosamente bem formado de Olímpia. Apenas os olhos lhe pareciam curiosamente rígidos e mortos. Mas, à medida que olhava com mais e mais cuidado, era como se nos olhos de Olímpia brotassem úmidos raios de luar. Parecia que somente agora a sua visão fora animada; os olhares flamejavam cada vez mais vivos. Nathanael ficava diante da janela como que paralisado por magia, contemplando sem cessar a celestialmente bela Olímpia. Um pigarro e um arrastar de pés despertaram-no como que de um profundo sonho. Coppola estava atrás dele: "*Tre zechini* – três ducados". – Nathanael havia esquecido o ótico por completo; rapidamente, pagou a quantia exigida: "Não é verdade? – *Bella* lente – *bella* lente!", perguntou Coppola com sua voz rouca repulsiva e o sorriso sarcástico. "Sim, sim, sim!", retrucou Nathanael aborrecido: "Adeus, caro amigo!". – Coppola deixou o quarto, mas não sem muitos olhares enviesados e bizarros para Nathanael. Ele o ouviu rir em voz alta na escada. "Pois sim", pensou Nathanael, "ele ri de mim, pois eu com certeza lhe paguei caro demais pelo pequeno monóculo – paguei caro demais!" Ao dizer essas palavras em voz baixa, era como se ecoasse horrendamente pelo quarto um profundo suspiro mortífero; sua respiração paralisou-se com o íntimo temor. – Mas ele mesmo havia suspirado dessa forma, isso percebeu bem. "Clara provavelmente tem razão ao me considerar um tolo que vê fantasmas", ele disse a si mesmo, "mas é realmente uma loucura – ah, é mais que uma loucura que eu ainda agora me assuste com a ideia estúpida de que teria pagado caro demais a Coppola pelo monóculo; não vejo de forma alguma uma razão para isso." – Sentou-se então para terminar a carta a Clara, mas uma olhada pela janela o convenceu de que Olímpia ainda estaria sentada lá, e nesse momento, como se fosse movido por uma força irresistível, levantou-se de um salto, apanhou o monóculo de Coppola e não pôde mais se livrar da sedutora visão de Olímpia, até que o seu amigo e irmão Siegmund o chamasse para a aula com o professor Spalanzani. A cortina na frente do quarto funesto estava bem fechada; ele tampouco pôde perscrutar Olímpia nesse dia como nos dois dias seguintes, embora mal tenha deixado a janela e espiasse constantemente por meio do monóculo de Coppola. No terceiro dia, até mesmo as laterais da janela foram fechadas. Totalmente desesperado e movido pela saudade e pelo desejo ardente, Nathanael saiu pelos portões da cidade. A imagem de Olímpia pairava no ar à sua frente e saía do arbusto e o olhava do riacho claro com grandes olhos brilhantes. A imagem de Clara estava totalmente apagada do seu íntimo; ele só pensava em Olímpia e lamentava-se em voz alta e chorosa: "Ah, minha elevada e esplêndida estrela do amor, você só me apareceu para logo depois desaparecer, e para me deixar na noite tenebrosa e sem esperança?".

Quando ele voltava para casa, percebeu uma agitação barulhenta na casa de Spalanzani. As portas estavam abertas, toda sorte de aparelhos eram carregados para dentro, as janelas do primeiro andar estavam levantadas, moças ocupadas circulavam para lá e para cá e varriam com grandes vassouras de pelos, marceneiros e tapeceiros batiam e martelavam lá dentro. Nathanael ficou parado na rua, espantado; Siegmund apareceu então sorrindo e lhe disse: "E agora, o que você me diz sobre o nosso velho Spalanzani?". Nathanael assegurou-lhe de que não poderia dizer nada, pois não sabia absolutamente nada sobre o professor, e que ele antes percebia com grande espanto que a casa escura e silenciosa estivesse agora cheia de atividades e de uma grande agitação; então, Siegmund o informou que Spalanzani daria uma grande festa no dia seguinte, com baile e concerto, e que metade da universidade havia sido convidada. Por toda parte, dizia-se que Spalanzani daria a ver pela primeira vez a sua filha Olímpia, que havia por tanto tempo ocultado de todo olhar humano.

Nathanael encontrou um convite e foi para a casa do professor na hora marcada, com o coração disparado, quando os coches já chegavam e as luzes brilhavam nos salões adornados. Os convidados eram numerosos e elegantes. Olímpia apareceu ricamente vestida, com muito bom gosto. Era impossível não admirar o seu rosto belamente formado, o seu porte. As costas curiosamente inclinadas, o corpo fino como de uma vespa parecia ser consequência de um espartilho apertado demais. No andar e na postura ela tinha algo de rígido e comedido, que a alguns parecia desagradável; isso foi atribuído à pressão que a sociedade exercia sobre ela. O concerto começou. Olímpia tocou piano com grande habilidade e cantou uma ária magistral com uma voz clara de sinos de vidro, quase dilacerante. Nathanael estava totalmente enfeitiçado; ele estava na última fila e não podia reconhecer bem os traços de Olímpia à luz ofuscante das velas. Por isso, tomou sem perceber o monóculo de Coppola e olhou a bela Olímpia. Ah! – então ele percebeu como ela o olhava com grande ânsia, como cada nota brotava apenas no olhar amoroso que penetrava ardentemente no seu íntimo. Seus melismas artificiais pareciam a Nathanael o júbilo celeste do ânimo transfigurado no amor, e quando finalmente a cadência do longo trinado ressoou retumbante pelo salão, ele já não podia se conter, e como se subitamente tivesse sido tomado por braços ardentes, gritou de dor e arrebatamento: “Olímpia!”. – Todos se voltaram para ele; alguns riram. O organista da catedral, porém, exibiu um rosto ainda mais sombrio que antes e disse apenas: “Ora, ora!”. – O concerto havia terminado; o baile começou. Dançar com ela! – com ela! Este era agora o objetivo de todos os seus desejos e de todos os seus esforços; mas como achar a coragem para convidá-la, ela, a rainha da festa? Pois sim! – ele próprio não soube como aconteceu de estar bem ao lado de Olímpia, que ainda não havia sido convidada, assim que a dança começou, e como ele pegou a sua mão, mal balbuciando algumas palavras. A mão de Olímpia era fria como gelo; ele se sentiu sacudido por um calafrio tenebroso e mortal; olhou-a nos olhos fixamente; eles brilhavam em sua direção cheios de amor e anseios, e nesse momento ele teve a impressão de que na mão fria havia agora um pulso e ferviam correntes do sangue vital. E no íntimo de Nathanael também fervia mais forte o desejo de amor; ele abraçava a bela Olímpia e voava com ela por entre os pares de dançarinos. – Ele acreditava que dançava bem de acordo com o ritmo, mas na habilidade rítmica bem peculiar com que Olímpia dançava, e que frequentemente o fazia errar, ele logo percebeu como o ritmo lhe faltava. No entanto, ele não quis dançar com nenhuma outra mulher, e teria desejado matar qualquer um que se aproximasse para convidá-la. Mas isso só aconteceu duas vezes; para seu espanto, Olímpia permaneceu então sentada; e ele não tinha dificuldades para tirá-la de novo para dançar. Se Nathanael pudesse ver algo que não a bela Olímpia, então teriam sido inevitáveis toda sorte de brigas e conflitos fatais, pois aparentemente as risadas mal abafadas, reprimidas com dificuldade, que se ouviam aqui e ali entre os jovens, eram dirigidas à bela Olímpia, que eles seguiam com olhares curiosos, sem que se soubesse o porquê. Aquecido pela dança e pelo vinho desfrutado em abundância, Nathanael perdeu toda a timidez que lhe era própria. Sentou-se junto a Olímpia, segurou suas mãos e falava do seu amor com grande entusiasmo e paixão em palavras que ninguém entendia, nem ele nem Olímpia. Mas talvez ela entendesse, pois o olhava nos olhos impassivelmente e suspirava seguidas vezes: "Ah – Ah – Ah!" – ao que Nathanael então respondia: "Ó mulher sublime, celestial! – Raio do prometido além do amor – ânimo profundo, em que todo o meu ser se espelha", e depois dizia mais do mesmo, mas Olímpia apenas suspirava sempre novamente: "Ah, ah!". – O professor Spalanzani passou algumas vezes pelo par feliz e riu-se muito satisfeito, de modo bizarro. Embora estivesse em outro mundo, de repente Nathanael viu que a casa do professor Spalanzani estava às escuras; ele olhou em torno de si e percebeu, muito espantado, que as duas últimas luzes no salão vazio estavam prestes a se apagar. Música e dança já haviam acabado há muito tempo. "Separação, separação", gritou em desespero totalmente selvagem; beijou a mão de Olímpia, inclinou-se sobre sua boca; lábios frios como gelo encontraram os seus lábios ardentes! – Assim como quando tocara a mão fria de Olímpia, sentiu-se tomado de um íntimo horror; a lenda da noiva morta passou-lhe subitamente pela cabeça; mas ele manteve Olímpia apertada junto a si, e os lábios pareciam aquecer-se de vida durante o beijo. – O professor Spalanzani caminhava lentamente sobre o salão vazio, seus passos soavam ocos e sua figura, rodeada de sombras bruxuleantes, tinha um aspecto terrivelmente fantasmagórico. "Você me ama? – Você me ama, Olímpia? – Só essa palavra! – Você me ama?", Nathanael sussurrava assim, mas Olímpia apenas suspirou ao se levantar: "Ah – Ah!". "Sim, minha sublime, encantadora estrela do amor", disse Nathanael, "que surgiu em mim e iluminará, transfigurará o meu íntimo para sempre!" "Ah, ah!", respondeu Olímpia afastando-se. Nathanael a seguiu; ela parou na frente do professor. "O senhor conversou com a minha filha de modo extraordinariamente vívido", disse o professor sorrindo: "Ora, ora, caro senhor Nathanael, se você gosta de conversar com essa moça tímida, então a sua visita me será bem-vinda". – Nathanael se foi, com todo um céu claro brilhando em seu peito. A festa de Spalanzani foi o tema da conversa nos dias seguintes. Embora o professor tivesse feito tudo para parecer verdadeiramente generoso, as cabeças espirituosas sabiam narrar toda sorte de coisas bizarras e singulares que haviam acontecido, e falavam sobretudo da silente Olímpia, rígida como um cadáver, a quem se atribuía uma estupidez total, apesar de sua bela aparência, e nisso viam a razão de Spalanzani a ter ocultado por tanto tempo. Nathanael ouvia isso não sem ficar furioso, mas se calava; pois, pensava, "de que serviria provar a esses jovens que é justamente a sua própria estupidez que os impede de reconhecer o ânimo profundo e sublime de Olímpia?". "Faça-me o favor, irmão", disse-lhe Siegmund um dia, "faça-me o favor de me dizer como um sujeito sensato como você foi apaixonar-se por aquele rosto de cera, aquela boneca de madeira." Nathanael quis brigar furiosamente, mas logo se conteve e retrucou: "Diga-me você, Siegmund, como o seu olhar, como a sua mente perspicaz, que geralmente captam com clareza tudo o que é belo, puderam deixar passar o celestial encanto de Olímpia? Mas justamente por isso eu não tenho você como rival, louvado seja o destino; pois senão um de nós dois deveria cair morto". Siegmund percebeu então o estado do seu amigo e distanciou-se habilmente; e depois de dizer que no amor nunca se deveria julgar sobre o objeto amado, acrescentou: "Mas é curioso que muitos de nós tivemos razoavelmente o mesmo juízo sobre Olímpia. Ela nos pareceu – não leve a mal, irmão! – rígida e sem alma, de um modo singular. Seu porte é harmonioso, bem como seu rosto, é verdade! – Ela poderia ser considerada bela, se o seu olhar não fosse tão destituído de brilho vital, sem visão, eu diria. O seu passo é especialmente bem medido, cada movimento parece condicionado pelo curso de um mecanismo a que se deu corda. Seu modo de tocar, de cantar, tem o ritmo desagradavelmente exato e sem espírito das máquinas de cantar, e a sua dança também é assim. Essa Olímpia tornou-se totalmente infamiliar para nós; nós não queríamos ter nada com ela; parecia-nos que ela apenas agia como um ser vivo, e, no entanto, havia nela uma certa peculiaridade". – Nathanael simplesmente não se entregou ao sentimento amargo que queria dominá-lo com essas palavras; controlou a sua raiva e apenas disse, bem sério: "Olímpia talvez possa ser infamiliar para vocês, homens frios e prosaicos. Apenas ao ânimo poético se mostra o ânimo da mesma natureza! – Somente *para mim* ela dirigia o seu olhar amoroso, que iluminava o meu pensamento e juízo; somente no amor de Olímpia eu reencontro o meu próprio ser. Também pode parecer incorreto que ela não se prenda a conversações vulgares, como os outros ânimos superficiais. Ela diz poucas palavras, é verdade; mas essas poucas palavras são como verdadeiros hieróglifos do mundo interior cheio de amor e de elevado conhecimento da vida espiritual na contemplação do Além eterno. Mas vocês não têm nenhuma sensibilidade para tudo isso e tudo lhes são palavras perdidas". "Que Deus o proteja, caro irmão", disse Siegmund bem suavemente, quase melancólico, "mas a mim me parece que você está no mau caminho. Você pode contar comigo, quando tudo... – Não, não quero dizer mais nada!" Para Nathanael, foi como se de repente o frio e prosaico Siegmund o quisesse muito bem; por isso, sacudiu muito afetuosamente a mão que lhe era estendida. –

Nathanael esqueceu completamente que havia no mundo uma Clara, que ele antes havia amado; a mãe, Lothar, todos haviam desaparecido da sua memória; ele vivia apenas para Olímpia, com quem se sentava horas a fio todos os dias, e fantasiava sobre o seu amor, sobre o alvorecer de uma simpatia ardente, sobre a afinidade eletiva psíquica, e Olímpia ouvia tudo com grande devoção. Do recôndito mais escondido da sua escrivaninha, Nathanael tirava tudo o que ele já havia escrito. Poemas, fantasias, visões, romances, contos; isso era diariamente acrescido com toda sorte de sonetos, estâncias, canções, e isso tudo ele lia para Olímpia por horas a fio, sem parar, sem se cansar. Mas ele também nunca tinha tido uma ouvinte tão esplêndida. Não bordava nem tricotava, não olhava para a janela, não dava comida a pássaros, não brincava com cachorrinhos de colo, com gatinhos de estimação, não enrolava pedacinhos de papel ou qualquer outra coisa com as mãos, não precisava combater um bocejo com uma pequena tosse forçada – em suma! – olhava o amado nos olhos com o olhar fixo, sem piscar, por horas a fio, sem se mexer ou se mover, e esse olhar tornava-se cada vez mais ardente, cada vez mais vivo. Somente quando Nathanael finalmente levantava-se e beijava-lhe a mão, ou mesmo a boca, ela dizia: "Ah, ah!", e então depois: "Boa noite, meu querido!". – "Ó, ânimo sublime, profundo", exclamava Nathanael em seu quarto, "somente você, unicamente você me compreende totalmente." Ele tremia de excitação interior ao pensar na maravilhosa harmonia entre o seu ânimo e o de Olímpia, que se revelava a cada dia maior; pois lhe parecia que Olímpia falava sobre suas obras, sobre seu talento poético a partir do seu próprio interior, profundamente, como se a voz dela soasse a partir do seu próprio interior. Talvez fosse isso mesmo; pois Olímpia nunca falou mais do que as palavras mencionadas. Mas quando, em momentos claros e sóbrios, como, por exemplo, logo após o despertar pela manhã, Nathanael lembrava-se realmente da passividade completa e do laconismo de Olímpia, então dizia: "O que são palavras – palavras!? – O olhar dos seus olhos divinos diz mais que qualquer língua aqui embaixo. Uma criança do céu poderia adaptar-se ao círculo estreito traçado por uma lamentável necessidade terrestre?". – O professor Spalanzani parecia estar muito feliz com a relação entre a sua filha e Nathanael; dava a ele toda sorte de sinais inequívocos de sua benevolência, e quando Nathanael enfim ousou aludir remotamente a uma ligação com Olímpia, ele abriu um largo sorriso e disse: daria à sua filha total liberdade de escolha. – Encorajado por essas palavras, com o coração ardendo de desejo, Nathanael decidiu, logo no dia seguinte, suplicar a Olímpia que ela exprimisse sem rodeios e em palavras claras o que o seu terno olhar amoroso já há muito lhe dizia, que ela queria ser dele para sempre. Ele procurou o anel que a mãe lhe havia dado de presente na despedida para oferecê-lo a Olímpia como símbolo de sua dedicação, de sua vida que desabrochava e florescia com ela. Caíram-lhe nas mãos, então, cartas de Clara e Lothar; jogou-as de lado, indiferente, encontrou o anel, guardou-o e correu até Olímpia. Já na escada, no corredor, percebeu um barulho singular; parecia vir do escritório de Spalanzani. – Um bater de pés – um tilintar – uma trombada – golpes contra a porta, em meio a esconjuros e maldições. "Largue – largue – maldito – infame! – foi para isso que eu dediquei a minha vida e a minha força? – ha, ha, ha, ha! – não foi isso que combinamos – fui eu, fui eu que fiz os olhos – e eu fiz a engrenagem – diabo estúpido com sua engrenagem – cão maldito, relojoeiro simplório – suma daqui – satã – pare – bonequeiro – besta diabólica! – pare – suma – largue!".

Eram as vozes de Spalanzani e do medonho Coppelius, que zuniam e rugiam na confusão. Nathanael precipitou-se para dentro, tomado por uma angústia inominável. O professor segurava uma figura feminina pelos ombros, o italiano Coppola, pelos pés; eles a puxavam e retesavam de um lado para outro, lutando furiosamente pela posse. Nathanael recuou, profundamente horrorizado, ao reconhecer na figura Olímpia; inflamado por ira selvagem, quis tomar a amada dos furiosos, mas nesse momento Coppola girou os braços com uma força descomunal e arrancou a figura das mãos do professor e deu-lhe um golpe terrível com a própria figura, de modo que ele cambaleou e caiu para trás sobre a mesa onde havia ampolas, retortas, garrafas e cilindros de vidro; todos os aparelhos se partiram, tilintando em mil cacos. Coppola lançou então a figura sobre os ombros e correu depressa descendo a escada, com uma gargalhada terrível e estridente, de forma que os pés da figura pendiam horrivelmente e batiam e ressoavam como madeira nos degraus. – Nathanael parou estarrecido – tinha visto claramente que o rosto de cera de Olímpia, pálido como a morte, não tinha olhos, mas antes cavidades negras; ela era uma boneca sem vida. Spalanzani rolava no chão; cacos de vidro o haviam cortado na cabeça, no peito e no braço; o sangue jorrava como de uma fonte. Mas ele reunia suas forças. – "Atrás dele – atrás dele, o que você está esperando? – Coppelius – Coppelius, ele me roubou o meu melhor autômato – vinte anos de trabalho – dediquei a minha vida e a minha força – a engrenagem – a fala – o andar – meu – os olhos – os olhos roubei de você – maldito – amaldiçoado – atrás dele – pegue Olímpia para mim – ali estão os olhos!" Nesse momento, Nathanael viu que um par de olhos ensanguentados no chão o olhavam fixamente; Spalanzani pegou-os com a mão que não estava ferida e jogou-os em sua direção, atingindo-o no peito. – Então a loucura o apanhou com suas garras ardentes e entrou no seu íntimo, destroçando juízo e pensamento. "Vu-uu-uu – vu-uu-uu – vu-uu-uu! – *Roda de fogo – roda de fogo!* – Gire, *roda de fogo* – divertido – divertido! – Bonequinha de madeira vu-uu-uu bonito bonequinha de madeira, gire", com isso, atirou-se ao professor e apertou a sua garganta. Ele o teria estrangulado, mas o barulho atraiu várias pessoas que entraram e o agarraram e salvaram o professor, que foi logo tratado com ataduras. Siegmund, mesmo sendo muito forte, não conseguia controlar o possuído, que continuava a gritar com uma voz terrível: "Bonequinha de madeira, gire!", e golpeava em todas as direções, com os punhos cerrados. Por fim, a força conjunta de muitos conseguiu dominá-lo, jogando-o no chão e amarrando-o. Suas palavras soçobraram num horrível rugido animalesco. Gesticulando terrivelmente, como um louco, foi então levado a um hospício. –

Antes de continuar a lhe contar, caro leitor, o que aconteceu depois com o desafortunado Nathanael, posso assegurar-lhe, caso você tenha algum interesse no habilidoso mecânico e fabricante de autômatos Spalanzani, que ele ficou inteiramente curado das suas feridas. Entrementes, ele teve de deixar a universidade, pois a história de Nathanael causara sensação, e todos consideraram uma fraude completamente ilícita a introdução de uma boneca de madeira no lugar de uma pessoa viva nas prudentes rodas de chá (Olímpia as havia frequentado com êxito). Os juristas a denominaram inclusive uma fraude sutil e por isso passível de pena mais dura, uma vez que foi dirigida contra o público e organizada de modo tão astucioso que ninguém (à exceção de estudantes muitos inteligentes) a percebeu, mesmo que agora todos ajam como sábios e procurem invocar toda sorte de fatos que lhes teriam parecido suspeitos. Mas estes últimos, na verdade, nada trouxeram que fosse significativo à luz do dia. Por exemplo: alguém poderia talvez suspeitar do fato de que Olímpia, contrariando os costumes, espirrava mais do que bocejava, tal como afirmou um elegante frequentador dos chás? O espirro, disse o elegante, seria o ruído causado pelo mecanismo oculto que dava cordas a si mesmo e que rangia nitidamente etc. etc. O professor de poesia e retórica aspirou um punhado de fumo, fechou a lata, limpou a garganta e disse solenemente: "Ilustríssimas senhoras e senhores! Não percebem do que se trata? Tudo isso é uma alegoria – uma metáfora continuada! – Os senhores me entendem! – *Sapienti sat*!". Mas muitos senhores ilustríssimos não se tranquilizavam com aquilo; a história do autômato lançara profundas raízes em suas almas, e, de fato, surgiu furtivamente uma repulsiva desconfiança em relação à figura humana. Muitos amantes, para terem certeza de que não amavam bonecas de madeira, exigiam que a amada cantasse e dançasse um pouco fora do ritmo, ou que ela, numa sessão de leitura, bordasse, tricotasse e brincasse com o cãozinho etc. etc., mas, acima de tudo, que ela não apenas ouvisse, mas que às vezes também falasse *de forma tal* que essa fala pressupusesse um pensamento e sensações. A ligação amorosa de muitos deles tornou-se mais firme e mais graciosa; outras, ao contrário, desfizeram-se pouco a pouco. "Não se pode nunca ter certeza", diziam este e aquele. Nos chás, bocejava-se incrivelmente, e não se espirrava nunca, para se evitar qualquer suspeita. – Spalanzani, como foi dito, precisou fugir para escapar à investigação criminal por ter introduzido de modo fraudulento um autômato na sociedade humana. Coppola também desapareceu. –

Nathanael despertou como de um sono pesado, terrível; abriu os olhos e sentiu que um sentimento indescritível de volúpia o percorria com um calor suave e celestial. Estava em seu quarto na casa paterna, na cama; Clara havia se inclinado sobre ele e não muito longe estavam sua mãe e Lothar. "Finalmente, finalmente, ó meu caríssimo Nathanael – agora você está curado de uma doença grave – agora você é meu de novo!" – assim falou Clara do fundo do coração e envolveu Nathanael em seus braços. Mas dos seus olhos brotaram lágrimas claras e ardentes, de evidente melancolia e arrebatamento, e ele suspirou profundamente: "Minha – minha Clara!". – Siegmund, que perseverara fielmente ao lado do amigo na grande aflição, entrou no quarto. Nathanael estendeu-lhe a mão: "Você, irmão fiel, não me abandonou". – Todo traço de loucura havia desaparecido; Nathanael ficou logo fortalecido, com o cuidado zeloso da mãe, da amada, dos amigos. Entrementes, a felicidade voltou à casa; pois um velho tio avarento, do qual ninguém esperava nada, morreu e deixou para a mãe uma pequena herdade numa região agradável, não muito longe da cidade, além de uma quantia nada desprezível. Eles queriam mudar-se para lá; a mãe, Nathanael com a sua Clara, que ele agora pensava em desposar, e Lothar. Nathanael tornara-se mais amoroso e mais infantil do que jamais fora, e agora reconhecia ainda mais o ânimo celestialmente puro e sublime de Clara. Ninguém o lembrava do passado, nem mesmo pela menor alusão. Apenas quando Siegmund se despedia dele, Nathanael disse: "Por Deus, irmão! Eu estava num mau caminho, mas um anjo me conduziu a tempo para a trilha iluminada! – Ah, foi Clara!". Siegmund não o deixou falar mais, por medo de que pudessem surgir lembranças profundamente dolorosas, claras demais, ardentes demais. – Chegara a época em que as quatro pessoas felizes iriam mudar-se para a pequena herdade. Ao meio-dia, andavam pelas ruas da cidade. Haviam comprado algumas coisas;

a alta torre da prefeitura lançava suas sombras gigantescas sobre o mercado. "Ei!", disse Clara, vamos subir lá mais uma vez e olhar para as montanhas lá longe!". Dito e feito! Os dois, Nathanael e Clara, subiram; a mãe foi com a criada para casa; e Lothar, sem vontade de escalar os muitos degraus, preferiu esperar lá em baixo. Lá estavam os dois amantes, de braços dados, no terraço mais alto da torre, e olhavam para os bosques perfumados atrás dos quais erguiam-se as montanhas azuladas, como se fossem uma cidade gigantesca.

"Veja aquele pequeno arbusto cinzento, esquisito, que parece estar vindo diretamente em nossa direção", disse Clara. – Nathanael pôs a mão no bolso lateral do casaco, mecanicamente, achou o monóculo de Coppola e apontou-o para o lado – Clara estava diante da lente! – Então seus pulsos e suas veias estremeceram convulsivamente – encarou Clara fixamente, pálido como a morte, mas logo os olhos giravam e ardiam e soltavam correntes de fogo; ele uivou terrivelmente, como um animal acuado; e então saltou alto no ar e gritando e rindo horrivelmente, em tom cortante: "Bonequinha de madeira, gire – bonequinha de madeira, gire" – e agarrou Clara com violência e quis jogá-la lá de cima, mas Clara agarrou-se à balaustrada, desesperada pelo medo da morte. Lothar ouviu o enlouquecido rugir, ouviu a gritaria apavorada de Clara; um pressentimento terrível o sacudiu; correu para cima; a porta da segunda escada estava fechada; a gritaria suplicante de Clara soava mais alto. Louco de fúria e medo, jogou-se contra a porta, que por fim se abriu – os gritos de Clara tornavam-se cada vez mais fracos: "Socorro – ajuda – ajuda", assim desfalecia a voz no ar. "Ela está morta – assassinada pela enlouquecido", gritou Lothar. A porta que dava para o terraço também estava fechada. – O desespero deu-lhe uma força gigantesca; ele arrancou a porta. Deus do céu! – Clara pairava no ar, suspensa pelo enlouquecido Nathanael – apenas com uma mão ainda se agarrava às grades de ferro. Rápido como um raio, Lothar pegou a irmã, puxou-a para dentro e no mesmo instante acertou um golpe de punho fechado no rosto do furioso, de modo que este cambaleou para trás e soltou a sua presa fatal.

Lothar desceu correndo, com a irmã desfalecida nos braços. – Ela estava salva. – Agora, Nathanael corria ao longo do terraço e saltava alto no ar e gritava: "*Roda de fogo,* gire – *roda de fogo,* gire!". – As pessoas acorreram ao ouvir a gritaria selvagem; no meio delas sobressaía o advogado Coppelius, gigantesco, que acabara de chegar à cidade e caminhara diretamente para o mercado. Queriam subir, para dominar o furioso; então Coppelius sorriu, dizendo: "Ha, ha – esperem, ele virá para baixo por si só", e olhou para cima, como os outros. Nathanael parou subitamente, como que paralisado; inclinou-se, avistou Coppelius e, gritando estridentemente "Ha! *Bellis occhios – bellis occhios*!", saltou sobre a balaustrada. –

Quando Nathanael jazia sobre as pedras do calçamento, com a cabeça destroçada, Coppelius havia desaparecido na multidão. –

Muitos anos depois, Clara teria sido vista em uma região distante, sentada à porta de uma bela propriedade rural, de mãos dadas com um homem simpático, brincando com duas crianças saudáveis. Disso se poderia concluir que Clara ainda encontrou a tranquila felicidade doméstica que correspondia ao seu espírito sereno e à sua alegria de viver, e que o interiormente dilacerado Nathanael jamais lhe teria podido proporcionar.

NOTAS

[1] Referência a um diálogo da primeira cena do quinto ato da peça Os bandoleiros [Die Räuber] (1781), de Friedrich Schiller (1759-1805). (N.T.)

[2] No original, unheimlich. Optou-se por traduzir unheimlich sempre por "infamiliar", e por utilizar "infamiliar" apenas quando o termo original for unheimlich. Para o leitor interessado no ensaio de Freud que compõe este livro, é possível que esse procedimento seja útil. (N.T./N.R.)

[3] Daniel Nikolaus Chodowiecki (1726-1801), gravurista polonês-alemão. A gravura mencionada por Hoffmann pode ser vista em <www.deutschefotothek.de/documents/obj/30104869>. (N.T.)

[4] Pompeo Batoni (1708-1787), pintor italiano. (N.T.)

[5] Jacob van Ruisdael (c. 1628-1682), pintor holandês. (N.T.)

POSFÁCIO

CIDADÃO DE DOIS MUNDOS

Romero Freitas

O ESCRITOR ACIDENTAL

Ernst Theodor Amadeus Hoffmann (1776-1822) foi ao mesmo tempo escritor, compositor, professor de música, maestro, diretor de teatro, crítico musical, pintor de cenários, caricaturista, boêmio notório e jurista da alta burocracia prussiana. Longe da existência exangue e monacal de muitos dos escritores românticos, Hoffmann foi um tipo mundano, próximo do leitor comum. Isso talvez explique por que esse burocrata boêmio, que se via mais como compositor do que como escritor, foi um daqueles casos fascinantes de um êxito artístico inesperado, quase acidental.

Hoffmann começou a vida na Prússia Oriental, seu lugar de nascimento, trabalhando como professor de música e como assessor jurídico de um tribunal. Com a invasão da Prússia pelas tropas de Napoleão, perdeu o seu posto burocrático e mudou-se para Bamberg, no sul da Alemanha. Trabalhou então apenas com teatro e música, afastado dos tribunais. Das primeiras tentativas como escritor, na juventude, o nosso herói mal tinha memória. Nas poucas horas vagas que lhe restavam, Hoffmann escreveu o seu primeiro conto: a história do aparecimento do compositor Christoph Willibald Gluck na sociedade mundana berlinense, 22 anos depois da sua morte, na forma de um espectro, ou de um sonho do narrador, ou talvez como o delírio de um músico qualquer que acreditava ser Gluck.

Mais tarde, como a vida de músico era muito precária do ponto de vista financeiro, Hoffmann retomou a carreira de burocrata em Berlim. A partir daí, publicou uma série impressionante de obras-primas nos mais variados gêneros literários (alguns deles ainda nem sequer nomeados, como a novela policial histórica em *A senhorita de Scuderi*). O escritor, com o passar do tempo, eclipsou o compositor. Não que este fosse destituído de talento: sua ópera *Undine* faz parte do repertório da música de concerto ainda hoje.

Hoffmann foi também um daqueles casos de um autor que é um deleite para o público e um estorvo para a crítica. "Degenerado", "patológico", "camaleônico, "intranquilo" e "hipersensível" foram alguns dos termos usados pelos leitores cultos da época.[i] Goethe ajudou a difundir uma imagem negativa que se tornaria muito influente, qualificando as obras do nosso autor como "os sonhos febris de um cérebro movediço e doente, tal como resulta do uso desmedido do ópio".[ii]

Leitores, no entanto, nem sempre se guiam pela crítica erudita, mesmo que seja a de um Goethe. O "cérebro doente" tornou-se, então, em poucos anos, o autor mais conhecido do romantismo alemão. Um caso impressionante,

---

[i] Ver "Der sogennante Gespenster-Hoffmann". Disponível em: <www.zeit.de/1964/38/der-sogenannte-gespenster-hoffmann>.

[ii] Goethe, na verdade, estava traduzindo uma resenha de Walter Scott. Mas a frase circulou e ainda circula como sendo de sua autoria. Ver Kaiser (2010, p. 88).

sob todos os aspectos, pois de início Hoffmann escrevia não somente *apesar* da crítica, mas também *apesar* do seu próprio projeto de se tornar um grande compositor. Num período de tempo relativamente curto, de 1814 a 1822, Hoffmann publicou suas principais obras avulsas (*Os elixires do diabo*, *Princesa Brambilla*, *Mestre Pulga*, *Reflexões do gato Murr*) e suas três grandes coletâneas (*Peças fantásticas à maneira de Callot*, *Peças noturnas*, *Os irmãos Serapião*). Com o passar do tempo, público, crítica e escritor parecem ter se acomodado ao destino.

UM ROMANTISMO SINGULAR

Por volta de 1815, o alemão está longe de ser uma língua literária de relevância internacional. O mais célebre dos reis alemães, Frederico II, havia dito poucas décadas antes: "O alemão é uma língua bárbara, apropriada para se falar com seus cavalos".[i] A Berlim onde Hoffmann vive e publica é ainda uma metrópole juvenil: sua população não passa de 170 mil pessoas. É por meio das traduções francesas, inglesas e russas que Hoffmann se transformará aos poucos num fenômeno internacional, inspirando várias gerações de escritores e compositores: Nerval, Baudelaire, Poe, Dostoiévski (*O duplo*), Offenbach, Stravinsky (*Petrushka*), Tchaikovsky (*O Quebra-Nozes*).

Além disso, é preciso lembrar que a literatura romântica, tão associada à Alemanha, é na verdade uma invenção inglesa. Bem antes do sucesso estrondoso de

---

[i] Sobre a história dessa citação, para a qual contribuiu Voltaire acrescentando os soldados ("o alemão é apenas para soldados e cavalos"), ver "Das Pferde-Plagiat". Disponível em: <www.zeit.de/1963/09/das-pferde-plagiat>.

Os sofrimentos do jovem Werther (1774), Horace Walpole inaugurava a *gothic novel* com *O castelo de Otranto* (1764). Hoffmann, portanto, introduz algo de novo nessa tradição. Qual seria o seu segredo?

Na Inglaterra do final do século XVIII, a burguesia ilustrada e triunfante divertia-se com histórias de fantasmas de nobres em castelos medievais, demonstrando tanto fascínio quanto desprezo pela aristocracia e seus símbolos (não por acaso, a imagem da armadura que se move *sem o cavaleiro* é tão frequente nessa literatura). Décadas depois, essa literatura ressurge na Alemanha, em contexto bem distinto: o falso irracionalismo da literatura gótica inglesa é substituído por uma forma nova de idealismo poético e metafísico.[i] Além disso, as circunstâncias políticas são bem diferentes: após prestar um serviço valoroso na expulsão das tropas de Napoleão, a burguesia prussiana continuará submetida à tutela da nobreza. Os ventos da Revolução, temporariamente colhidos pelas velas do nacionalismo, serão logo transformados nos sussurros da religião da arte.

A HERESIA REALISTA

A religião da arte possui dois dogmas fundamentais: o primeiro é a comunhão da arte com o absoluto; o segundo, a oposição entre o artista e o filisteu.[ii] A filosofia crítica de Kant havia lançado um profundo ataque ao materialismo

---

[i] "O falso irracionalismo do romance 'gótico' encontrou na Alemanha um fundamento filosófico no misticismo de Schelling e Goerres, na confusa 'filosofia da natureza' dos românticos, no simbolismo de Novalis" (CARPEAUX, 2013, p. 108).

[ii] Sobre esse segundo ponto, ver Kaiser (2010, p. 108-115).

das Luzes. Duas décadas depois, em sua forma radicalizada, ela produziu uma filosofia da natureza especulativa, inteiramente antibritânica, que pretendia reconciliar mito e razão, mecanicismo e organicismo, espírito e matéria, religião e política, Estado e indivíduo. Novalis será o poeta e o filósofo assistemático que proclamará a transformação de todos os saberes numa poesia metafísica "sinfônica": uma síntese universal de prosa, poesia, física, política, matemática, música, mito, filosofia e religião. Schelling será o filósofo profissional, acadêmico e sistemático, que tentará realizar uma espécie de "quadratura do círculo": transformar o pensamento romântico numa ciência rigorosa, dedutiva e apodítica, fundada na intuição estética como intuição do absoluto.

Transposta para a literatura ficcional, essa especulação fulgurante dará resultados um tanto modestos. *Os Hinos à noite*, de Novalis, são possivelmente o ponto alto da poesia lírica romântica. Mas o seu ambicioso projeto de romance de formação, *Heinrich von Ofterdingen*, que deveria ser uma resposta crítica a *Os anos de aprendizado de Wilhelm Meister* (Goethe), dá sempre a impressão de ser um tratado filosófico transposto para prosa de ficção (o que, aliás, é exatamente o objetivo do autor). Seria a metafísica incompatível com a prosa?

O fato é que, se alguém chegou a se estabelecer como "o anti-Goethe", este foi Heinrich Heine, justamente o primeiro a reconhecer plenamente o valor de Hoffmann. Hoffmann pertence, portanto, a um momento de transição entre a literatura romântica em sentido estrito (Novalis) e o começo da crítica do romantismo (Heine). Hoffmann introduziu um elemento herético na religião da arte. Uma autocrítica que, no longo prazo, culminaria na sua dissolução: trata-se de um desencantamento da figura do artista, ou seja, da introdução de uma desconfiança no coração mesmo da hagiografia romântica.

Na religião da arte, a criação artística não é somente autônoma, mas também soberana. A arte já havia se emancipado da filosofia no iluminismo tardio. Agora, chegara o momento da revanche dos poetas contra Platão: a poesia não é apenas independente da razão, mas superior a ela. Noutras palavras, a arte é identificada com o absoluto. Uma consequência prática dessa postura é a divisão do mundo social entre o artista e o seu oposto, ou seja, o filisteu. Novalis encarna essa posição ao considerar o romance de formação de Goethe como prosaico ou antipoético. Mas há vários outros exemplos, como a obra de Wackenroder cujo título é lapidar a esse respeito: *Efusões do coração de um monge amante da arte.*

Com Hoffmann, a "luta de classes" entre o artista e o filisteu entra em crise. Isso é evidente na ampla sátira de artista sorrateiramente incluída no conto de horror "O Homem da Areia". Quando Olímpia é apresentada à sociedade, é unanimemente considerada "rígida como um cadáver"[i], mas quase ninguém percebe de fato que ela é um autômato. Seria porque os "mecânicos" burgueses, com seus valores utilitários e pragmáticos, já não veem a diferença entre o automático e o espontâneo? Será que eles são tão autômatos que não são mais capazes de reconhecer um autômato quando o veem?[ii] Mas Hoffmann é

---

[i] "Embora o professor tivesse feito tudo para parecer verdadeiramente generoso, as cabeças espirituosas sabiam narrar toda sorte de coisas bizarras e singulares que haviam acontecido, e falavam sobretudo da silente Olímpia, rígida como um cadáver, a quem se atribuía uma estupidez total, apesar de sua bela aparência, e nisso viam a razão de Spalanzani a ter ocultado por tanto tempo" (neste volume, p. 254).

[ii] Ver Volobuef (2011, p. 90).

igualmente impiedoso com o antifilisteu por princípio, o *poeta* Nathanael. E o faz com suprema ironia: como Clara morre de tédio diante dos longos poemas que o nosso herói lê para ela, Nathanael a troca por uma boneca de madeira que pode escutá-lo por horas a fio sem bocejar nem brincar com o cachorro, e que nunca diz mais que "Ah – Ah!".

CETICISMO E MODERNISMO

Hoffmann é um escritor singular, quase uma impossibilidade lógica: ao mesmo tempo cético, satírico, fantástico e realista. Pois a sátira em "O Homem da Areia", como em tantas outras obras do autor, só tem sentido *no interior* do conto fantástico. Ela só é possível através de um narrador *inconfiável* e de um humor *ambivalente*. No conto "Cavaleiro Gluck", não sabemos nunca se o compositor voltou dos mortos, se o narrador foi enganado por um charlatão ou se ele foi tomado por um delírio que agora nos relata em detalhes. Em "O Homem da Areia", o narrador convida o leitor a participar do culto místico da religião da arte, mas já o faz com uma bela ironia, no momento em que "discute" com o leitor qual seria o melhor meio de começar a história:

> Eu tenho de lhe confessar, benevolente leitor!, que na verdade ninguém me pediu para contar a história do jovem Nathanael; mas você sabe muito bem que eu pertenço àquele gênero singular de autores que, quando trazem dentro de si algo como isso que eu acabo de descrever, caem num estado de espírito em que todos os que se aproximam, e também ao mesmo tempo o mundo inteiro, parecem perguntar: "O que houve? Conte-me, meu caro!". – Desse modo, senti-me

> violentamente impelido a falar da malfadada vida de Nathanael. O maravilhoso, o bizarro nela preenche toda a minha alma, mas justamente por isso, e porque eu precisava incliná-lo, ó meu leitor, a suportar o extraordinário, o que não é pouca coisa, esforcei-me por começar a história de Nathanael de modo significativo (neste volume, p. 238).

A princípio, o narrador parece aproximar-se do fantástico ("o maravilhoso", "o extraordinário"), aproximando-se do seu herói. Mas, como o narrador está apenas "discutindo" qual seria a melhor técnica narrativa, zombando de formas convencionais de se começar uma história, ele toma uma distância crítica em relação à matéria narrada. O fantástico parece não ser tão fantástico... Por outro lado, será que podemos confiar *totalmente* no que ele diz nesse momento? A descrição vívida dos poderes demoníacos de Coppelius e Spalanzani não nos diz o contrário do que a ironia diz? Seria apenas coincidência o fato de que Nathanael caiu de amores por Olímpia apenas após observá-la com o monóculo que ele comprou de Coppola? Jamais saberemos.

O segredo de Hoffmann está no contraste. Suas histórias mais conhecidas envolvem sempre uma dimensão dupla: de um lado, a possibilidade fortemente insinuada, mas nunca totalmente confirmada, de uma causalidade mágica; de outro, a efetividade palpável da vida comum, que emerge nas descrições detalhadas, mesmo que caricaturais, dos aspectos *concretos* da narrativa. Pode ser o aspecto físico dos personagens, sua fisionomia, andar, postura corporal e roupas, como nas descrições de Spalanzani, Olímpia e Coppelius em "O Homem da Areia". Ou então a localização precisa, no espaço e no tempo, do ambiente social e natural das histórias, como em "Cavaleiro Gluck", que tem como subtítulo "Uma lembrança do ano de 1809" e que principia por uma descrição divertida da fauna urbana no centro de Berlim, nomeando explicitamente ruas e bares.

Há algo de profundamente subversivo na loucura de Nathanael: ela ao mesmo tempo *dá vida ao mecânico* (quando vê luz nos olhos de Olímpia) e *recusa a vida* quando ela lhe *parece* mecânica (quando chama Clara de "maldito autômato, sem vida!" (p. 245). É nesse sentido que ele continua sendo um herói trágico, apesar de toda a caricatura. Sua crítica dos filisteus o leva à loucura. Mas não há aqui nenhum elogio da sobriedade: o mundo de Clara certamente não é uma alternativa. E a loucura artística ainda parece ser superior ao filisteísmo. Hoffmann não oscilou apenas entre a arte e a burocracia, mas também entre o romantismo e ceticismo. Ele foi de fato "cidadão de dois mundos", como escreveu Carpeaux (2013): não apenas dos mundos prosaico e mágico, mas também do mundo romântico e do nosso.

REFERÊNCIAS

CARPEAUX, Otto Maria. *História concisa da literatura alemã*. São Paulo: Faro Editorial, 2013.

KAISER, Gerhard. *Literarische Romantik*. Göttingen: Vandenhoeck & Ruprecht, 2010.

VOLOBUEF, Karin. E. T. A. Hoffmann e o artista demoníaco. In: VOLOBUEF, Karin (Org.). *Mito e magia*. São Paulo: Editora Unesp, 2011.

OBRAS INCOMPLETAS DE SIGMUND FREUD

A célebre "enciclopédia chinesa" referida por Borges dividia os animais em: "a) pertencentes ao imperador; b) embalsamados, c) domesticados, d) leitões, e) sereias, f) fabulosos, g) cães em liberdade, h) incluídos na presente classificação, i) que se agitam como loucos, j) inumeráveis, k) desenhados com um pincel muito fino de pelo de camelo, l) *et cetera*, m) que acabam de quebrar a bilha". A coleção Obras Incompletas de Sigmund Freud é um convite para que o leitor estranhe as taxionomias sacramentadas pelas tradições de escolas e de editores; classificações que incluem e excluem obras do "cânone" freudiano através do apaziguador adjetivo *completas*; que dividem a obra em classes consagradas, tais como "publicações pré-psicanalíticas", "artigos metapsicológicos", "escritos técnicos", "textos sociológicos", "casos clínicos", "outros trabalhos", etc. Como se um texto sobre a cultura ou sobre um artista não fosse também um documento clínico, ou um escrito técnico não discutisse importantes questões metapsicológicas, ou se trabalhos como *Sobre a concepção das afasias*, por exemplo, simplesmente jamais tivessem sido escritos.

A tradução e a edição da obra de Freud envolvem múltiplos aspectos e dificuldades. Ao lado do rigor filológico e do cuidado estilístico, ao menos em igual proporção, deve figurar a precisão conceitual. Embora Freud seja um escritor talentoso, tendo sido agraciado com o prêmio Goethe, entre outros motivos, pela qualidade literária de sua prosa científica, seus textos fundamentam uma prática: a clínica psicanalítica. É claro que os conceitos que emanam da Psicanálise também interessam, em maior ou menor grau, a áreas conexas, como a crítica social, a teoria literária, a prática filosófica, etc. Nesse sentido, uma tradução nunca é neutra ou anódina. Isso porque existem dimensões não apenas linguísticas (terminológicas, semânticas, estilísticas) envolvidas na tradução, mas também éticas, políticas, teóricas e, sobretudo, clínicas. Assim, escolhas terminológicas não são sem efeitos práticos. Uma clínica calcada na teoria da "pulsão" não se pauta pelos mesmos princípios de uma clínica dos "instintos", para tomar apenas o exemplo mais eloquente.

A tradução de Freud – autor tão multifacetado – deve ser encarada de forma complexa. Sua tradução não envolve somente o conhecimento das duas línguas e de uma boa técnica de tradução. Do texto de Freud se traduz também o substrato teórico que sustenta uma prática clínica amparada nas capacidades transformadoras da palavra. A questão é que, na estilística de Freud e nas suas opções de vocabulário, via de regra, forma e conteúdo confluem. É fundamental, portanto, proceder à "escuta do texto" para que alguém possa desse autor se tornar "intérprete".

Certamente, há um clamor por parte de psicanalistas e estudiosos de Freud por uma edição brasileira que respeite a fluência e a criatividade do grande escritor, sem se descuidar da atenção necessária ao já tão amadurecido debate acerca de um "vocabulário brasileiro" relativo à metapsicologia freudiana.

De fato, o leitor, acostumado a um estranho método de leitura, que requer a substituição mental de alguns termos fundamentais, como "instinto" por "pulsão", "repressão" por "recalque", "ego" por "eu", "id" por "isso", não raro perde o foco do que está em jogo no texto de Freud.

Se tradicionalmente as edições de Freud se dicotomizam entre as "edições de estudo", que afugentam o leitor não especializado, e as "edições de divulgação", que desagradam o leitor especializado, procurou-se aqui evitar tais extremos. Quanto à prosa ou ao estilo freudianos, procurou-se preservar ao máximo as construções das frases evitando "ambientações" desnecessárias, mas levando em conta fundamentalmente as consideráveis diferenças sintáticas entre as línguas.

A presente tradução, direta do alemão, envolve uma equipe multidisciplinar de tradutores e consultores, composta por eminentes profissionais oriundos de diversas áreas, como a Psicanálise, as Letras e a Filosofia. O trabalho de tradução e a revisão técnica de todos os volumes é coordenado pelo psicanalista e germanista Pedro Heliodoro Tavares, encarregado também de fixar as diretrizes terminológicas da coleção. O projeto é guiado pelos princípios editoriais propostos pelo psicanalista e filósofo Gilson Iannini.

A coleção Obras Incompletas de Sigmund Freud não pretende apenas oferecer uma nova tradução, direta do alemão e atenta ao *uso* dos conceitos pela comunidade psicanalítica brasileira. Ela pretende ainda oferecer uma nova maneira de organizar e de tratar os textos.

A coleção se divide em duas vertentes principais: uma série de volumes organizados tematicamente, ao lado de outra série dedicada a volumes monográficos. Cada volume receberá um tratamento absolutamente singular, que determinará se a edição será bilíngue ou não, o volume de paratexto e notas, conforme as exigências impostas a cada caso. Uma ética pautada na clínica.

VOLUMES PUBLICADOS

- **As pulsões e seus destinos [edição bilíngue]**
(Trad. Pedro Heliodoro Tavares) - 2013
- **Sobre a concepção das afasias**
(Trad. Emiliano de Brito Rossi) - 2013
- **Compêndio de Psicanálise e outros escritos inacabados**
(Trad. Pedro Heliodoro Tavares) - 2014
- **Arte, literatura e os artistas**
(Trad. Ernani Chaves) - 2015
- **Neurose, psicose, perversão**
(Trad. Maria Rita Salzano Moraes) - 2016
- **Fundamentos da clínica psicanalítica**
(Trad. Claudia Dornbusch) - 2017
- **Amor, sexualidade, feminilidade**
(Trad. Maria Rita Salzano Moraes) - 2018
- **O infamiliar [edição bilíngue]. Seguido de "O homem da areia", de E.T.A. Hoffmann**
(Trad. Freud: Ernani Chaves, Pedro Heliodoro Tavares; trad. Hoffman: Romero Freitas) - 2019

VOLUMES TEMÁTICOS

I - Psicanálise

- O interesse pela Psicanálise [1913]
- História do movimento psicanalítico [1914]
- Psicanálise e Psiquiatria [1917]
- Uma dificuldade da Psicanálise [1917]
- A Psicanálise deve ser ensinada na universidade? [1919]
- "Psicanálise" e "Teoria da libido" [1922-1923]
- Breve compêndio de Psicanálise [1924]
- As resistências à Psicanálise [1924]
- "Autoapresentação" [1924]
- Psico-Análise [1926]
- Sobre uma visão de mundo [1933]

II - Conceitos fundamentais da Psicanálise

- Cartas e rascunhos
- O mecanismo psíquico do esquecimento [1898]
- Lembranças encobridoras [1899]
- Formulações sobre dois princípios do acontecer psíquico [1911]
- Algumas considerações sobre o conceito de inconsciente na Psicanálise [1912]
- Para introduzir o narcisismo [1914]
- As pulsões e seus destinos [1915]
- O recalque [1915]
- O inconsciente [1915]
- A transferência [1917]
- Além do princípio de prazer [1920]
- O Eu e o Isso [1923]
- Nota sobre o bloco mágico [1925]
- A decomposição da personalidade psíquica [1933]

III - Sonhos, sintomas e atos falhos

- Sobre o sonho [1901]
- Manejo da interpretação dos sonhos [1911]
- Sonhos e folclore [1911]
- Um sonho como meio de comprovação [1913]
- Material de contos de fadas em sonhos [1913]
- Complementação metapsicológica à doutrina dos sonhos [1915]
- Uma relação entre um símbolo e um sintoma [1916]
- Os atos falhos [1916]
- O sentido do sintoma [1917]
- Os caminhos da formação de sintoma [1917]
- Observações sobre teoria e prática da interpretação de sonhos [1922]
- Algumas notas posteriores à totalidade da interpretação dos sonhos [1925]
- Inibição, sintoma e angústia [1925]
- Revisão da doutrina dos sonhos [1933]
- As sutilezas de um ato falho [1935]
- Distúrbio de memória na Acrópole [1936]

IV - Histórias clínicas

- Fragmento de uma análise de histeria (Caso Dora) [1905]
- Análise de fobia em um menino de cinco anos (Caso Pequeno Hans) [1909]
- Considerações sobre um caso de neurose obsessiva (Caso Homem dos Ratos) [1909]
- Considerações psicanalíticas sobre um caso de paranoia relatado de forma autobiográfica [*Dementia paranoides*] (Caso presidente Schreber) [1911]
- História de uma neurose infantil (Caso Homem dos Lobos) [1914]

V - Histeria, obsessão e outras neuroses

- Cartas e rascunhos
- Sobre o mecanismo psíquico dos fenômenos histéricos [1893]
- Obsessões e fobias: seu mecanismo psíquico e sua etiologia [1894]
- As neuropsicoses de defesa [1894]
- Observações adicionais sobre as neuropsicoses de defesa [1896]
- A etiologia da histeria [1896]
- A hereditariedade e a etiologia das neuroses [1896]
- A sexualidade na etiologia das neuroses [1898]
- Minhas perspectivas sobre o papel da sexualidade na etiologia das neuroses [1905]
- Atos obsessivos e práticas religiosas [1907]
- Fantasias histéricas e sua ligação com a bissexualidade [1908]
- Considerações gerais sobre o ataque histérico [1908]
- Caráter e erotismo anal [1908]
- O romance familiar dos neuróticos [1908]
- A disposição para a neurose obsessiva: uma contribuição ao problema da escolha da neurose [1913]
- Paralelos mitológicos de uma representação obsessiva visual/plástica [1916]
- Sobre transposições da pulsão, especialmente no erotismo anal [1917]

VI - Sociedade, religião, cultura

- Moral sexual "civilizada" e doença nervosa [1908]
- Considerações contemporâneas sobre guerra e morte [1915]
- Psicologia de massas e análise do Eu [1921]
- O futuro de uma ilusão [1927]
- Uma vivência religiosa [1927]
- O mal-estar na cultura [1930]
- Sobre a conquista do fogo [1931]
- Por que a guerra? [1932]
- Comentário sobre o antissemitismo [1938]

VOLUMES MONOGRÁFICOS

- **O delírio e os sonhos na "Gradiva" de Jensen. Seguido de "Gradiva" (de W. Jensen)**
- **Três ensaios sobre a teoria sexual**
- **Psicopatologia da vida cotidiana**
- **O chiste e sua relação com o inconsciente**
- **Estudos sobre histeria**
- **Cinco lições de Psicanálise**
- **Totem e tabu**
- **O homem Moisés e a religião monoteísta**

Christian Ingo Lenz Dunker

Psicanalista. Professor titular do Departamento de psicologia clínica da USP. Realizou pós-doutorado na Manchester Metropolitan University. Doutor em Psicologia. Ganhador, em 2012, do Prêmio Jabuti em Psicologia e Psicanálise por seu Estrutura e constituição da clínica psicanalítica: uma arqueologia das práticas de cura, psicoterapia e tratamento (Annablume editora). Em 2016 ganhou o segundo lugar no Prêmio Jabuti em Psicologia, Psicanálise e Comportamento com o livro "Mal-Estar, Sofrimento e Sintoma" (Boitempo, 2015). Publicou ainda "Por quê Lacan? (Zagodoni, 2016), "A Psicose na Criança" (Zagodoni, 2014) e "O Cálculo Neurótico do Gozo" (Escuta, 2002).

Ernani Chaves

Professor da Faculdade de Filosofia da Universidade Federal do Pará (UFPA), onde é professor permanente do PPG em Filosofia, do PPG em Antropologia e colaborador no PPG em Psicologia. Pesquisador do CNPq, realizou estágio de pós-doutorado na Universidade Técnica de Berlim e na Bauhaus-Universität, de Weimar, na Alemanha. Foi pesquisador visitante na Universidade Técnica de Berlim. Autor de No limiar do moderno: estudos sobre Friedrich Nietzsche e Walter Benjamin (Paka-Tatu) e Michel Foucault e a verdade cínica (Phi). Publicou artigos e capítulos de livros no Brasil e no exterior. Tradutor de Friedrich Nietzsche, Walter Benjamin e Sigmund Freud.

Guilherme Massara Rocha

Psicanalista. Mestre em Filosofia/UFMG. Doutor em Filosofia/USP. Psicanalista. Professor-Adjunto do Departamento de Psicologia da Universidade Federal de Minas Gerais. Membro do GT - Psicanálise, Política e Cultura/ANPEPP; Membro do Laboratório de Psicanálise e Psicopatologia da UFMG; Membro da SIPP - Societé Internationale Philosophie et Psychanalyse. Membro da FEDEPSY - Fédération Européenne de Psychanalyse.

Gilson Iannini

Professor do Departamento de Psicologia da UFMG, ensinou no Departamento de Filosofia da UFOP por quase duas décadas. Doutor em Filosofia (USP) e mestre em Psicanálise (Université Paris VIII). Autor de Estilo e verdade em Jacques Lacan (Autêntica, 2012).

Pedro Heliodoro Tavares

Psicanalista, germanista, tradutor. Professor Adjunto na Área de Alemão no Departamento de Língua e Literatura Estrangeiras da Universidade Federal de Santa Catarina. Entre 2011 e 2018 foi Professor da Área de Alemão – Língua, Literatura e Tradução (USP). Doutor em Psicanálise e Psicopatologia (Université Paris VII). Autor de Versões de Freud (7Letras, 2011) e coorganizador de Tradução e psicanálise (7Letras, 2013).

Romero Freitas

Filósofo, especialista em estética e filosofia da arte. Professor Associado IV no Departamento de Filosofia da Universidade Federal de Ouro Preto. Realizou pós-doutorado no Zentrum für Literatur und Kulturforschung e na Freie Universität Berlin. Traduziu notadamente Alemanha, um conto de inverno, de Heinrich Heine, além de textos de e sobre Walter Benjamin.

Títulos originais: *Das Unheimliche; Über den Gegensinn der Urworte; Die Verneinung; Der Sandmann*

EDITOR DA COLEÇÃO
Gilson Iannini

EDITORAS RESPONSÁVEIS
Rejane Dias
Cecília Martins

ORGANIZAÇÃO
Gilson Iannini
Pedro Heliodoro Tavares

NOTAS
Ernani Chaves

CONSULTORIA CIENTÍFICA
Guilherme Massara Rocha
Ernani Chaves
Romero Freitas
Christian Dunker

REVISÃO
Aline Sobreira

PROJETO GRÁFICO E CAPA
Diogo Droschi
(sobre imagem Sigmund Freud's Study – *Authenticated News)*

DIAGRAMAÇÃO
Waldênia Alvarenga

Dados Internacionais de Catalogação na Publicação (CIP)
(Câmara Brasileira do Livro, SP, Brasil)

Freud, Sigmund, 1856-1939.
O infamiliar e outros escritos / Sigmund Freud ; seguido de O homem da areia / E. T. A. Hoffmann ; tradução Ernani Chaves, Pedro Heliodoro Tavares [O homem da areia ; tradução Romero Freitas]. -- 1. ed.; 2. reimp. -- Belo Horizonte : Autêntica, 2021. -- (Obras Incompletas de Sigmund Freud ; 8)

Título original: Das Unheimliche.

ISBN 978-85-513-0486-0

1. Freud, Sigmund, 1856-1939. Das Unheimliche 2. Hoffmann, E. T. A. (Ernst Theodor Amadeus), 1776-1822. Der Sandmann 3. Psicanálise e literatura I. Hoffmann, E. T. A. II. Iannini, Gilson. III. Título. IV. Série.

19-23843 CDD-150.1952

Índices para catálogo sistemático:
1. Freud, Sigmund, 1856-1939 - Psicologia 150.1952

Iolanda Rodrigues Biode - Bibliotecária - CRB-8/10014

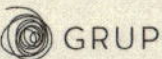
GRUPO **AUTÊNTICA**

Belo Horizonte
Rua Carlos Turner, 420
Silveira . 31140-520
Belo Horizonte . MG
Tel.: (55 31) 3465 4500

São Paulo
Av. Paulista, 2.073 . Conjunto Nacional
Horsa I . Sala 309 . Cerqueira César
01311-940 . São Paulo . SP
Tel.: (55 11) 3034 4468

www.grupoautentica.com.br
SAC: atendimentoleitor@grupoautentica.com.br

Este livro foi composto com tipografia Bembo Std e impresso
em papel Off-White 80 g/m² na Formato Artes Gráficas.